OS MICRO-HÁBITOS MICRO-HÁBITOS MICRO-HÁBITOS MICRO-HÁBITOS
-HÁBITOS MICRO-HÁBITOS MICRO-HÁBITOS MICRO-HÁBITOS MICRO-H
OS MICRO-HÁBITOS MICRO-HÁBITOS MICRO-HÁBITOS MICRO-HÁBITOS
-HÁBITOS MICRO-HÁBITOS MICRO-HÁBITOS MICRO-HÁBITOS MICRO-H
OS MICRO-HÁBITOS MICRO-HÁBITOS MICRO-HÁBITOS MICRO-HÁBITOS
-HÁBITOS MICRO-HÁBITOS MICRO-HÁBITOS MICRO-HÁBITOS MICRO-H
OS MICRO-HÁBITOS MICRO-HÁBITOS MICRO-HÁBITOS MICRO-HÁBITOS
-HÁBITOS MICRO-HÁBITOS MICRO-HÁBITOS MICRO-HÁBITOS MICRO-H
OS MICRO-HÁBITOS MICRO-HÁBITOS MICRO-HÁBITOS MICRO-HÁBITOS
-HÁBITOS MICRO-HÁBITOS MICRO-HÁBITOS MICRO-HÁBITOS MICRO-H
OS MICRO-HÁBITOS MICRO-HÁBITOS MICRO-HÁBITOS MICRO-HÁBITOS
-HÁBITOS MICRO-HÁBITOS MICRO-HÁBITOS MICRO-HÁBITOS MICRO-H
OS MICRO-HÁBITOS MICRO-HÁBITOS MICRO-HÁBITOS MICRO-HÁBITOS
-HÁBITOS MICRO-HÁBITOS MICRO-HÁBITOS MICRO-HÁBITOS MICRO-H
OS MICRO-HÁBITOS MICRO-HÁBITOS MICRO-HÁBITOS MICRO-HÁBITOS
-HÁBITOS MICRO-HÁBITOS MICRO-HÁBITOS MICRO-HÁBITOS MICRO-H
OS MICRO-HÁBITOS MICRO-HÁBITOS MICRO-HÁBITOS MICRO-HÁBITOS
-HÁBITOS MICRO-HÁBITOS MICRO-HÁBITOS MICRO-HÁBITOS MICRO-H
S MICRO-HÁBITOS MICRO **MICRO-HÁBITOS** MICRO-HÁBITOS MICRO-HÁBITOS
-HÁBITOS MICRO-HÁBITOS MICRO-HÁBITOS MICRO-HÁBITOS MICRO-H
OS MICRO-HÁBITOS MICRO-HÁBITOS MICRO-HÁBITOS MICRO-HÁBITOS
-HÁBITOS MICRO-HÁBITOS MICRO-HÁBITOS MICRO-HÁBITOS MICRO-H
OS MICRO-HÁBITOS MICRO-HÁBITOS MICRO-HÁBITOS MICRO-HÁBITOS
-HÁBITOS MICRO-HÁBITOS MICRO-HÁBITOS MICRO-HÁBITOS MICRO-H
OS MICRO-HÁBITOS MICRO-HÁBITOS MICRO-HÁBITOS MICRO-HÁBITOS
-HÁBITOS MICRO-HÁBITOS MICRO-HÁBITOS MICRO-HÁBITOS MICRO-H
OS MICRO-HÁBITOS MICRO-HÁBITOS MICRO-HÁBITOS MICRO-HÁBITOS
-HÁBITOS MICRO-HÁBITOS MICRO-HÁBITOS MICRO-HÁBITOS MICRO-H
OS MICRO-HÁBITOS MICRO-HÁBITOS MICRO-HÁBITOS MICRO-HÁBITOS
-HÁBITOS MICRO-HÁBITOS MICRO-HÁBITOS MICRO-HÁBITOS MICRO-H
OS MICRO-HÁBITOS MICRO-HÁBITOS MICRO-HÁBITOS MICRO-HÁBITOS
-HÁBITOS MICRO-HÁBITOS MICRO-HÁBITOS MICRO-HÁBITOS MICRO-H
OS MICRO-HÁBITOS MICRO-HÁBITOS MICRO-HÁBITOS MICRO-HÁBITOS
-HÁBITOS MICRO-HÁBITOS MICRO-HÁBITOS MICRO-HÁBITOS MICRO-H
OS MICRO-HÁBITOS MICRO-HÁBITOS MICRO-HÁBITOS MICRO-HÁBITOS
-HÁBITOS MICRO-HÁBITOS MICRO-HÁBITOS MICRO-HÁBITOS MICRO-H
OS MICRO-HÁBITOS MICRO-HÁBITOS MICRO-HÁBITOS MICRO-HÁBITOS
-HÁBITOS MICRO-HÁBITOS MICRO-HÁBITOS MICRO-HÁBITOS MICRO-H
OS MICRO-HÁBITOS MICRO-HÁBITOS MICRO-HÁBITOS MICRO-HÁBITOS
-HÁBITOS MICRO-HÁBITOS MICRO-HÁBITOS MICRO- S MICRO-H
OS MICRO-HÁBITOS MICRO-HÁBITOS MICRO- -HÁBITOS
-HÁBITOS MICRO-HÁBITOS MICRO-HÁ MICRO-H
OS MICRO-HÁBITOS MICRO-HÁBITO HÁBITOS
-HÁBITOS MICRO-HÁBITOS MICRO-H ICRO-H
OS MICRO-HÁBITOS MICRO-HÁBITOS RO-HÁBITOS
-HÁBITOS MICRO-HÁBITOS MICRO-HÁ -HÁBITOS MICRO-H
OS MICRO-HÁBITOS MICRO-HÁBITOS M -HÁBITOS MICRO-HÁBITOS
-HÁBITOS MICRO-HÁBITOS MICRO-HÁBITOS MICRO-HÁBITOS MICRO-H
OS MICRO-HÁBITOS MICRO-HÁBITOS MICRO-HÁBITOS MICRO-HÁBITOS

BJ Fogg, Ph.D.

Tradução
Roberta Clapp e Bruno Fiuza

Rio de Janeiro, 2022

Título original: Tiny Habits: The Small Changes That Change Everything

Diretora editorial: *Raquel Cozer*

Gerente editorial: *Alice Mello*

Editor: *Ulisses Teixeira*

Copidesque: *Ana Paula Martini*

Preparação de original: *Daniela Rigon*

Revisão: *Giu Alonso*

Capa: *Allison Chi*

Projeto gráfico e gráficos: *Amy Sly*

Diagramação: *Abreu's System*

Adaptação de capa: *Guilherme Peres*

CIP-Brasil. Catalogação na Publicação
Sindicato Nacional dos Editores de Livros, RJ

F69m
Fogg, B J
Micro-hábitos: pequenas mudanças que mudam tudo / B J Fogg; tradução Bruno Fiuza, Roberta Clapp. – 1. ed. – Rio de Janeiro: Harper Collins, 2020.
336 p.

Tradução de: Tiny habits : the small changes that change everything
ISBN 9788595086883

1. Mudança (Psicologia). 2. Hábito (Psicologia). I. Fiuza, Bruno. II. Clapp, Roberta. III. Título.

20-62736 CDD: 152.33
CDU: 159.943.7

Meri Gleice Rodrigues de Souza – Bibliotecária CRB-7/6439

Rua da Quitanda, 86, sala 218 — Centro
Rio de Janeiro, RJ — CEP 20091-005
Tel.: (21) 3175-1030
www.harpercollins.com.br

Sumário

Para as pessoas incríveis
que me inspiraram a explorar.

INTRODUÇÃO
Mudar *pode* ser fácil (e divertido)

O micro é gigante.

Pelo menos quando se trata de mudança.

Ao longo dos últimos vinte anos, descobri que quase todo mundo deseja realizar algum tipo de mudança: alimentar-se de forma mais saudável, perder peso, fazer mais exercício, reduzir o estresse, dormir melhor. Queremos ser pais e parceiros melhores. Queremos ser mais produtivos e criativos. Mas os níveis alarmantes de obesidade, distúrbios do sono e estresse relatados pela mídia — e observados na pesquisa que realizei em meu laboratório em Stanford — demonstram que há uma lacuna dramática entre o que as pessoas desejam e o que elas de fato fazem. A desconexão entre *querer* e *fazer* foi atribuída a diversas coisas — mas, na maioria das vezes, as pessoas culpam a si mesmas. Elas internalizam o senso comum que diz: "A culpa é sua! Você deveria se exercitar mais, mas não está fazendo isso. Você deveria se envergonhar!"

Estou aqui para dizer: não é sua culpa.

E criar mudanças positivas não é tão difícil quanto você pensa.

Por muitos anos, mitos, noções equivocadas e conselhos bem-intencionados, mas sem embasamento científico, o levaram ao fracasso. Se você já tentou mudar no passado e não viu resultados, há chances de ter chegado à conclusão de que mudar é difícil ou de que você não é capaz de ter sucesso porque lhe falta motivação. Nenhuma das duas hipóteses é verdadeira. O problema está na própria abordagem, não em você. Pense da seguinte maneira: se você tentasse montar uma cômoda com instruções incompletas e peças faltando, você se sentiria frustrado, mas provavelmente não se culparia por isso, não é? Você culparia o fabricante. Quando se trata de tentativas fracassadas de mudança, quase nunca culpamos o "fabricante". Nós culpamos a nós mesmos.

Quando nossos resultados ficam aquém das expectativas, o crítico dentro de nós encontra uma abertura e entra em cena. Muitos de nós acreditam que, se não conseguimos ser mais produtivos, perder peso ou fazer exercícios regularmente, é porque deve haver algo de errado conosco. Se ao menos fôssemos pessoas melhores, não teríamos fracassado. Se ao menos tivéssemos seguido tal programa à risca ou tivéssemos cumprido tais promessas, teríamos conseguido. Nós só precisamos nos organizar, nos esforçar o suficiente e *agir melhor*. Certo?

Não. Desculpe. Isso não está certo.

Nós não somos o problema.

Nossa *abordagem* para mudar é o problema. É uma falha de *design* — não uma falha *pessoal*.

Criar hábitos e mudanças positivas *pode* ser fácil — se você utilizar a abordagem correta. Um sistema baseado em como a mente humana realmente funciona. Um processo que facilita a mudança. Ferramentas que não se baseiam em suposições ou princípios errôneos.

O imaginário popular sobre a formação e a mudança de hábitos alimenta nosso impulso de estabelecer expectativas irreais. Sabemos que os hábitos são importantes; só precisamos de mais hábitos bons e menos hábitos ruins. Mas cá estamos, ainda lutando para mudar. Ainda pensando que a culpa é nossa. Toda a minha pesquisa e experiência prática me dizem que esse é exatamente o mindset equivocado. Para criar hábitos de sucesso e mudar seus comportamentos, você deve fazer três coisas:

- Parar de se julgar.
- Pegar suas aspirações e dividi-las em microcomportamentos.
- Aceitar os erros como descobertas e usá-los para avançar.

Isso pode parecer contraintuitivo. Eu sei que isso não acontece naturalmente para todos. A autocrítica em si é um tipo de hábito. Para algumas pessoas, culpar a si mesmas é exatamente o lugar para onde o cérebro se direciona — é como um trenó na neve, deslizando por um caminho bem desgastado, colina abaixo.

Se você seguir o processo dos Micro-hábitos, vai começar a fazer um trajeto diferente. A neve começará rapidamente a cobrir as ranhuras que o levam a duvidar de si mesmo. O novo caminho em breve será o caminho padrão. Isso acontece rapidamente, porque com Micro-hábitos a mudança é mais eficaz quando você *se sente bem* — e não quando *se sente mal*. O processo não exige que você se baseie na força de vontade, nem estabeleça medidas de responsabilidade ou prometa a si mesmo recompensas. Você não tem que fazer algo por um determinado número de dias, esse valor mágico não existe. Essas abordagens não se baseiam na maneira como os hábitos realmente funcionam e, portanto, não são métodos confiáveis para promover a mudança. E, em geral, nos fazem sentir mal.

Este livro diz adeus a toda a angústia causada pelo desejo de mudar e, ainda mais importante, mostra como você pode preencher a lacuna (não importa de que tamanho) entre quem você é agora e quem você deseja ser, de maneira fácil e alegre. *Micro-hábitos* será o seu guia para romper com a abordagem antiga e substituí-la por uma estrutura totalmente nova de mudança.

O sistema que compartilharei com você não é uma conjectura. O processo foi testado por mais de 40 mil pessoas durante anos de pesquisa e aprimoramento. Realizando um trabalho de coaching individual com essas pessoas e reunindo dados todas as semanas, eu sei que o método Micro-hábitos funciona. Ele substitui mal-entendidos por princípios comprovados e troca fórmulas mágicas por um processo. Você saberá o que o cofundador do Instagram, meu ex-aluno, aprendeu sobre comportamento humano e usou para criar um aplicativo inovador, e usará os mesmos métodos para criar mudanças inovadoras em sua própria vida — e na vida de outras pessoas. E o melhor de tudo, você vai se divertir. Depois de eliminar qualquer indício de julgamento, seu comportamento se torna um experimento científico. Um senso de exploração e descoberta é pré-requisito para o sucesso, não apenas um bônus.

Design de Comportamento

Bem-vindo ao Design de Comportamento! Este é o abrangente sistema desenvolvido por mim que permite que você pense de forma clara acerca do comportamento humano e projete maneiras simples de transformar sua vida. Meu trabalho inicial no Design de Comportamento ajudou inovadores a criarem produtos que milhões de pessoas usam todos os dias para entrar em forma, economizar dinheiro, dirigir com habilidade e muito mais. Depois de ver o poder desses métodos para projetar soluções em negócios de maneira eficaz, mudei meu foco para o indivíduo: como mudamos nosso *próprio* comportamento? Eu me concentrei nas mudanças que as pessoas querem promover em si mesmas. E quando olhei no espelho, vi muitas coisas que poderiam ser melhoradas. Decidi fazer o que todo cientista entusiasmado faz vez por outra: me usei como cobaia.

Eu modifiquei comportamentos que queria incorporar à minha vida. Fiz coisas bobas que acabaram sendo muito bem-sucedidas, como sempre fazer duas flexões depois de fazer xixi. Tentei coisas aparentemente racionais que fracassaram por completo, como tentar comer uma laranja todos os dias no almoço. Sempre que algo não funcionava, eu voltava aos meus modelos e analisava o que acontecia. Comecei a enxergar padrões. Segui palpites. Mudei de direção. Fiz inúmeras repetições.

Mesmo sendo um cientista do comportamento, tive que aprender a criar hábitos em minha própria vida. Não era algo óbvio ou natural para mim; foi um processo deliberado. Mas, com a prática, transformei uma fraqueza em força e, seis meses depois, havia mudado minha vida. Perdi nove quilos e passei a me sentir mais saudável e mais forte. Eu estava trabalhando de maneira mais produtiva e eficaz do que nunca. Comecei a comer ovos com espinafre no café da manhã e couve-flor com mostarda como lanche da tarde, e a excluir da minha dieta os alimentos que não estavam me ajudando. Iniciava todos os dias com uma série de hábitos inspiradores e fiz (e refiz) o design da minha vida e do meu ambiente para dormir melhor. À medida que compreendia tudo isso, com reviravoltas ao longo do caminho, comecei a perceber que minha *capacidade* de mudar estava aumentando, assim como meu impulso. Eu acumulei dezenas de novos hábitos — principalmente hábitos pequenos — que começaram a se combinar para criar uma transformação. Sustentar tudo isso não pareceu difícil. Realizar mudanças dessa maneira pareceu natural e estranhamente divertido.

Os resultados me encantaram e comecei a ensinar meus métodos a outras pessoas em 2011. Minha pesquisa mostrou que essa abordagem também funcionava para outras pessoas e mudou suas vidas. Para minha surpresa e entusiasmo, o que começou como um processo extravagante de autoanálise no universo do Design de Comportamento se tornou um método comprovado chamado Micro-hábitos — o meio mais rápido e fácil para a transformação pessoal.

Antes de prosseguir, deixe-me esclarecer algumas coisas: apenas ter informação não muda o comportamento de maneira confiável. Esse é um erro comum cometido pelas pessoas em geral, mesmo profissionais bem-intencionados. O pressuposto é o seguinte: se fornecermos às pessoas as informações corretas, elas mudarão suas atitudes, e isso, por sua vez, mudará seus comportamentos. Eu chamo isso de "Falácia da relação entre informação e ação". Muitos produtos e programas — e profissionais bem-intencionados — se propõem a educar as pessoas como uma maneira de mudá-las. Em conferências profissionais, são ditas coisas como: "Se as pessoas tivessem conhecimento dos fatos, elas mudariam!"

Ao analisar suas próprias experiências, você verá que apenas o fato de ter uma informação não é suficiente para transformar a sua vida. E isso definitivamente não é sua culpa.

Em minha pesquisa sobre formação de hábitos, que começou em 2009, descobri que há apenas três coisas que podemos fazer que provocam mudanças duradouras: ter uma epifania, mudar nosso ambiente ou mudar nossos hábitos em pequenas doses. Criar uma verdadeira epifania para nós mesmos (ou para os outros) é difícil, provavelmente impossível. Devemos descartar essa opção, a menos que você tenha poderes mágicos (eu não tenho). Mas eis a boa notícia: as outras duas opções podem levar a mudanças duradouras se seguirmos o programa correto, e o método Micro-hábitos nos oferece uma nova maneira de explorar o poder do ambiente e dos pequenos passos.

Criar hábitos positivos é o ponto de partida, e criar micro-hábitos positivos é o caminho para o desenvolvimento de outros, muito maiores. Depois de saber como o método Micro-hábitos funciona — e *por que* funciona —, você pode fazer grandes mudanças de uma só vez. Você pode interromper hábitos indesejados. Você pode se aprimorar cada vez mais, sempre acrescentando novos hábitos à sua lista, como se estivesse treinando para uma maratona.

Vou guiá-lo por cada um dos diferentes cenários de mudança de comportamento que podem surgir.

A essência dos Micro-hábitos é a seguinte: adote o comportamento que você deseja, diminua-o, descubra de que maneira ele se encaixa naturalmente em sua vida e cuide dele para que se desenvolva. Se você deseja criar mudanças a longo prazo, é melhor começar pequeno. Eis o porquê.

O QUE É MICRO É RÁPIDO

Tempo. Nunca há o suficiente, e sempre queremos mais. Comemos hambúrgueres gordurosos dentro do carro e fazemos chamadas em conferência enquanto estamos na praia com as crianças porque nos sentimos muito pressionados pelo tempo. Essa pressão leva a um mindset de escassez — acreditamos que nunca haverá tempo suficiente, então dizemos não às mudanças porque sentimos que não temos tempo para cultivar novos hábitos positivos. Trinta minutos de exercício por dia? Preparar um jantar saudável todas as noites? Escrever diariamente em um diário de gratidão? Esqueça. Quem. Tem. Tempo. Pra. Isso.

Você pode se repreender ao longo do caminho da mudança. Ou pode tornar sua vida muito mais fácil.

Você pode começar pequeno.

Com o método Micro-hábitos, você se concentra em pequenas ações que pode executar em menos de trinta segundos. Você vai rapidamente consolidar novos hábitos e eles vão crescer de maneira natural. Começar pequeno significa que você pode dar início a uma grande mudança sem se preocupar com o tempo envolvido. Com Micro-hábitos, eu aconselho as pessoas a começarem com três comportamentos minúsculos, ou até um apenas. Quanto mais estressado você estiver e menos tempo tiver, mais apropriado será esse método. Não importa o quanto você queira cultivar um hábito saudável, não será capaz de fazê-lo se começar grande. Se você agir grande, o novo hábito talvez não permaneça. Na vida de muitas pessoas, começar pequeno não é apenas a melhor opção, mas talvez seja a única.

MICRO PODE COMEÇAR AGORA

Começar pequeno permite que você seja realista consigo mesmo e com sua vida. Começar pequeno permite que você comece *agora*. Isso se encaixa em qualquer circunstância — não importa se sua vida está em uma espiral desvairada ou se você está estressado, mas de algum modo feliz. Todos nós temos nossas próprias circunstâncias de vida com as quais precisamos lidar, modos de pensar que não são ideais e peculiaridades da mente que nos detêm. Poderíamos nos sentir decepcionados e envergonhados, ou poderíamos usar o método Micro-hábitos para hackear o sistema.

Não vou prescrever hábitos específicos neste livro. Estou compartilhando um método para consolidar *todos* os hábitos que você desejar. Você escolhe quais serão eles. Mas aqui, agora, estou abrindo uma exceção. Convido você a pôr em prática um novo hábito todas as manhãs ao acordar. É simples. Leva cerca de três segundos. Eu chamo de "Hábito Maui".

Depois de colocar os pés no chão pela manhã, diga imediatamente esta frase: "Hoje vai ser um ótimo dia". Ao dizer essas seis palavras, tente sentir--se otimista e positivo.

A receita no formato Micro-hábitos é mais ou menos assim:

Minha receita para o Hábito Maui

Depois que eu...	Eu vou...	Para consolidar esse hábito em minha mente, eu vou imediatamente:
acordar e colocar os pés no chão,	dizer "Hoje vai ser um ótimo dia."	

Uma receita simples para começar todos os dias da melhor maneira usando o método Micro-hábitos.

* * *

Ao longo dos anos, ajudei milhares de pessoas a incorporar o Hábito Maui em suas vidas, e os resultados foram excelentes. Ele sem dúvida foi eficiente na minha própria vida. Com o Hábito Maui, você pode começar agora mesmo — e quase sem nenhum esforço — a seguir rumo a um futuro melhor.

Aqui estão algumas variações desse hábito para você levar em consideração.

Algumas pessoas dizem uma frase um pouco diferente a cada manhã, como "Hoje o dia vai ser incrível". Se essa frase ou alguma variação funcionar melhor para você, ajuste conforme necessário.

Algumas pessoas mudaram o momento em que a dizem. Alguns fazem isso ao se olharem no espelho pela manhã. Tenho certeza de que isso não funcionaria para mim. (Evito me olhar no espelho assim que acordo. Credo!) Mas se esse for o melhor momento do dia para você, vá em frente.

Sugiro que você comece com a versão clássica, conforme está na receita, e a modifique caso necessário.

Quando sigo as etapas do Hábito Maui todas as manhãs, paro por dois ou três segundos depois de pronunciar a frase. Ainda estou acordando nesse momento e quero que a ideia seja assimilada.

Se você pratica o Hábito Maui e sente que aquele não será um ótimo dia, aconselho que ainda assim pronuncie a frase. Eu faço isso mesmo nas manhãs em que me sinto exausto, sobrecarregado ou ansioso por conta do dia que está por vir. Nesse momento, sentado na beira da cama, tento me sentir otimista. Mas se não soar sincero, eu ajusto a frase e a minha entonação, e digo: "Hoje vai ser um ótimo dia — de alguma forma".

Acho isso estranhamente útil, mesmo nos meus piores dias. Quando estou preocupado com o dia à minha frente, essa frase — mesmo quando dita em tom de pergunta — parece fazer com que se abra uma fenda na porta, permitindo a chegada de um bom dia. E é isso que acontece na maioria das vezes.

Pense no Hábito Maui como uma prática simples a fazer todas as manhãs em cerca de três segundos. Isso vai mostrar a você como é fácil começar *e* o ajudará a aprender a habilidade mais importante na mudança de comportamento — a capacidade de sentir-se bem-sucedido.

O QUE É MICRO É SEGURO

Um amigo meu tem uma filha de um ano e meio chamada Willa, que está aprendendo a andar. No outro dia, Willa estava correndo em frente à entrada da nossa garagem, atrás de meu cachorro, Millie, e eu observei Willa tropeçar e cair cerca de meia dúzia de vezes. Subir degraus e passar por cima de bueiros é um negócio complicado para uma criança, mas ela não desistia. Willa dava uns gritinhos aqui e ali, mas não estava de fato se machucando, então por que não continuar? Se fosse eu aprendendo a andar e desabando na calçada, me machucaria um bocado. Com a altura que tenho — mais de um metro e oitenta —, cair seria mais doloroso.

O mesmo conceito se aplica ao início de um novo comportamento ou hábito. Se você nunca praticou ioga na vida, há vários lugares em que pode começar — mas todos eles apresentam diferentes níveis de risco. Você pode decidir fazer uma saudação ao sol, comprar um mês de aulas ilimitadas em um estúdio local ou pegar um avião para um retiro de uma semana na Índia. O investimento de tempo, dinheiro e expectativa é muito diferente em cada opção. Pouquíssimas pessoas partiriam para a Índia sem nunca ter pisado em um tapete de ioga. Por quê? Algo em nossos cérebros reptilianos compreende inerentemente quão altos seriam esses riscos, e é por isso que pode ser difícil começar algo novo se for muito grande. Se eu mal consigo surfar as ondas suaves de Cove Park, em Maui, não ousaria surfar as ondas enormes em Jaws, do outro lado da ilha. Provavelmente me machucaria e poderia perder toda a minha confiança no surfe, mesmo ondas pequenas. Por que eu faria isso? Não parece divertido. Melhor ficar em Cove Park.

Com Micro-hábitos, o risco não precisa ser levado em consideração na equação. Pequeno também pode significar discreto. Você pode começar a mudar sem fazer alarde. Ninguém vai sabotá-lo. Isso reduz a pressão sobre você.

Como esses comportamentos são microscópicos e o programa, flexível, o risco emocional é eliminado. Não há fracasso real quando se trata de Micro-hábitos. Existem alguns tropeços, mas se você se levantar, isso não é um fracasso — é um hábito em construção.

MICRO PODE SE TORNAR GRANDE

Ao longo dos últimos vinte anos, descobri que a única maneira consistente e sustentável de fazer algo se tornar grande é começar pequeno. Amy, uma ex-aluna, era mãe e dona de casa e estava tentando criar do zero uma empresa de mídia educacional. A ideia de ser sua própria chefe e fazer algo que amava era empolgante. Mas havia muito em que pensar: contratar funcionários, procurar um escritório, decifrar leis tributárias. Ela procrastinava as coisas importantes, como contratos, e optava por trabalhar em tarefas que amava, como criar seu logotipo. Mas estava ficando sem tempo para elaborar seu plano de negócios, e a ideia de seu empreendimento desmoronar em suas mãos a paralisou. Amy queria começar seu negócio e continuou prometendo a si mesma que logo resolveria as coisas importantes, mas meses depois de nossa conversa, ela ainda não tinha dado nenhum passo.

O mito da mudança estava impedindo Amy de avançar — a sensação profunda de que você precisa dar grandes passos ou então desistir, ou seja, "ou tudo ou nada". Vivemos em uma cultura orientada pelo desejo, enraizada na gratificação instantânea. Achamos difícil pôr em prática ou até aceitar um progresso gradual. E é disso que você precisa para cultivar mudanças significativas a longo prazo. As pessoas se sentem frustradas e desencorajadas quando as coisas não acontecem rapidamente. É natural. É normal. Mas é só mais um jeito de caminharmos rumo ao fracasso.

Quando Amy encontrou o método Micro-hábitos, ela descobriu que a melhor maneira de comer uma baleia gigantesca — como fez a pequena Melinda Mae no poema de Shel Silverstein — era dar uma mordida de cada vez. Amy abandonou a dinâmica do "ou tudo ou nada" e decidiu dar pequenos passos. Todas as manhãs, depois de deixar a filha no jardim de infância, ela parava o carro no acostamento e anotava uma tarefa em um post-it. Apenas uma. Cada uma era algo que ela poderia realizar imediatamente: enviar um e-mail de vendas, agendar uma reunião de projeto, rascunhar uma rápida introdução para um guia direcionado aos clientes. O simples ato de concentrar sua energia em anotar uma tarefa criou uma reação em cadeia que impulsionava todo o seu dia e, eventualmente, levou ao lançamento bem-sucedido de sua empresa. A sensação de sucesso permanecia enquanto ela dirigia para casa com o post-it flutuando no painel. E quando entrava na garagem e pegava o post-it rosa fluorescente, ela o levava para dentro com o intuito de atingir um breve sucesso.

Uma pequena atitude, uma pequena mordida, pode parecer insignificante no início, mas permite que você obtenha o impulso necessário para enfrentar desafios maiores e atingir um progresso mais rápido. Quando você se der conta, terá comido a baleia inteira.

MICRO NÃO DEPENDE DE MOTIVAÇÃO OU FORÇA DE VONTADE

Quando se trata de mudança de comportamento, muito do que se ouve por aí pode acabar induzindo ao erro. Tome cuidado. Mesmo teorias acadêmicas amplamente citadas acabam fracassando em transformar a vida das pessoas no mundo real.

Como você sabe, motivação e força de vontade são muito valorizadas. As pessoas estão sempre em busca de novas maneiras de aumentá-las e mantê-las ao longo do tempo. O problema é que, por natureza, tanto a motivação quanto a força de vontade estão em constante transformação, de modo que não se pode depender delas.

Por exemplo: Juni, de Chicago, que tinha mais motivação para mudar do que qualquer pessoa que já conheci. Seu vício em açúcar estava ameaçando sua saúde, sua família e seu trabalho. Apresentadora de um programa de rádio matinal com uma agenda absurdamente cheia, Juni estava sempre de um lado para outro. Em vez de se sentar para almoçar, ela tomava um Caramelo Macchiato da Starbucks. Seu ritmo de vida na rádio era intenso, e ela achava que precisava do açúcar para suportar. Juni acreditava que, para ter esse tipo de energia, ela precisava de estimulantes, e sorvete era a sua droga — nos sabores chiclete e cookie, para ser exato. Ela desabava ao chegar em casa, os dois filhos jogando videogame enquanto ela ficava deitada no sofá.

Alguns anos antes de eu conhecer Juni, sua mãe havia morrido por consequência da diabetes. Deveria ter sido um alerta — a maior motivação que Juni poderia ter. Mas ela tentou anestesiar a dor com cada vez mais sorvete de chiclete. Juni engordou quase sete quilos naquele verão. Logo depois, as duas irmãs foram diagnosticadas com diabetes. Depois disso, sua avó, que também tinha diabetes, faleceu. A doença estava matando membros de sua família um por um. Depois de anos ignorando seu vício em açúcar como se ela só "gostasse de um docinho", Juni reconheceu que aquilo era perigoso. Ela havia perdido o controle.

Nesse momento, sua motivação aumentou. Ela tentou várias vezes a abstinência total, o que funcionava — por cerca de um dia. Talvez dois. Então ela se sentia mal, se considerava uma péssima pessoa, voltava a se entupir de açúcar e acompanhava o aumento do número na balança.

Juni achava que combater o vício em açúcar era uma questão de força de vontade, que ela não era forte o suficiente para dizer não. Isso era frustrante e confuso para ela, porque ela sempre se considerou uma pessoa determinada e com muita força de vontade — de outra forma ela não estaria à frente de um programa numa grande emissora de rádio. Mas a ideia de que abandonar um hábito é uma questão de força de vontade não poderia estar mais longe da verdade. Logo depois que Juni ingressou em um dos meus Centros de Treinamento de Design de Comportamento por motivos profissionais, ela conseguiu observar melhor sua vida pessoal e percebeu que seu vício em açúcar era um problema de design, não uma falha de caráter. O fato de sua motivação vacilar não era sua culpa; não era um fracasso moral.

Depois que Juni entendeu uma máxima primordial do Design de Comportamento — a simplicidade muda o comportamento —, ela reorientou seus esforços pessoais para a criação de um conjunto de hábitos, pequenos em tamanho, mas de grande impacto, que a ajudaram a abandonar o vício em açúcar. Ela reestruturou seu ambiente e trocou todos os doces aos quais recorria por lanches com menos açúcar, mas que ainda eram gostosos, e não por substitutos desagradáveis, como talos de aipo e cenouras. Ela desenvolveu uma série de exercícios e hábitos alimentares que, somados, minaram seu desejo por açúcar. Juni também descobriu que o luto mal resolvido pela morte da mãe estava induzindo a muitos de seus comportamentos compulsivos relacionados ao açúcar — então criou mais alguns hábitos, sempre começando pequeno, que ajudassem a processar seus sentimentos de maneira mais positiva. Quando uma onda de tristeza brotava e ameaçava dominá-la, Juni a encarava como um aviso para escrever em seu diário ou recorrer a um amigo em vez de pegar a barra de chocolate mais próxima. Talvez o mais importante de tudo é que Juni foi capaz de iniciar todos os novos hábitos com um mindset de abertura a novas coisas e compaixão por si mesma. Houve momentos em que teve recaídas pelo açúcar, e não considerou isso uma falha de caráter, mas sim um insight em relação ao design de seu comportamento que poderia ser útil para melhorar em situações futuras.

Fazer pequenas mudanças e manter baixas expectativas é como você consegue progredir do Design de Comportamento, quando se tem ao redor amigos complicados, como a motivação e a força de vontade, que costumam nos abandonar nos momentos difíceis. Quando algo é pequeno, é fácil, o que significa que você não precisa confiar na natureza instável da motivação.

O QUE É MICRO É TRANSFORMADOR

No método Micro-hábitos, você comemora os sucessos, por menores que sejam. É assim que tiramos proveito de nossa neuroquímica e transformamos rapidamente ações deliberadas em hábitos automáticos. Sentir-se bem-sucedido nos ajuda a consolidar novos hábitos e nos motiva a fazer mais. Nas pesquisas que faço sobre Micro-hábitos, é possível ver esses resultados semana após semana. E tem mais: com Micro-hábitos, você também aprende a se sentir bem com sua vida. A capacidade de se dar um tapinha nas costas em vez de se espancar faz crescer raízes sólidas e transformadoras.

Linda plantou sua primeira semente dos Micro-hábitos no meio do que eu chamaria de um furacão que atravessou a sua vida. Cerca de dez anos atrás, antes de ela se tornar coach de Micro-hábitos, as coisas haviam desmoronado de maneira trágica. No intervalo de apenas alguns anos, seu filho morreu de overdose, a filha foi diagnosticada com transtorno bipolar e os negócios da família estavam indo por água abaixo. No meio desse período já desolador de sua vida, Linda descobriu que seu marido era portador de Alzheimer, e que a doença, embora incomum na idade dele, já estava instalada havia algum tempo. Quando ela começou a assumir o controle dos negócios, descobriu outra consequência da doença: uma redução na capacidade do marido de tomar decisões. As más resoluções no âmbito dos negócios somadas a uma recessão significavam que a empresa entraria em processo de falência em poucos meses. Eles perderam todas as suas economias, a casa e a fazenda de cavalos que sempre havia sido o sonho de Linda. Foi uma série de catástrofes que poucos de nós enfrentarão um dia. E não havia tempo para se desesperar ou ficar em choque. Linda tinha filhos para criar e um negócio para salvar da falência. Ela estava consumida pela dor, não tinha tempo para lidar com tudo aquilo e rapidamente entrou em depressão.

Como sair de um buraco como esse? Quando Linda começou a seguir o método Micro-hábitos, ela me disse que todas as manhãs ela se sentava na beira da cama, pedindo aos céus que lhe dessem força. Ela queria se sentir melhor. Queria sair da cama. Queria estar presente para os filhos. Mas tinha dificuldade até mesmo para pôr os pés no chão pela manhã. Quando o método Micro-hábitos entrou em sua vida, ela só conseguia se concentrar em uma coisa: o desafio da manhã. Ela queria começar o dia com esperança, não com desespero. Depois de experimentar vários hábitos, ela finalmente encontrou um — o Hábito Maui — que segundo ela "literalmente salvou minha vida". Esse pequeno ajuste, esse comportamento essencial, se tornou um ponto de apoio. Todas as manhãs, ela acordava, colocava os pés no chão e dizia seis palavras em voz alta: "Hoje vai ser um ótimo dia."

As coisas logo começaram a parecer diferentes. *Muito* diferentes.

Para Linda, não havia outra opção. Ela precisava começar pequeno para depois se tornar grande, e ela precisava se sentir bem em relação a alguma coisa. Esse novo hábito levou a outros, que a ajudaram a se sentir bem-sucedida. Eles a ajudaram a ser mais produtiva e saudável, e estar forte para os filhos. Mas o mais importante: seus novos hábitos eram pequenas sementes de positividade que ela plantou nas fendas de sua vida. E eles começaram a crescer e crescer. Mesmo quando novas rachaduras apareciam, Linda podia olhar ao seu redor e se lembrar de que tinha a capacidade de se sentir bem-sucedida. Ela era bem-sucedida. As provas disso estavam florescendo ao seu redor. Ela só tinha que continuar regando.

Seis anos depois, Linda já foi coach de milhares de pessoas no método Micro-hábitos. Ela ama seu trabalho. Ela será a primeira a dizer que sua vida ainda é de luta. Mas não hesita mais quando acorda de manhã. Ela sabe que o que é micro é transformador, então ela se senta na cama, coloca os pés no chão e diz essas seis simples palavras:

"Hoje vai ser um ótimo dia."

A anatomia dos Micro-hábitos

1. MOMENTO ÂNCORA

Um hábito já existente (como escovar os dentes) ou algo que acontece (como um telefone tocando). **O Momento Âncora lembra você de pôr em prática seu novo Microcomportamento.**

2. NOVO MICROCOMPORTAMENTO

Uma versão simples do novo hábito que você deseja adotar, como usar fio dental ou fazer duas flexões. **Você põe em prática seu Microcomportamento imediatamente após o Momento Âncora.**

3. COMEMORAÇÃO IMEDIATA

Algo que você faz para criar emoções positivas, como dizer: "Eu fiz um bom trabalho!" **Você celebra imediatamente depois de pôr em prática seu novo Microcomportamento.**

Âncora

Comportamento

Comemoração

O QUE É MICRO COMEÇA COM UMA CHAVE

Eu não acordei um dia e decidi levar ao extremo a ideia de dar pequenos passos. Primeiro, descobri como o comportamento humano funciona.

Foram necessários dez anos pesquisando para encontrar a chave que desvendava o mistério, mas em 2007 eu consegui. A resposta é muito simples. No começo, era difícil acreditar que ninguém havia descoberto isso antes, mas agora vejo que alguns mistérios são como enigmas. Quando você não sabe as respostas, os enigmas parecem difíceis de resolver. Mas uma vez que você enxerga a chave, a solução parece óbvia.

Com a resposta que descobri, você será capaz de decodificar os comportamentos.

Todos os comportamentos.

Colocar sua escova de dentes em um lugar diferente. Descarregar a máquina de lavar louça todos os dias antes do café da manhã. Regar o jardim à noite. Fazer dois agachamentos enquanto o café está passando. Levar o lixo para fora às quartas-feiras. Fumar. Não fumar. Conferir o relógio para ver as horas. Conferir o telefone para ver as horas. Postar no Instagram às três da manhã. Beijar seu marido quando você chega em casa do trabalho. Arrumar a cama. Não arrumar a cama. Comer chocolate. Não comer chocolate. Ler este livro. Não ler este livro. Aquele hábito que você tenta criar há anos. Aquele hábito que você tenta abandonar há anos.

Alguns desses comportamentos são hábitos positivos. Outros não.

O que eu descobri é que todos eles emergem dos mesmos componentes. A relação entre eles impulsiona todas as nossas ações e reações — são os ingredientes básicos do comportamento humano.

Neste livro, compartilho meus modelos de Design de Comportamento, que o ajudarão a pensar com clareza sobre comportamento. Também explico meus métodos, que o guiarão no design de hábitos. Para ver uma tabela com todos os modelos e métodos deste livro, consulte o apêndice "Design de Comportamento: Modelos, métodos e máximas".

Meus modelos e métodos se baseiam em pesquisas sobre ciência do comportamento e em evidências descobertas por áreas correlatas. Você pode encontrar uma grande lista de referências em TinyHabits.com/references.

Nos capítulos seguintes, vou fornecer todos os exercícios necessários para refazer o design de seus hábitos. Se quiser saber mais, é possível encontrar planilhas e outros recursos em TinyHabits.com/resources.

Quando sabe como ajustar os componentes do comportamento humano, você é capaz de enfrentar qualquer desafio de mudança de comportamento em sua vida. O que significa que não precisa mais se sentir empacado. O que significa que pode ser a pessoa que deseja ser. Se isso soa incrível, louco e um pouco grandioso demais, não se preocupe. Estarei ao seu lado, compartilhando o que aprendi ao ajudar milhares de pessoas a mudar suas vidas.

Então por onde começamos? Com a chave que desvenda o mistério.

O Modelo de Comportamento de Fogg.

Micro-exercícios para começar a pôr em prática Micro-hábitos

A melhor maneira de aprender o método Micro-hábitos é começar a praticar agora mesmo. Não espere. Comece com o Hábito Maui, como expliquei anteriormente. Além disso, faça os exercícios abaixo. De modo geral, não tente ser perfeito. Em vez disso, adote o mindset de um Praticante (alguém que pratica o método Micro-hábitos). Isso significa que você vai mergulhar e aprender à medida que avança. Ao longo do caminho, não se estresse nem fique tenso. Seja flexível e divirta-se!

EXERCÍCIO 1: O HÁBITO DE PASSAR FIO DENTAL

Você já sabe como passar fio dental em um dente — em todos eles. Mas se você é como a maioria das pessoas, não tem o hábito de usar fio dental. Não é algo automático em sua vida. Este exercício pode ajudá-lo a mudar isso, concentrando-se na automação do hábito, não no tamanho.

Minha Receita — Método Micro-hábitos

Depois que eu...	Eu vou...	Para consolidar esse hábito em minha mente, eu vou imediatamente:
escovar os dentes,	passar fio dental em um dente.	☺

Etapa 1: Encontre um tipo de fio dental de que goste. Pode ser que precise experimentar alguns estilos diferentes para ver qual é melhor para você.

Etapa 2: Coloque o fio dental na pia do banheiro, de preferência junto à sua escova de dentes.

Etapa 3: Depois de colocar a escova de dentes no lugar, pegue o fio dental e retire um pedaço.

Etapa 4: Use o fio dental em um dente.

Etapa 5: Sorria para si mesmo no espelho e se sinta bem ao criar um novo hábito.

Observação: Nos próximos dias, você até pode passar o fio dental em mais de um dente, se desejar, mas qualquer coisa além disso deve ser vista como um bônus. Você estará indo além.

EXERCÍCIO 2: CHOCOLATE DIÁRIO

Pequenas quantidades de chocolate amargo podem ser boas para sua saúde. Faça com que comer um pedacinho se torne um hábito diário.

Etapa 1: Compre um chocolate amargo que você considere saudável.

Etapa 2: Coma um pedacinho pela manhã depois de passar o café ou quando tomar seus suplementos vitamínicos. A sequência do comportamento pode ser algo assim: depois de tomar meus suplementos pela manhã, vou comer um pedaço pequeno de chocolate amargo.

Etapa 3: Desfrute do sabor do chocolate e sinta-se feliz em ter mais um hábito saudável na sua vida.

Minha Receita — Método Micro-hábitos

Depois que eu...	Eu vou...	Para consolidar esse hábito em minha mente, eu vou imediatamente:
tomar meus suplementos de manhã,	comer um pedacinho de chocolate amargo.	☺

Observação: o hábito diário do chocolate é algo que você não quer que se torne grande. Pense nele como um bonsai — pequeno, mas inspirador.

EXERCÍCIO 3: LEMBRE-SE DE QUE A MUDANÇA É MAIS EFICAZ QUANDO VOCÊ SE SENTE BEM

Se há um conceito do meu livro que eu espero que você adote é o seguinte: a mudança é mais eficaz quando as pessoas se sentem bem, não quando se sentem mal. Para que isso aconteça, criei este exercício para você.

Etapa 1: Escreva esta frase em uma folha de papel: "A mudança é mais eficaz quando eu me sinto bem, não quando me sinto mal."

Etapa 2: Prenda o papel no espelho do banheiro ou em qualquer lugar onde você o veja com frequência.

Etapa 3: Leia a frase regularmente.

Etapa 4: Observe como esse insight funciona em sua vida (e na das pessoas ao seu redor).

CAPÍTULO 1

OS ELEMENTOS DO COMPORTAMENTO

Você pode mudar a sua vida mudando os seus comportamentos. Você sabe disso. Mas talvez não saiba que apenas três variáveis direcionam esses comportamentos.

O Modelo de Comportamento de Fogg é a chave para desvendar esse mistério. Ele apresenta os três elementos universais do comportamento e a relação que eles estabelecem entre si. É baseado em princípios que nos mostram como esses elementos funcionam juntos para conduzir todas as nossas ações — desde usar o fio dental até correr uma maratona. Depois de entender o Modelo de Comportamento, você pode analisar por que um comportamento aconteceu, o que significa que pode parar de culpar as coisas erradas pelo seu comportamento (como caráter e autodisciplina, por exemplo). E você pode usar o meu modelo para criar um design que leve a uma mudança de comportamento em você mesmo ou em outras pessoas.

Um comportamento acontece quando os três elementos do MCP — Motivação, Capacidade e Prompt — convergem em mesmo momento. Motivação é o seu desejo de adotar determinado comportamento. Capacidade é a sua possibilidade de adotar determinado comportamento. E prompt é o seu estímulo para adotar determinado comportamento.

Vou dar um exemplo.

Em 2010, quando eu estava na academia (ao som de Janet Jackson em cima do *transport*), tive um comportamento bastante estranho para uma pessoa que está com mais de 120 batimentos cardíacos por minuto: fiz uma doação para a Cruz Vermelha. Esse meu comportamento foi uma resposta a uma mensagem de texto me convidando a doar.

Veja como fica aquele meu comportamento isolado quando o dividimos em partes.

> **Comportamento:** Fazer uma doação via mensagem de texto para a Cruz Vermelha após o grande terremoto no Haiti.
>
> **Motivação (M):** Eu queria ajudar as vítimas de um desastre avassalador.
>
> **Capacidade (C):** Era fácil responder a uma mensagem de texto.
>
> **Prompt (P):** A mensagem de texto da Cruz Vermelha.

Nesse caso, os três elementos (M, C e P) convergiram, então aquele comportamento aconteceu; eu fiz a doação. Mas se um dos três elementos não estivesse presente, havia uma boa chance de que eu não tivesse me comportado daquela maneira.

Minha motivação para aquela ação era alta. Os efeitos do terremoto tinham sido bastante divulgados e eram realmente de cortar o coração. Mas e a capacidade? E se a Cruz Vermelha tivesse me ligado e pedido o número do meu cartão de crédito? Eu estava em cima do *transport*, minha carteira estava no carro, de modo que teria dificultado muito meu comportamento. E o prompt? E se os angariadores de fundos não usassem o celular? E se eles me mandassem algo pelo correio e eu jogasse a correspondência fora sem ler, considerando ser apenas lixo? Então eu não veria o pedido. Sem prompt, não há comportamento. Felizmente, a Cruz Vermelha me fez um favor. Eu já queria doar, e eles facilitaram. Quer os organizadores soubessem ou não, o design do MCP se ajustou perfeitamente ao comportamento que estavam tentando incentivar. E eu não fui o único. A campanha por mensagens de texto foi muito bem-sucedida, levantando mais de 3 milhões de dólares nas primeiras 24 horas e mais de 21 milhões até o final daquela semana. Muito bem, Cruz Vermelha!

Design de Comportamento

Modelos Como pensar claramente sobre o comportamento	**Métodos** Como projetar um comportamento
Modelo de Comportamento de Fogg **Co = MCP**	**Micro-hábitos**

Co = MCP SE APLICA A *QUALQUER* COMPORTAMENTO HUMANO

Quando ensino pela primeira vez às pessoas o meu Modelo de Comportamento, elas ficam um pouco desconfiadas ao ouvirem que esse é um modelo universal. Elas se perguntam como um modelo com apenas cinco letras poderia explicar qualquer tipo de comportamento em todas as culturas. Afinal, existem comportamentos "bons" e comportamentos "ruins" — eles são mesmo equivalentes? Muitas pessoas têm dificuldade em entender como o fato de se divertirem fazendo compras on-line tem relação com sua rotina de exercícios. As pessoas acham que deve haver algo mais complexo em relação a uma disciplina de dieta e atividades físicas, por ser algo desafiador. Por outro lado, se uma mudança é fácil, como pendurar um casaco no armário e não no corrimão da escada, deve existir algo fundamentalmente diferente nessas ações.

Não existe.

Comportamentos são como bicicletas. Elas podem parecer diferentes, mas os principais mecanismos são os mesmos. Rodas. Freios. Pedais.

Dito isso, não é porque os componentes do comportamento são os mesmos que esses comportamentos são iguais, parecem iguais ou funcionam da mesma forma. Além dessa dissociação, as emoções que as pessoas têm em relação a comportamentos agradáveis diferem drasticamente daquelas relacionadas a comportamentos que consideram desafiadores. Às vezes, parece mais a diferença entre um monociclo e uma bicicleta de corrida. De início, algumas pessoas não conseguem ver como as duas categorias de comportamento estão sequer relacionadas. Esse conceito é importante para quem tenta alterar *qualquer* tipo de comportamento.

* * *

Todo mês, mais ou menos, realizo o Centro de Treinamento de Design de Comportamento — um workshop de dois dias em que ajudo empresários a criarem soluções eficazes relacionadas a bem-estar, segurança financeira, sustentabilidade e assim por diante.

Os participantes quase sempre pegam o que aprendem e aplicam em suas vidas pessoais. É por isso que, em geral, começo o treinamento com um exercício que usa um exemplo pessoal. Peço que as pessoas falem a respeito de um hábito positivo que criaram sem muito esforço e de um hábito "ruim" que se sentem muito mal em ter e que desejam abandonar. Os participantes sempre trazem ótimas histórias sobre seus hábitos, mas em um dos workshops, uma mulher chamada Katie arrasou na hora de mostrar como dois comportamentos podem *parecer* diferentes.

Katie era uma executiva talentosa que supervisionava dezenas de funcionários e um orçamento de 10 milhões de dólares, e seu hábito "positivo" estava ligado à sua produtividade. Katie tinha o hábito consolidado de arrumar a mesa todos os dias antes de sair do trabalho. Depois de desligar o computador no final do dia, ela empilha cuidadosamente os papéis e separa os post-its em um quadro de tarefas de acordo com as colunas "Pendentes", "Concluídas" e "Em andamento". Depois que sua mesa está arrumada, Katie coloca a cadeira no lugar e deixa o escritório. Quando volta na manhã seguinte e olha para sua mesa, Katie sempre sente uma pequena injeção de ânimo. Isso lembra a ela de que está pronta para começar o dia e de que está tudo preparado para que ele seja bom. Quando perguntei se adquirir esse hábito tinha sido uma escolha consciente ou não, ela disse que não — um dia apenas começou a fazer isso.

Katie nunca tinha pensado muito em seu hábito de arrumar a mesa. Demorou um tempo até ela identificá-lo como um hábito positivo. Mas quando perguntei sobre um hábito que ela *não* queria mais ter, ela praticamente pulou da cadeira.

"Ficar deitada na cama rolando a tela do celular! Eu odeio, mas não consigo parar. Às vezes, fico no Facebook por tanto tempo que perco a hora do meu treino", acrescentou.

Katie disse que tudo começa porque usa seu telefone como despertador. Depois de desligar o alarme, ela pega o aparelho na mesa de cabeceira, vira de lado e começa a mexer no celular. Perguntei a que horas o alarme dela a desperta todas as manhãs.

Quatro e meia da manhã.

"Uau", eu disse.

No começo do ano, Katie havia tomado a decisão de fazer exercícios todos os dias. Alguns dias ela conseguiu, mas na maioria não. Não porque ela decidiu não ir, mas porque era sugada pelo vórtice digital, apesar de acordar tão cedo. Aqueles avisos de notificação vermelhos exigiam sua atenção. Um clique levava a um vídeo, que levava ao perfil de alguém que ela nem conhecia, depois a outro vídeo, e logo soava o alarme das cinco e meia.

Outro dia começava sem que ela desse conta de uma tarefa que havia se comprometido a cumprir. Surgia o espaço para a autocrítica e a culpa. Ela não gostava do padrão que vinha seguindo, mas dizia a si mesma que estava indo tão bem em tantos aspectos de sua vida, que talvez fosse ali que seu "comprometimento" se esgotasse.

Vamos considerar os dois hábitos de Katie juntos: arrumar a mesa de trabalho e passar tempo demais mexendo no celular.

Dois comportamentos, dois sentimentos totalmente diferentes.

Um comportamento faz Katie se sentir bem e a ajuda a alcançar sua aspiração maior, que é ser produtiva. Esse hábito de arrumação se tornou tão automático que ela nem sequer pensa nisso. Por outro lado, o hábito de mexer no celular é agradável no momento, mas faz com que ela se sinta decepcionada depois. Ficar deitada na cama rolando a tela do celular faz com que fique irritada consigo mesma, mas muitas vezes ela não resiste a fazê-lo.

Esses comportamentos *parecem* muito diferentes para Katie. No entanto, seus componentes não são. *Todo* comportamento é dirigido pelos mesmos três elementos. Eu queria que Katie entendesse que não era falta de "comprometimento" ou força de vontade. Ela só tinha um terceiro hábito — o de ficar no celular — que estava atrapalhando um hábito *mal projetado* de praticar exercícios físicos.

Lembre-se, para que um comportamento (Co) ocorra, três elementos devem convergir no mesmo momento: Motivação, Capacidade e Prompt.

Trata-se de um modelo com implicações profundas. A motivação, a capacidade e o prompt de cada pessoa serão diferentes dependendo da situação. As especificidades da motivação ou da capacidade podem diferir de acordo com a cultura ou a idade. E tudo bem. O universo é infinitamente complexo, mas podemos observar um fenômeno e dividi-lo em partes usando alguns princípios básicos que se aplicam a todas as circunstâncias.

Considere esta representação visual de Co = MCP, que mostra como a motivação e a capacidade funcionam em relação uma à outra.

A primeira coisa para a qual devemos atentar no gráfico é o ponto grande. Esse é o hábito que Katie tem de arrumar sua mesa. A localização do ponto nos diz onde estão sua motivação e sua capacidade quando ela recebe o prompt para agir. Você pode ver que a motivação dela está no meio e que sua capacidade de arrumar a mesa está do lado do gráfico que diz "execução fácil".

Agora dê uma olhada na Linha de Ação curva.

Fiel à sua forma sorridente, a Linha de Ação é nossa amiga. Se pudesse ter apenas uma coisa gravada na minha lápide, seria essa curvinha feliz.

Quando o prompt para um comportamento surge em um ponto acima da Linha de Ação, ele se concretiza. Suponha que sua motivação seja alta, mas não a sua capacidade (você pesa 50 quilos, mas deseja levantar mais de 200 no supino). Você vai acabar ficando abaixo da Linha de Ação e vai se sentir frustrado quando o prompt surgir. Por outro lado, se você é capaz de ter um comportamento, mas não tem motivação, um prompt não o levará a concretizá-lo; será apenas um aborrecimento. O que faz com que o comportamento esteja acima ou abaixo da linha é uma combinação da motivação que o empurra para cima e da capacidade que o joga para a direita. Aqui vai um insight crucial: comportamentos que porventura se tornam hábitos passam a ficar acima da Linha de Ação de maneira consistente.

Vamos traçar o comportamento de Katie em relação ao uso do celular.

Caramba! Olhe para o ponto grande no próximo gráfico. Motivação altíssima e capacidade alta — execução fácil. Além disso, você sabe que o prompt de Katie é consistente. O telefone dela dispara um alarme todos os dias às quatro e meia da manhã.

Quando você olha para o modelo, faz todo sentido o motivo pelo qual Katie, uma pessoa bem-sucedida, realizada e capaz, está tendo dificuldades para deixar de lado esse hábito de mexer no celular. Você pode ver por que

Modelo de Comportamento de Fogg

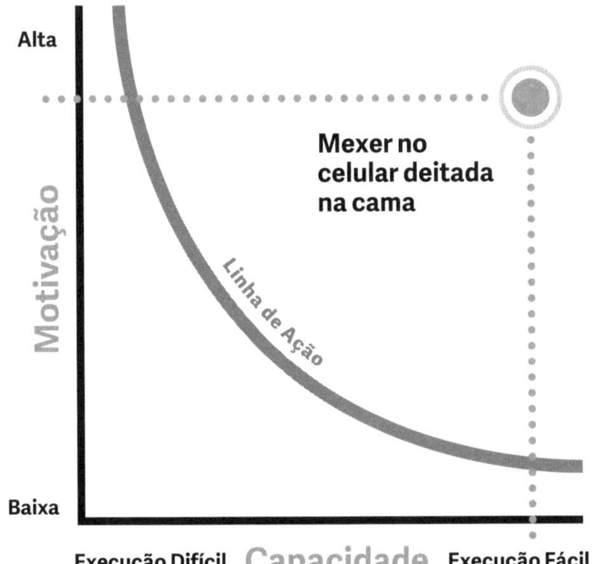

ele está consolidado. A menos que algo mude, é provável que ela continue navegando pela internet e não se exercitando.

É necessário fazer duas coisas: reprojetar seu hábito de mexer no celular e depois reprojetar seu hábito de se exercitar. A primeira coisa de que precisamos nos lembrar é que não existe uma única solução para todos os desafios comportamentais. Nosso trabalho é ajustar os componentes — M, C e P — e descobrir qual combinação funciona melhor em cada circunstância para obter o comportamento que queremos. Temos que fazer com que mexer no celular se torne, para ela, algo difícil de ser feito ou mudar sua motivação para isso, para que possamos dar atenção ao seu hábito de se exercitar. Existem dois princípios fundamentais nos quais podemos nos basear quando analisamos o comportamento, modificando os indicadores de motivação, capacidade e prompt.

A MOTIVAÇÃO COMPENSA A FALTA DE CAPACIDADE (E VICE-VERSA)

Depois de entender como esse princípio funciona, você pode projetar praticamente qualquer comportamento que desejar.

A Linha de Ação curva em nossos gráficos representa visualmente esse princípio, mas aqui está a explicação.

1. Quanto *mais motivado* você estiver para ter um comportamento, *maior* será a *probabilidade* de fazê-lo

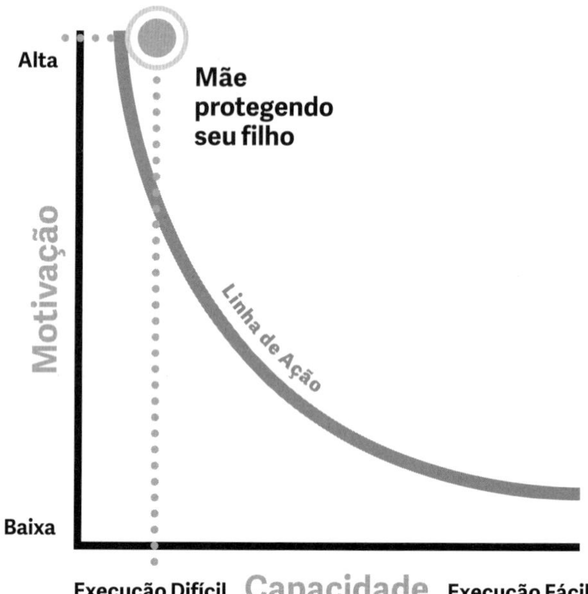

Quando a motivação é alta, as pessoas não apenas agem quando surge o prompt, mas também são capazes de realizar coisas difíceis. Se você em algum momento já leu sobre uma mãe brigando com um urso para salvar seu filho ou uma pessoa comum tirando alguém do trilho de um trem de metrô que estava se aproximando, você entende o que quero dizer.

Há uma descarga de adrenalina, os riscos são altos, e coisas difíceis acabam sendo feitas.

Quando a motivação é mediana, as pessoas só têm um comportamento se ele for de execução bem fácil — como o hábito de Katie de arrumar sua mesa de trabalho.

2. Quanto *mais difícil* for um comportamento, *menor* será a *probabilidade* de você fazê-lo

Se alguém lhe pedisse para mostrar a capa do livro que você está lendo agora, você faria isso? Provavelmente. Requer apenas um movimento de punho e uma breve interrupção na leitura, o que é só um aborrecimento de pequenas proporções, nada de mais. É de execução fácil. No entanto, se alguém lhe pedisse para ler este livro inteiro em voz alta, sua resposta provavelmente seria diferente. Você precisaria de muita motivação para concretizar esse comportamento. Talvez a pessoa que está pedindo tenha deficiência visual. Talvez você receba mil dólares pela tarefa. Isso poderia funcionar. Meu argumento é: você precisa de uma motivação bem alta para fazer algo difícil.

Eis um insight relacionado que pode começar a transformar sua vida (transformou a minha): quanto *mais fácil* for um comportamento, *maior a probabilidade* de ele se tornar um hábito.

Isso se aplica aos hábitos que consideramos "bons" e "ruins". Não importa.

Comportamento é comportamento. Todos funcionam da mesma maneira.

Considere o hábito de Katie de mexer no celular deitada na cama. Ela já tem o telefone à mão, graças ao alarme. Portanto, a rolagem, como próxima etapa, é algo realmente fácil de se fazer.

3. Motivação e capacidade trabalham juntas, como colegas de equipe

Você precisa ter tanto motivação quanto capacidade para que um comportamento chegue acima da Linha de Ação, mas motivação e capacidade podem trabalhar juntas, como colegas de equipe. Se uma delas é fraca, a outra precisa ser forte para colocar o ponto acima da curva. Em outras palavras: *a quantidade que você tem de uma afeta a quantidade necessária da outra.* Compreender a relação entre motivação e capacidade abre portas para novas maneiras de analisar e projetar comportamentos. Se você tiver apenas um pouquinho de uma, precisará de mais da outra, ou seja, eles se compensam.

No caso de Katie, seu hábito de arrumar a mesa tem motivação, mas também é fácil de ser mantido. Ela me disse que leva menos de três minutos para completar sua rotina de arrumação, o que significa que não é algo que a atrase para buscar os filhos na escola. Sua capacidade de ter esse comportamento começou na zona fácil e, quanto mais repetições, mais otimizado o processo se torna. Em geral, quanto mais você pratica um comportamento, mais fácil ele se torna.

O Modelo de Comportamento de Fogg descreve um instante capturado na linha do tempo: um comportamento específico em um momento específico. Mas também já usei esse modelo para mostrar como um comportamento se dá ao longo do tempo: Comportamento 1 ⟶ Comportamento 2 ⟶ Comportamento 3. Essa é uma extensão poderosa desse modelo. Mas aqui quero apenas apontar como a maioria dos comportamentos se torna mais fácil à medida que são repetidos.

Modelo de Comportamento de Fogg

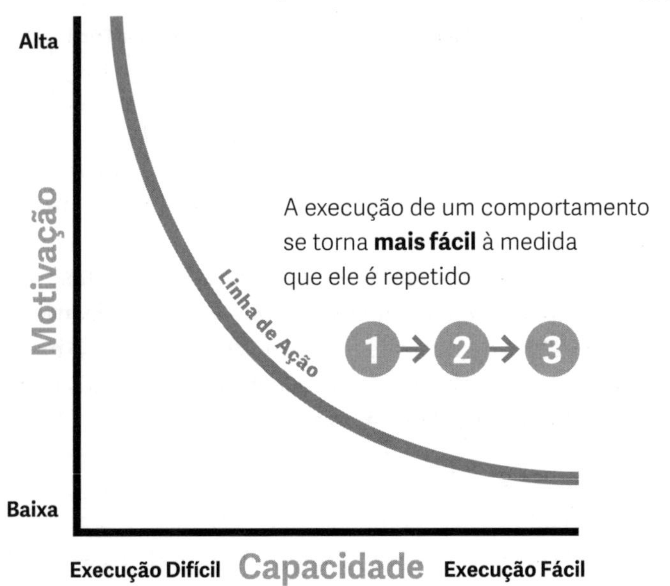

Mesmo nos dias em que a motivação de Katie diminui, a tarefa de arrumar ainda é fácil o suficiente para compensar a diferença. Um ponto importante: se ela tivesse começado limpando todo o escritório, não teria desenvolvido esse comportamento. Quando ela estivesse com pressa, ela pularia a tarefa.

4. Nenhum comportamento se concretiza sem um prompt

Se você não tiver um prompt, seus níveis de motivação e capacidade não fazem nenhuma diferença. Ou você tem estímulo para agir ou não tem. Sem prompt, não há comportamento. É simples assim — mas poderoso.

Motivação e capacidade são variáveis contínuas. Você sempre tem algum nível de motivação e de capacidade para qualquer comportamento. Quando o telefone toca, sua motivação e sua capacidade de atender estão sempre em segundo plano. Mas um prompt é como um raio. Ele vem e vai. Se você não ouvir o telefone tocar, não vai atendê-lo.

Você pode interromper um comportamento que não deseja eliminando o prompt. Isso nem sempre é fácil, mas remover o prompt é a melhor maneira de impedir que um comportamento aconteça.

Há um ano, fui à conferência South by Southwest em Austin, no Texas. Entrei no meu quarto de hotel e joguei a mala na cama. Quando examinei o cômodo, vi algo em cima da escrivaninha.

"Ah, nãooooo", falei em voz alta para mim mesmo.

Havia uma cesta entupida de guloseimas. Pringles. Chips de milho. Um pirulito gigante. Uma barra de granola. Amendoins. Eu tento comer alimentos saudáveis, mas esses lanchinhos são deliciosos. Eu sabia que a cesta seria um problema para mim ao final de cada longo dia. Ela serviria como um prompt: "Coma tudo!" Sabia que, se a cesta estivesse lá, eu acabaria cedendo. O pacote de chips de milho seria o primeiro a ser atacado. Depois eu comeria os amendoins. Então me perguntei o que era preciso fazer para impedir esse comportamento. Seria possível eu me desmotivar? De jeito nenhum, eu amo salgadinhos. Seria possível tornar aquilo algo mais difícil de ser feito? Talvez. Eu poderia pedir à recepção para aumentar o preço dos lanches ou tirá-los do quarto. Mas isso seria um pouco estranho. Então, o que eu fiz foi excluir o prompt. Coloquei a linda cesta cheia de tentações na última prateleira do armário e fechei a porta. Eu sabia que a cesta ainda estava no quarto, mas as guloseimas não estavam mais gritando "COMA TUDO" no volume máximo. Na manhã seguinte, eu já tinha me esquecido dos salgadinhos. Fico feliz em informar que sobrevivi três dias em Austin sem abrir aquele armário.

Observe que uma ação isolada interrompeu o comportamento ao excluir o prompt. Se isso não tivesse funcionado, havia outras variáveis que eu poderia ter regulado — mas os prompts são o aspecto mais fácil de ser ajustado no Design de Comportamento.

Ensinando o Modelo de Comportamento

Agora que você viu como meu Modelo de Comportamento se aplica a vários tipos de comportamento, vou mostrar outras formas de usá-lo nas páginas a seguir. Quando trabalho com estudantes de Stanford ou como coach de profissionais de inovação da indústria ferroviária, ensino de que maneira explicar meu Modelo de Comportamento em no máximo dois minutos. Primeiro faço uma demonstração, desenhando no quadro enquanto explico cada parte. Depois de terminar a demonstração de dois minutos, descrevo as etapas que funcionam melhor, incluindo algumas frases específicas a serem utilizadas. Por fim, peço que cada um se aproxime do quadro ou pegue um pedaço de papel e explique o modelo para outra pessoa enquanto desenha em tempo real. Aprender a explicar o Modelo de Comportamento de forma rápida e clara é uma das habilidades mais úteis no Design de Comportamento.

Como não estou aí pessoalmente para lhe ensinar essa habilidade, desenvolvi um pequeno exercício ao final deste capítulo. Se você precisar de mais orientações, pode conseguir na internet o roteiro exato e observar como outras pessoas ensinam o modelo. Os poucos minutos necessários para aprender a ensinar o Modelo de Comportamento são um excelente investimento de tempo.

Depois que você tiver aprendido o Modelo de Comportamento, você poderá aplicá-lo de várias maneiras práticas, inclusive abandonando um comportamento ou solucionando os problemas de um comportamento. E é isso que eu quero explicar a seguir.

Modelo de Comportamento de Fogg

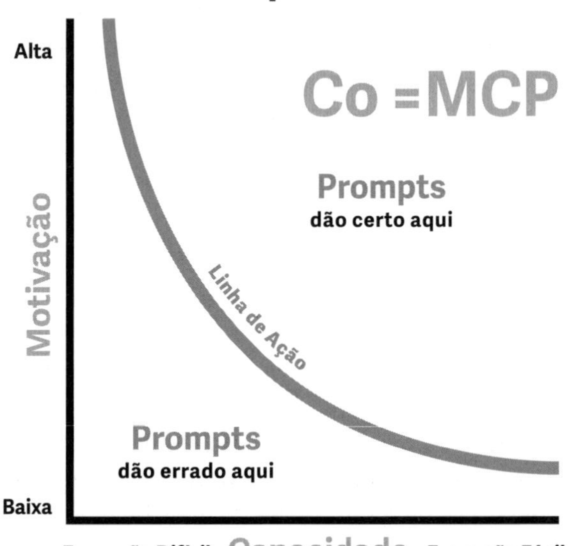

Usando o Modelo de Comportamento para interromper um hábito

Agora que você sabe como a motivação e a capacidade funcionam juntas e como os prompts são vitais para um comportamento, voltemos a Katie. Como ela pode romper com seu hábito de mexer no celular? A motivação dela é alta. O comportamento é de execução muito fácil. Isso coloca seu hábito muito acima da Linha de Ação.

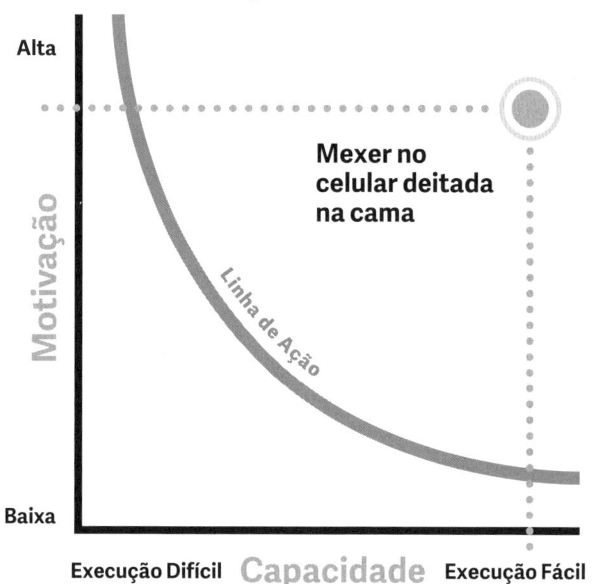

O que ela poderia mudar?

A motivação?

Pouco provável. O sentimento de felicidade que ela tem quando vê que alguém curtiu uma publicação sua não vai a lugar algum, está completamente atrelado ao aplicativo. Katie quer se manter atualizada sobre a vida dos amigos, e o Facebook está fazendo isso por ela. É provável que a motivação continue alta.

E a capacidade?

É aqui que encontramos uma grande oportunidade de mudar.

Katie poderia excluir sua conta do Facebook, para tornar impossível a rolagem do feed de notícias. Mas talvez isso seja extremo demais — ela ainda pode querer verificar o Facebook em outros momentos do dia. Felizmente, existem muitas outras maneiras de dificultar o ato de ficar mexendo no telefone enquanto está deitada na cama. Ela poderia excluir o aplicativo do Facebook do telefone. Poderia colocar o telefone do outro lado do quarto, em cima da escrivaninha. Poderia colocar o telefone ao lado da porta do quarto da filha para garantir que ela tivesse que sair da cama para desligar o alarme antes que a menina acordasse, ou poderia deixar o telefone no carro. Como a motivação de Katie para mexer no telefone era muito alta, ela teve que experimentar várias opções diferentes antes de finalmente encontrar uma dupla solução: ela passou a deixar o telefone na cozinha durante a noite e colocou um despertador no quarto. A distância física entre ela e o telefone dificultou o comportamento, e ser acordada por um despertador "de verdade" excluiu completamente o prompt.

Se você não pode alterar um componente do Modelo de Comportamento (nesse caso, a motivação), se concentre em alterar os outros (capacidade e prompt). E quanto ao hábito de praticar exercícios? Como constatado, não foi necessário nenhum ajuste. Depois que Katie removeu a distração causada pelo celular, ela começou a praticar exercícios, seguindo os planos e se utilizando das ferramentas que já possuía.

Com ajustes suficientes, você pode projetar praticamente qualquer comportamento que desejar e provocar um curto-circuito na maioria dos comportamentos que não deseja mais. Katie fez isso de modo bem fácil e bem-sucedido, mas primeiro ela tinha que conhecer os meandros do que estava dirigindo seu hábito de mexer no telefone logo depois de acordar.

Meses depois do Centro de Treinamento de Design de Comportamento, Katie me disse como estava feliz por finalmente ter consolidado o hábito de praticar exercícios físicos em sua vida. Ela ainda era sugada pelo telefone durante o café da manhã ou enquanto esperava numa fila, mas não tinha o mesmo punho de ferro consigo mesma. Na maioria dos dias, ela era a mestre de suas manhãs. Ela se sentia fisicamente mais forte do que nunca, mas o mais importante é que ela estava aprendendo que o Design de Comportamento poderia melhorar qualquer área de sua vida.

Um único modelo para entender qualquer comportamento

Se você deseja ser altamente eficaz em mudar seu próprio comportamento — ou de qualquer outra pessoa —, é crucial dominar o Modelo de Comportamento. Uma vez que você tenha uma visão clara de como o comportamento funciona, você será capaz de decodificar o comportamento de outras pessoas e o seu — uma habilidade poderosa. Você pode promover hábitos positivos e interromper aqueles dos quais não gosta, e terá mais compaixão pelos comportamentos indesejáveis de outras pessoas.

Eu embarquei em um voo alguns anos atrás e vi um menino agitado sentado atrás de mim. Depois que nos acomodamos, senti seus pezinhos chutando meu assento repetidamente. Argh. Eu sabia que ele passaria o voo inteiro me chutando. Afinal de contas, era uma criança. Então, antes de o avião decolar, me perguntei o que poderia fazer para interromper ou amenizar aquele comportamento.

Coloquei meu Modelo de Comportamento em prática.

A começar pelo prompt. Era possível excluí-lo? Não. Eu não tinha nenhum controle sobre o desejo interno do menino, o tédio que ele sentia ou o que quer que estivesse levando-o a fazer aquilo. Depois, capacidade: eu poderia fazer com que chutar o assento se tornasse difícil para ele? Não. Então me restou apenas uma única opção: motivação. Como eu poderia, de uma maneira tranquila e divertida, motivar aquele carinha a chutar menos o assento?

Eu decidi usar a regra da reciprocidade.

Quando alguém lhe dá um presente, você naturalmente quer retribuir o favor de alguma forma. Essa dinâmica ajuda os humanos a se relacionarem. É também uma maneira de influenciarmos a motivação com delicadeza. Decidi tentar.

Eu tinha um bótom amarelo com uma carinha sorridente na pasta na qual carrego meu computador. (Sim, eu sou praticamente o Mr. Rogers, mas vamos deixar isso de lado por ora.) Tirei o bótom da pasta e o mostrei para o pequeno passageiro e para os pais dele. "Ei", eu disse. "Quero te dar esse bótom. Espero que ele ajude você a se lembrar de não me chutar durante o voo."

O garoto disse "oba!" e os pais me agradeceram com sorrisos sinceros.

O voo foi ótimo — sem chutes — e fiz alguns amigos durante o processo. Nos despedimos na esteira de bagagem.

Usando o Modelo de Comportamento em casa, você pode ajudar as pessoas a lhe ajudarem. Como qualquer pessoa em um relacionamento longo pode atestar, a tensão em relação a trabalhos domésticos pode ser bastante prejudicial. Meu parceiro Denny e eu temos opiniões diferentes sobre a limpeza da casa; enquanto eu estou mais para "minimamente organizado", Denny é um "obcecado por limpeza". Ao longo dos anos, o banheiro se tornou um problema. Denny é superatento em relação a mofo, mas a água não escoa bem em nosso chuveiro, o que acaba provocando — sim, você adivinhou — mofo. Ele então passou a me pedir para secar o box depois do banho, mas na maioria das vezes eu não fazia isso. Na verdade, eu raramente fazia.

Um dia, Denny me chamou para dar uma olhada no box e colocou o Design de Comportamento em ação.

"Nós dois queremos um chuveiro limpo", ele disse.

Eu concordei.

Ele viu que eu tinha algum nível de motivação.

Então ele me questionou sobre capacidade. O que era tão difícil para mim em relação a secar o chuveiro? Eu disse a ele que não sabia o que o pedido dele significava. Ele queria que eu usasse minha toalha ou um rodo? Era para eu secar as paredes? Foi nesse momento que a ficha caiu para Denny. Ele não tinha sido específico em relação ao que queria, então era difícil para mim colocar em prática um comportamento abstrato. O que ele fez a seguir foi simples e brilhante. Ele me mostrou o que fazer. Ele foi comigo até o chuveiro e disse: "Ok, quando você desligar o chuveiro [prompt], você pega uma toalha de banho da prateleira assim, depois a coloca no chão e a arrasta assim. Então é só jogar a toalha no cesto de roupa suja e pronto." O que Denny me mostrou foi tão fácil que quase me senti idiota por não feito aquilo desde o início. Demorou cerca de dez segundos. Depois que ele me mostrou o que fazer, minha *percepção* da dificuldade da tarefa mudou — de repente pareceu fácil.

Desde aquela demonstração teatral de Denny, eu sequei o chão do chuveiro todos os dias. Por quê? Antes de mais nada, eu queria um banheiro limpo e queria agradá-lo. Então, eu tinha pelo menos alguma motivação. Mas o comportamento parecia difícil. Depois que ele me mostrou exatamente o que fazer, eu vi que era fácil e passei para a parte de cima da Linha de Ação. Atualmente, quando se trata de tarefas domésticas, uma área em que eu não sou especialista, eu digo a ele: "Me mostre exatamente o que você quer que eu faça". Eu o observo e minha capacidade aumenta.

Esses são alguns exemplos pequenos de como você pode usar o Modelo de Comportamento com outras pessoas. Dedicaremos um capítulo inteiro a isso quando tivermos mais instrumentos em nossa caixa de ferramentas de mudança.

Três etapas para solucionar os problemas de um comportamento

Muitas vezes queremos ter um comportamento — ou queremos que outra pessoa tenha um comportamento — e somos recebidos com pouco ou nenhum sucesso. Tenho boas notícias em relação a situações como essas: o Design de Comportamento fornece um conjunto específico de etapas para solucionar esse problema tão comum. E não é exatamente o que você esperaria. Digamos que você queira que seus funcionários cheguem pontualmente na reunião de equipe, mas eles sempre estão alguns minutos atrasados. Muitos chefes ficariam chateados, criariam uma penalidade ou lançariam olhares atravessados para as pessoas que chegassem atrasadas. Todas essas são tentativas de usar a motivação para garantir que o comportamento de chegar a tempo aconteça. E todas elas estão equivocadas. Para solucionar um problema de comportamento, você não começa com a motivação.

Em vez disso, siga estas etapas. Siga a ordem sugerida. Se você não obtiver resultados em uma, passe para a próxima.

1. Verifique se existe um *prompt* para que a pessoa tenha aquele comportamento.
2. Veja se a pessoa tem a *capacidade* de ter aquele comportamento.
3. Veja se a pessoa tem *motivação* para ter aquele comportamento.

Para fazer um bom trabalho em solucionar problemas de comportamento, seus ou de outras pessoas, comece com o prompt. Existe um prompt para que a pessoa tenha determinado comportamento? Você pode perguntar aos seus funcionários que costumam chegar atrasados: *você criou algum lembrete para avisá-lo da reunião*? Se não, peça que eles descubram qual seria um bom prompt. E pode ser que isso resolva o problema. Sem drama. Sem olhares atravessados. Basta projetar um bom *prompt*.

Se isso não funcionar, você passa para a próxima etapa. Veja se as pessoas têm a capacidade de ter aquele comportamento. Pergunte aos funcionários que chegam atrasados o que está dificultando que eles sejam pontuais na reunião. (Vou explicar uma abordagem abrangente no Capítulo 3, mas essa pergunta é suficiente por enquanto.)

Você pode acabar descobrindo que os funcionários atrasados têm uma reunião anterior que termina em cima da hora e por isso eles não conseguem chegar à reunião de equipe a tempo.

Com isso, você encontrou sua resposta. É um problema de *capacidade*, não um problema de motivação.

Mas vamos fazer de conta que eles têm um prompt e a capacidade, e que se trata de um problema de *motivação*. Nesse caso, você precisaria tentar descobrir um jeito de motivar a pontualidade. (E há muitas maneiras de fazer isso, boas e ruins.)

Observe que mexer com a motivação é a última etapa na ordem de solução de problemas. A maioria das pessoas supõe que, para que um comportamento aconteça, você precisa primeiro se concentrar na motivação.

Esse processo de solução de problemas pode poupar você de um pouco de sofrimento tanto no trabalho quanto em casa. Vamos supor que você tenha pedido à sua filha adolescente que, voltando da escola, parasse para comprar algumas cartolinas necessárias para uma aula na igreja. Ela está com o seu carro, e você acha que esse é um pedido justo. Ela chega da escola naquele dia sem as cartolinas. Você fica chateado e explica o quanto precisa delas. (Ambas são estratégias de motivação.) Sua filha diz: "Desculpe. Amanhã eu compro."

Mas, no dia seguinte, ela também chega sem as cartolinas.

Nesse momento, pode ser que você comece andar de um lado para outro pela sala de estar, ameace proibi-la de dirigir e reclame que ela não é confiável. (Todas as três são estratégias de motivação.)

Como você sabe, essa situação não é nada boa.

Agora, vamos voltar um pouco na história e imaginar que você saiba como solucionar problemas de comportamento. Você não fica chateado quando sua filha chega em casa sem as cartolinas no primeiro dia. Você entra no modo de solução de problemas: "Havia alguma coisa que lembraria você de comprar as cartolinas?"

"Não. Eu achei que fosse lembrar. Mas esqueci."

Então, você projeta um prompt para o dia seguinte perguntando: "Qual seria uma boa maneira de lembrar você de fazer isso amanhã?"

E ela diz que vai colocar um lembrete de tarefa no telefone.

Adivinha só? No dia seguinte, ela entrega a você as cartolinas com um sorriso.

Quando você aplica esse método de solução de problemas ao seu próprio comportamento, descobre que ele evita a sensação de culpa. Digamos que você não medite todas as manhãs como gostaria. Em vez de se culpar pela falta de força de vontade ou de motivação, siga as etapas: havia algum prompt para lembrá-lo? O que está tornando isso tão difícil?

Em muitos casos, você vai descobrir que o fato de não conseguir ter determinado comportamento não é um problema de motivação. Você pode solucionar a questão encontrando um bom prompt ou facilitando a execução do comportamento.

Veja o mundo através da lente do Modelo de Comportamento

Quero que você pratique observar o mundo através das lentes do Modelo de Comportamento. Isso servirá a dois propósitos. Primeiro, é divertido. Segundo, isso lhe ajudará a analisar as coisas de acordo com as linhas de motivação, capacidade e prompt, de modo que você consiga identificar o que está incentivando seus próprios comportamentos — ou os de qualquer outra pessoa. No final deste capítulo, você encontrará alguns exercícios simples que vão ajudar a pôr em prática o Modelo de Comportamento de maneira efetiva.

Muitas pessoas que usam o Modelo de Comportamento para solucionar problemas por etapas relatam que esse método ajuda a enxergar o mecanismo do comportamento humano. Você será capaz de desconstruir seus esforços em relação à mudança, e de compreender de que maneira eles estão sendo atrapalhados ou amparados. Você será capaz de entender melhor por que você tem alguns comportamentos dos quais se arrepende posteriormente.

Todos nós fazemos coisas das quais não gostamos.

Comer pipoca no jantar.

Gritar com as crianças.

Fazer maratonas na Netflix.

Mas não precisamos fechar os olhos para esses comportamentos nem ficar frustrados por isso.

E não temos mesmo que nos culpar.

Ninguém me faz lembrar disso mais do que Jennifer, uma talentosa artista gráfica e mãe incrível. Antes de se inscrever no seminário sobre Micro-hábitos on-line e aprender sobre o Modelo de Comportamento, ela estava frustrada por não conseguir se exercitar. Jennifer sempre praticou atividades físicas. Ela havia sido uma ávida corredora durante a faculdade e até correu uma meia maratona com uma amiga alguns anos antes de ter filhos. As coisas mudaram, e nos últimos tempos lavar a louça e a roupa era o mais próximo que Jennifer chegava de uma atividade física. Ela realmente queria se exercitar. Mas estava fora de forma. Ela sabia que tinha que começar devagar e com disciplina.

Jennifer começou a praticar ioga no escritório de casa por quinze minutos de vez em quando, e ocasionalmente corria até o fim da rua e voltava. Coisas que ela era capaz de fazer. Nada muito extenuante. Mas não conseguia fazer isso com regularidade. Os dias em que se exercitava se tornaram dias "bons" e os dias em que não se exercitava se tornavam dias em que ela precisava de "uma taça extra de vinho". Mais tarde, ela me disse que isso a fazia se sentir um fracasso. O que costumava ser tão fácil para ela tornara-se uma luta diária. Na maior parte dos dias, ela não conseguia correr nem até a caixa de correio, muito menos oito quilômetros, uma conquista que costumava lhe trazer muita alegria. Ela sentia que havia algo errado. Por que ela não era capaz de ter a iniciativa de fazer aquilo sozinha?

Jennifer estava descrevendo algo muito comum — um sentimento de bloqueio ou resistência. Todos os dias ela dizia a si mesma que deveria malhar ou correr. Mas muitas vezes apresentava razões para não ir — fazer compras on-line para as crianças, pesquisas relacionadas ao trabalho... e se sentia um fracasso no final do dia. Ela sabia que estava dando desculpas para não fazer algo que era bom para ela. Será que estava deprimida? Odiava a si mesma? Faltava força de vontade? O que estava acontecendo?

Quando enviei um e-mail para Jennifer nas semanas que se seguiram à sua experiência com o Micro-hábitos, ela me contou como havia resolvido o enigma em relação ao hábito de se exercitar. Primeiro, ela olhou para o que estava acontecendo no que se referia à motivação, à capacidade e ao prompt. Ela analisou por etapas seu comportamento e se concentrou na motivação. Era quase inexistente. Na maior parte dos dias, ela simplesmente não queria praticar ioga sozinha no escritório. Jennifer deixou de lado a ideia da ioga solitária para encontrar uma opção melhor. Ao listar diferentes exercícios que a atraíam, ela concluiu algo precioso. Os exercícios de que gostava tinham uma coisa em comum — eram feitos em grupo. Quanto mais pensava sobre isso, mais Jennifer percebia que se exercitar sozinha não era divertido. Parecia uma obrigação, e ela não tinha motivação suficiente para estar acima da Linha de Ação. No final, Jennifer desistiu da ideia de malhar sozinha e se ajustou à prática de exercícios em grupo: passou a frequentar uma aula semanal de spinning e outra de ioga, entrou para um grupo de corrida formado apenas por mães e, antes que percebesse, tinha retomado o hábito de malhar.

Essa foi uma grande vitória para Jennifer, mas ter desvendado o mistério sobre seu comportamento não foi o que mais lhe empolgou. O que realmente mudou sua vida foi ela ter conseguido parar de se colocar para baixo. Antes de entender como o comportamento funcionava, ela se sentia incomodada por não conseguir se exercitar como antes. Era uma narrativa que se repetia sem parar: "Você não consegue mais fazer o que costumava fazer; o que há de errado com você?" No final do dia, ela remoía isso antes de tomar a taça de vinho, sua "automedicação". Ela quebrava a cabeça em busca de respostas. Talvez estivesse ficando velha, talvez precisasse tomar antidepressivos, talvez devesse procurar um personal trainer. Ela acabava ficando tão frustrada e deprimida que se ocupava fazendo o jantar e catando brinquedos do chão. Só depois de mapear seu comportamento ela percebeu que nem tudo tinha a ver com ela. Tinha a ver com seus comportamentos. Depois de dividi-los de acordo com seus componentes, ela percebeu onde estavam as falhas de design. Ela tinha a capacidade, mas não estava suficientemente motivada para se exercitar sozinha. Para piorar a situação, ela não tinha um prompt regular para a ioga solitária no escritório.

Para a sorte de Jennifer (e de todos nós), o Modelo de Comportamento não tem um eixo "preguiçoso" ou "fraco". Ele não se encaixa em sua narrativa repleta de culpa. É um modelo, não uma avaliação de caráter. Depois que Jennifer percebeu que ela e o comportamento dela eram coisas diferentes, tudo mudou. Ela começou a pensar em seus hábitos como se fossem receitas. Se o resultado não era do seu agrado, ela precisava alterar as medidas e mexer nos ingredientes, e não se punir ou desistir.

A partir de agora, quero que você observe seu comportamento da mesma forma que um cientista olha para o que está crescendo em uma placa de Petri — com curiosidade, distanciamento e objetividade. Esse mindset será diferente do apresentado em muitos dos livros sobre mudanças que você talvez já tenha lido. Não estou pensando muito em força de vontade ou prescrevendo rigidamente algo que o levará a se sentir mal. Quero que você considere sua vida o seu próprio "laboratório de mudanças" — um lugar para fazer experimentos em relação à pessoa que você quer ser. Um lugar no qual você não apenas se sinta seguro, mas também capaz de fazer tudo.

Nos próximos quatro capítulos, vamos aprender sobre o processo de Design de Comportamento e o usaremos para iniciar nossos experimentos. Vamos nos concentrar no método Micro-hábitos, já que ele é a base para a criação de hábitos positivos e contém todos os princípios fundamentais dos quais você vai precisar para projetar outros comportamentos futuros. Você usará o mesmo processo para obter um resultado específico ao longo do tempo, ter um comportamento isolado de grande importância ou interromper comportamentos indesejados. E o primeiro passo para criar um conjunto de hábitos positivos é decidir quais hábitos deseja cultivar.

Mas, antes de fazer isso, é necessário examinar mais de perto o que vem lhe atrapalhando todos esses anos. Se você está lendo este livro, há uma boa chance de ter algumas coisas que deseja alterar, mas ainda não conseguiu. Então de que formas você sabotou suas tentativas de mudar?

O Boicote da Motivação.

O Boicote da Motivação nos leva a definir objetivos que não são razoáveis. Às vezes, ele pode nos ajudar a alcançar objetivos altíssimos, mas costuma nos abandonar quando mais precisamos dele.

Micro-exercícios para pôr em prática o Modelo de Comportamento de Fogg

O primeiro exercício é fácil. O segundo exigirá um pouco mais de trabalho, mas não o ignore. Garanto que o tempo e o esforço investidos serão recompensados.

EXERCÍCIO 1: EXPLORE MANEIRAS DE ABANDONAR UM HÁBITO

O Modelo de Comportamento de Fogg se aplica a todos os tipos de mudança de comportamento. Neste exercício, você vai explorar maneiras simples de abandonar um hábito.

Etapa 1: Anote três hábitos que você deseja abandonar. Tente ser específico. Por exemplo, escreva "Parar de comprar refrigerante na hora do almoço" em vez de "Parar de tomar refrigerante".

Etapa 2: Para cada hábito, pense em maneiras de remover (ou evitar) o prompt. Se você não conseguir pensar em nada, tudo bem. Passe para a etapa seguinte.

Etapa 3: Para cada hábito, pense em maneiras de tornar a sua execução mais difícil (capacidade).

Etapa 4: Para cada hábito, pense em maneiras de reduzir sua motivação.

Etapa 5: Para cada hábito, selecione sua melhor solução nas etapas 2, 3 e 4.

Bônus: Coloque sua solução em prática.

EXERCÍCIO 2: APRENDA O MODELO DE COMPORTAMENTO DE FOGG ENSINANDO-O A OUTRA PESSOA

Uma ótima maneira de aprender uma coisa é ensiná-la a outra pessoa.

Etapa 1: Dê uma olhada no roteiro de como ensinar o Modelo de Comportamento de Fogg no apêndice na página 308.

Etapa 2: Desenhe os elementos do Modelo de Comportamento ao ler o roteiro. Pratique-o até ser capaz de explicar o Modelo sem ler o roteiro.

Etapa 3: Encontre alguém para quem você possa ensiná-lo.

Etapa 4: Explique o Modelo de Comportamento usando o desenho dos elementos. (Ou, melhor ainda, desenhe o Modelo ao explicá-lo.)

Etapa 5: Depois de concluir a explicação de dois minutos, pergunte ao aluno: "O que o surpreendeu?" Essa é minha pergunta favorita quando estou ensinando algo, pois pode levar a uma discussão que torna a experiência do aprendizado ainda melhor para todos os envolvidos.

CAPÍTULO

MOTIVAÇÃO — FOCO NO AJUSTE

Sandra e Adrian tinham acabado de comprar sua primeira casa. Na primeira visita, ficaram parados no deque localizado nos fundos da casa e, junto com o corretor, avaliaram o único ponto negativo da propriedade — o quintal.

Estava um horror. Um muro de pedra em ruínas, a grama na altura dos joelhos e uma pilha de compostagem de aparência assustadora que se amontoava na parte de trás da garagem. Naquele momento, Sandra e Adrian não se importaram. Eles estavam chegando ao auge do sonho americano. Eles só viam as possibilidades. Uma horta e canteiros de flores. Uma rede amarrada entre dois carvalhos desalinhados. Um pássaro raro pousando em um limoeiro.

No dia em que retiraram a placa de "Vende-se" do jardim, estavam empolgados. Fizeram uma lista de coisas que precisavam fazer e foram à obra. Começaram dentro de casa, lixando, pintando e esfregando cada centímetro quadrado do lugar. Algumas semanas depois, haviam riscado tudo da lista, exceto o quintal. Voltaram ao deque para avaliar novamente a situação. Mas se sentiram muito diferentes dessa vez. O entusiasmo para reformar a casa havia desabado de um penhasco. Eles estavam arrasados. Por onde deveriam começar? Sandra crescera cortando a grama dos pais, mas sua experiência com paisagismo não ia muito além disso. Adrian crescera em um apartamento, então sabia menos ainda a respeito. Eles não tinham nenhuma ferramenta de jardinagem. Era possível plantar um limoeiro em New Hampshire? Eles sabiam o que queriam — um belo quintal onde pudessem passar o tempo com os amigos e ver seus futuros filhos correndo em meio aos irrigadores automáticos e construindo fortes. Mas agora tudo isso parecia uma ilusão. E muito trabalho.

É aqui que a maioria das pessoas se viram, voltam para dentro de casa e dizem a si mesmas que resolverão depois. Ou mergulham na tarefa a todo vapor até chegar à exaustão. Depois de trabalhar pesado por três horas, desistem e não voltam mais. De qualquer maneira, o sonho é adiado, substituído por sentimentos de culpa, decepção ou fracasso.

O que de fato aconteceu nesse caso?

Em relação aos planos para o quintal, o problema é que Sandra e Adrian apostaram tudo na motivação.

A motivação é inconstante

A motivação é inconstante quando se trata de reformar uma casa. Também é inconstante em relação a dietas, rotinas de exercícios, projetos criativos, declaração de impostos, abertura de empresas, busca por emprego, planejamento de reuniões — aperfeiçoamento pessoal de todos os tipos. As armadilhas do Boicote da Motivação são furtivas e numerosas. Elas atacam quando você está diante de um projeto importante ou quando está tentando mudar seus hábitos.

O problema é o seguinte — a maioria das pessoas acredita que a motivação é o verdadeiro mecanismo de mudança de comportamento. Palavras como "recompensas" e "incentivos" são utilizadas com tanta regularidade que a maioria das pessoas pensa que é possível criar os hábitos que quiser, desde que descubra qual a contrapartida perfeita para cada caso. Esse tipo de pensamento é compreensível, mas também equivocado.

Sim, a motivação é um dos três elementos que impulsionam o comportamento. O problema é que *a motivação é muitas vezes volúvel*, e este capítulo se aprofunda nos desafios que isso apresenta.

A motivação é como um amigo festeiro. Ótimo para sair à noite às vezes, mas não alguém em quem você confiaria para buscá-lo no aeroporto. Você precisa entender seu papel e suas limitações, e escolher comportamentos que não dependam de um amigo tão volúvel.

Para fazer isso, precisamos primeiro acabar com todas as armadilhas do Boicote da Motivação. Em seguida, vamos aprender a como nos esquivarmos delas para obter o que realmente queremos. Não é necessário definir contrapartidas, nem ficar se culpando para sempre.

1. A MOTIVAÇÃO É COMPLEXA

Vamos começar pelo básico.

O que é motivação?

Motivação é o desejo de ter determinado comportamento (comer espinafre hoje à noite) ou uma determinada classe de comportamentos (comer legumes e outros alimentos saudáveis todas as noites). Alguns psicólogos falam sobre motivação extrínseca e intrínseca. Sem querer ofender esses profissionais, mas, do que pude verificar, essa é uma distinção simplória e que não ajuda muito no mundo real. No meu trabalho, eu me concentro em três fontes de motivação: você mesmo (o que você já deseja), um benefício ou penalidade que você receberia por conta de uma ação (a contrapartida) e o seu contexto (por exemplo, todos os seus amigos estão agindo assim). Para ajudá-lo a visualizar isso, criei um carinha chamado Pessoa PAC. Ele vai aparecer por aqui com bastante frequência, uma vez que a Pessoa, a Ação e o Contexto são fundamentais para entender o comportamento humano.

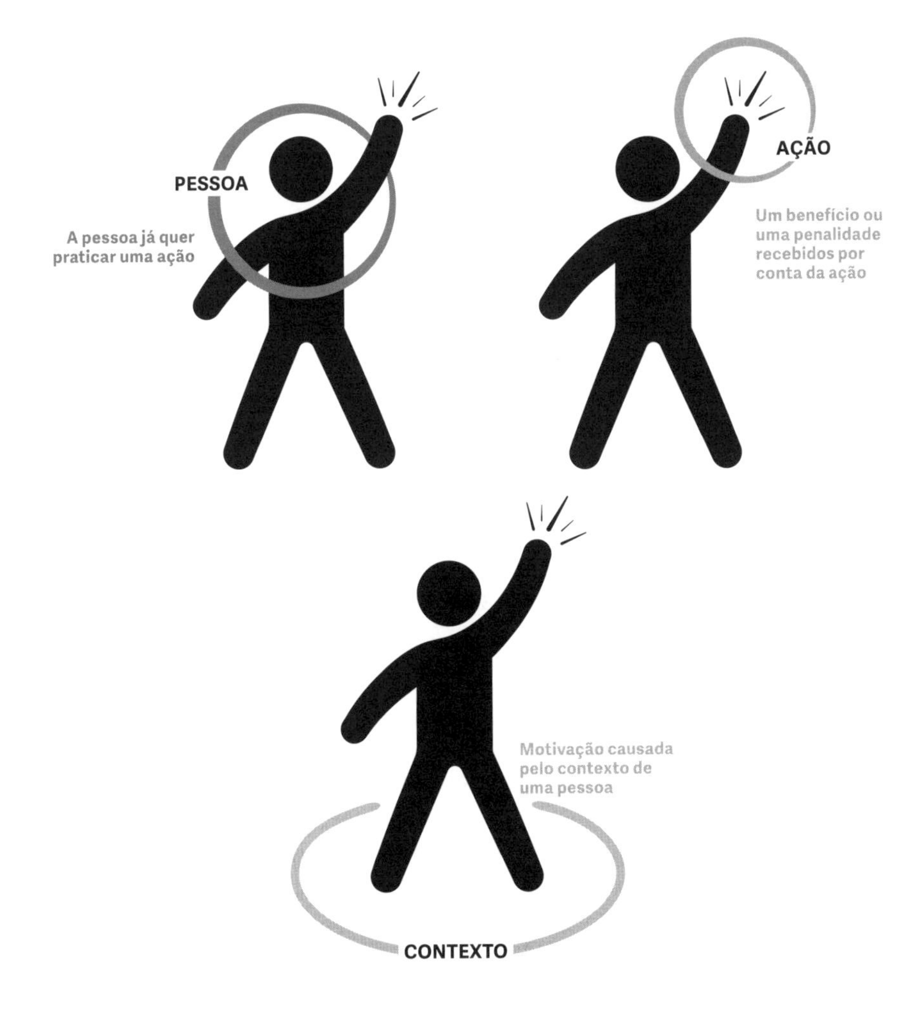

Como mostram os gráficos da Pessoa PAC, a motivação pode vir de três lugares diferente. Primeiro, a motivação pode vir de dentro: você já quer ter determinado comportamento. Por exemplo, a maioria de nós é motivada a parecer atraente. Isso é imbuído em nós como seres humanos. A motivação também pode vir de um benefício ou uma penalidade associados a um comportamento. Vamos falar de impostos. A maioria de nós não acorda de manhã querendo pagar impostos, mas há penalidades para quem não paga. Isso nos motiva. Por fim, a motivação pode vir do nosso contexto (nosso ambiente atual). Suponha que você esteja em um leilão de arte em apoio a uma instituição de caridade. Se a causa é digna e se as pessoas estão bebendo e se o leiloeiro é animado, tudo isso — um contexto cuidadosamente projetado — o motivará a pagar muito dinheiro por uma pintura qualquer.

Pode ser que uma pessoa também tenha mais de uma fonte de motivação para um determinado comportamento. Eu vejo essas diferentes motivações como forças que a empurram na direção de uma ação ou para longe dela. Talvez seja o desejo de aceitação por um grupo, ou talvez seja o medo de sentir dores físicas. Talvez suas motivações estejam levando você a uma determinada ação ou talvez o estejam afastando dela. Mas as motivações estão sempre presentes, o empurrando para cima e para baixo — para cima da Linha de Ação ou para baixo dela —, dependendo da força que elas têm naquele momento específico.

Motivações concorrentes

Às vezes, a complexidade de nossas motivações equivale a um cabo de guerra psicológico. Por exemplo, Sandra e Adrian podem ter tido motivações concorrentes. Eles queriam descansar e desfrutar da casa que tinham acabado de limpar, mas também desejavam cuidar do quintal e riscar aquela tarefa da lista. Essas motivações concorrentes acabaram levando-os a comportamentos diferentes.

Nossos amigos também podem ter motivações conflitantes, que são impulsos opostos relacionados ao mesmo comportamento. Motivações conflitantes podem ser uma fonte de sofrimento psíquico — "Quero cortar o açúcar refinado da minha dieta, mas, cara, eu quero comer aquele cupcake de chocolate". Esses conflitos podem ocorrer dependendo do que está acontecendo ao nosso redor.

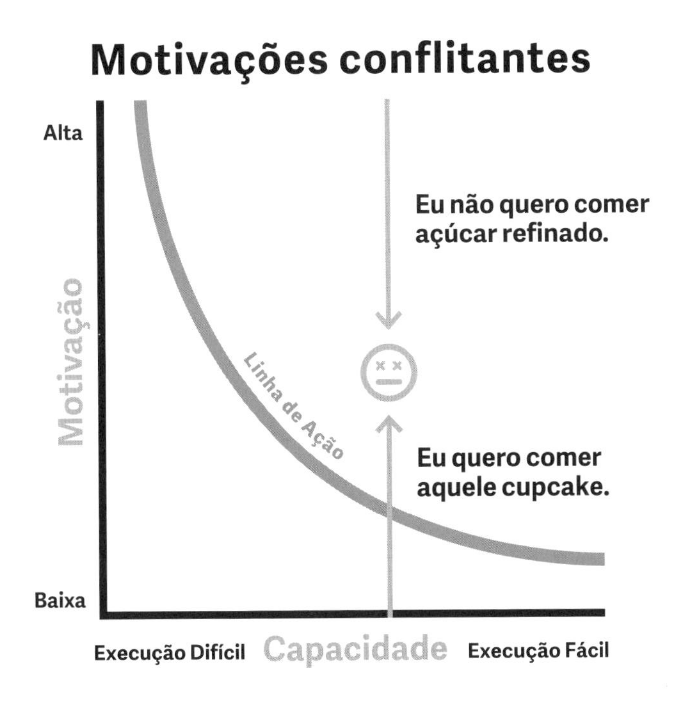

Ainda mais problemático é o fato de estarmos cegos para pelo menos parte da nossa motivação a maior parte do tempo. Pode ser que não sejamos capazes de entender completamente de onde vem o desejo de comer determinado alimento. Eu de fato amo o sabor salgado da pipoca, ou meu hábito diário de comer pipoca decorre da nostalgia dos dias em que minha família e eu fazíamos isso quando assistíamos a filmes em casa à noite? Motivações mutáveis, invisíveis, concorrentes e conflitantes tornam esse elemento do comportamento difícil de identificar e controlar. Isso nos deixa ainda mais frustrados quando fracassamos em nossos esforços para motivar a nós mesmos ou aos outros para promover mudanças duradouras.

2. A ONDA DE MOTIVAÇÃO

Grandes picos de motivação são ótimos para se fazer coisas realmente difíceis — uma vez.

Resgatar seu filho.
Largar um emprego.
Jogar fora toda a comida industrializada que você tem em casa.
Correr pelo aeroporto para pegar um voo.
Participar de sua primeira reunião no AA.
Escrever uma carta para seu editor.
Cumprir as suas dez resoluções de Ano Novo... por um dia.

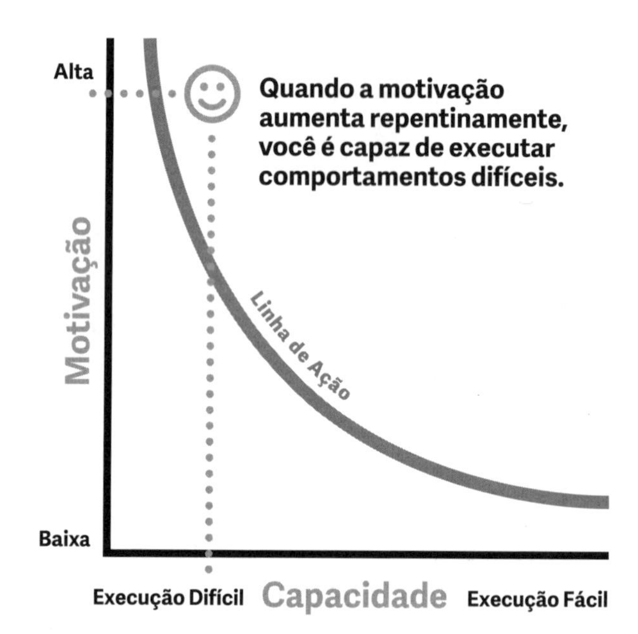

Mas altos níveis de motivação são insustentáveis e se dispersam facilmente. Sandra e Adrian não compram uma casa todos os dias. Com as chaves na mão naquele primeiro dia, eles tinham muita motivação para organizar a casa e se sentiam capazes de ter comportamentos difíceis. E foram bastante capazes naquele momento. De fato, a motivação os ajudou por um tempo. Permitiu que consertassem o interior da casa, o que, além de ser algo difícil, tomava bastante tempo. Mas, quando fizeram a lista de tarefas, não levaram em consideração como se sentiriam no dia seguinte, na semana seguinte ou no mês seguinte. Em algum momento, a motivação diminuiria.

Em Design de Comportamento, chamamos esse aumento temporário de motivação de Onda de Motivação. Tenho certeza de que você já experimentou isso antes: sua motivação foi lá em cima e depois desabou. Talvez você tenha se culpado por não ter conseguido sustentá-la. Você não tem culpa. É assim que a motivação funciona em nossas vidas.

A cada ano, quase 100 milhões de pessoas se inscrevem em cursos on--line, mas a grande maioria desiste. A maioria dos estudos mostra que menos de dez por cento cruzam a linha de chegada. Esses alunos começam os estudos entusiasmados e dedicados, mas depois a motivação diminui. Mesmo a perspectiva de ter que pagar, independentemente do resultado, não é motivação suficiente para levar os alunos a concluírem o curso. Você vê a mesma coisa acontecer ao seu redor. Se você já comprou um massageador de ombros (como aqueles que vê na TV!), lamento dizer que há grandes chances de não se lembrar da última vez em que o utilizou. Lembra do espremedor de frutas que aquele cara bonitão vendeu para você no shopping? Sim, aquele mesmo, que você usou apenas algumas vezes depois que voltou para casa. Nesses e em outros casos, você foi pego por uma armadilha comum da mente humana — superestimou a motivação futura. Isso acontece com as melhores pessoas. Você não é burro, idiota ou fácil de enganar. Você é humano.

Então, por que somos esmagados pela Onda de Motivação, mesmo *sabendo* que estamos sendo otimistas demais? Quando você tem estímulo para agir de uma maneira que pareça uma boa ideia, até algo *necessário*, você sente alguma coisa. Não importa se sente desejo, excitação ou medo — o que estiver motivando o comportamento será rapidamente racionalizado pelo seu cérebro. De repente, parece absolutamente lógico fazer algo que pode custar caro, consumir seu tempo, ser fisicamente exaustivo ou prejudicar sua rotina. Começamos pela emoção, depois encontramos a lógica para agir. De volta ao nosso passado pré-histórico na savana, isso era uma coisa boa. As emoções motivadoras evoluíram para nos ajudar a ter sucesso e a sobreviver. Afinal, é bom que você tenha um pico imediato de medo que o fará correr bem rápido quando avistar um leão de repente. Se estivéssemos condicionados a tomar a racionalidade como ponto de partida, seríamos mais como o Mr. Spock, de *Jornada nas Estrelas*. Você acha que Spock tem um espremedor de frutas no porão juntando poeira? Não. Spock não se deixa levar pela Onda de Motivação. Ele a vê subindo, depois mergulha sob ela. Ele compreende que seu entusiasmo por tomar suco fresco provavelmente diminuirá quando ele se der conta de quanto tempo leva para limpar aquela porcaria.

3. FLUTUAÇÃO DE MOTIVAÇÃO

Você também precisa reconhecer que a motivação muda em uma escala menor. Ela flutua de um dia para o outro, até mesmo de um minuto para o outro, e você provavelmente já está ciente dos momentos em que a sua motivação pode oscilar. Quando foi a última vez que você comprou um chapéu de Papai Noel no dia 26 de dezembro?

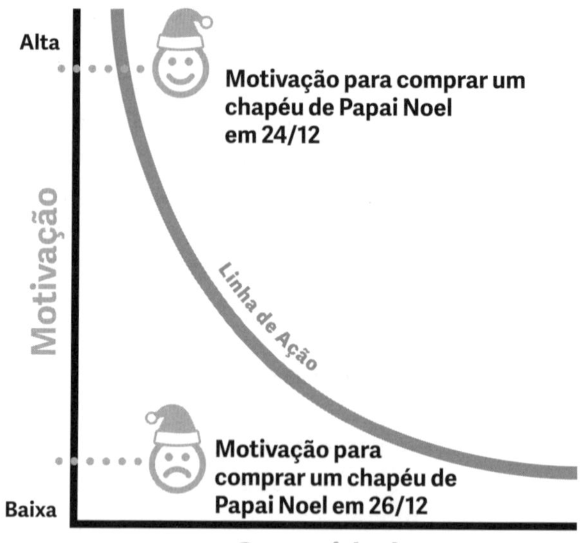

Os varejistas sabem disso e se adaptam vendendo chapéus de Papai Noel bem baratinho na semana seguinte ao Natal, quando a motivação é baixa e os compradores não têm a intenção de pagar muito por chapéus de Papai Noel. Mas aqui estão algumas mudanças mais sutis e previsíveis: a força de vontade diminui do dia para a noite. Decisões complexas se tornam mais difíceis ao final do dia. A motivação para o aperfeiçoamento pessoal pode desaparecer nas noites de sexta-feira. Essas mudanças estão entre as razões pelas quais você não consegue ter controle absoluto de sua motivação.

As pessoas que trabalham na área de saúde e bem-estar estão particularmente ligadas a essas flutuações. Anos atrás, ensinei Design de Comportamento à equipe de produtos do Vigilantes do Peso para que eles pudessem otimizar seu programa global e fazer com que seus membros se concentrassem nas melhores maneiras de mudar. O então CEO David Kirchhoff explicou a sazonalidade de seus negócios. A empresa observava ondas previsíveis de inscrições on-line e pesquisas de palavras-chave durante determinadas épocas do ano. As inscrições eram bem acima da média em janeiro — olá, resoluções de Ano Novo. Os Vigilantes do Peso também observavam um aumento nas inscrições após o Dia do Trabalho (que, nos Estados Unidos, é comemorado em setembro e representa o fim das férias de verão para muitos americanos), quando as pessoas queriam voltar aos trilhos depois de uma temporada repleta de cachorros-quentes e sorvetes. A empresa também via quando a onda de motivação deixava as pessoas desanimadas. Os esforços para perder peso despencavam no início de novembro, quando as pessoas percebiam que não seriam capazes de recusar a torta de nozes da tia Bev no Dia de Ação de Graças *e* no Natal. Novembro e dezembro equivalem a um mar calmo no mundo da perda de peso — sem Ondas de Motivação à vista —, e é por isso que não é uma boa ideia confiar nelas.

Ondas previsíveis não são a única maneira que a motivação muda. Algumas ondas são imprevisíveis. A mesma adolescente que encheu o seu saco por uma semana para você deixá-la ir ao show da Ariana Grande dirá, no dia anterior ao show, que não quer mais ir de jeito nenhum. Você não podia adivinhar que a melhor amiga dela cancelaria no último minuto, acabando com a motivação de sua filha.

Mudanças na motivação também podem acontecer de uma hora para outra. Você está motivado para almoçar às 12h15, com vontade de comer bastante. Quando às 13h30 alguém lhe diz que há uma pizza na sala de reuniões, você não está tão motivado, porque acabou de comer.

Dito isto, há situações específicas nas quais a motivação pode ser duradoura. Pense numa avó sempre motivada a passar um tempo de qualidade com seus netos. Ou a adolescente que quer estar sempre bonita. Essas motivações duradouras eu chamo de aspirações, e é exatamente isso que vou explicar a seguir.

4. A MOTIVAÇÃO DIRECIONADA A ALGO ABSTRATO NÃO DÁ RESULTADO

Todos nós queremos ser saudáveis. Todos nós queremos ter mais paciência com nossos filhos. Todos nós queremos nos sentir realizados pelo nosso trabalho. E nosso desejo de alcançar essas aspirações é duradouro. (Ou pelo menos não muda de uma hora para outra.) Parece uma coisa boa, certo? Sim. Uma aspiração é um excelente ponto de partida para mudar sua vida.

Milhões de pessoas aspiram genuinamente a viver vidas mais saudáveis, menos estressantes e mais gratificantes. Mas aqui está o problema: as pessoas acreditam que se sentirem motivadas por uma aspiração provoca mudanças duradouras. Então elas se concentram nas aspirações. E se concentram na motivação. E essa combinação não produz resultados.

Essa ideia enganosa é bastante difundida. Você já deve ter visto um pôster bem-intencionado de alguma campanha de saúde pública em um consultório médico mostrando legumes de várias cores e a frase: "Prato colorido, alimentação saudável!"

Num primeiro momento, você pensa: "Sim, preciso comer melhor." Mas você não tem certeza de quais medidas práticas devem ser tomadas. Quanto de verde e quanto de vermelho? Isso significa salada e maçãs, é isso? Não inclui sorvete de menta e bala de alcaçuz vermelho, não é? Você está motivado a "comer o arco-íris", mas talvez não saiba como. Você pode se sentir frustrado e acabar sendo duro consigo mesmo.

Sonhos e aspirações são coisas boas. O mesmo acontece com as campanhas de saúde pública. Mas investir tempo e energia para motivar a nós mesmos — ou outras pessoas — em direção a algo abstrato é uma jogada ruim.

5. MOTIVAÇÃO *NÃO* É UM BILHETE DE LOTERIA PARA MUDANÇAS A LONGO PRAZO

Quando se trata de mudar seu comportamento para melhor, as pessoas acreditam que se trata principalmente de autonomia e escolha. As pessoas acham que, se pudessem encontrar o motivador certo, fariam o que *deveriam* fazer (o que, em geral, é uma abstração).

Essa forma infeliz de pensar coloca a culpa apenas em você e na sua capacidade ou não de motivar a si mesmo. Eu quero mudar tudo isso.

Quero que as pessoas saibam que, se elas se concentrarem apenas na motivação, estarão ignorando dois componentes fundamentais do que de fato impulsiona o comportamento — capacidade e prompt. Digamos que alguém lhe ofereça um milhão de dólares para você reduzir imediatamente a glicose no seu sangue para níveis normais. Um milhão de dólares é uma grande motivação, certo? Mas você seria capaz de alcançar esse resultado imediatamente? Provavelmente não. A motivação por si só não leva você a isso.

Você não consegue alcançar resultados ou aspirações apenas por meio de altos níveis de motivação, que é o menos previsível e regular dos três componentes do meu Modelo de Comportamento.

Você não é o único a se concentrar apenas na motivação. Mas agora espero que perceba que não pode confiar somente na motivação para promover mudanças duradouras, porque não vai conseguir sustentá-las e talvez não seja capaz de modificá-las ou projetá-las com segurança. E espero que você veja que isso não é uma falha de caráter. É da natureza humana. Você precisa contornar as armadilhas do Boicote da Motivação, em vez de tropeçar nelas.

Passando a perna na motivação

Antes de vermos como contornar o Boicote da Motivação, vamos esclarecer uma coisa. Estou aqui para dizer que você deve sonhar alto, deixar a imaginação fluir e criar um quadro de visualização. Quanto mais vividamente imaginar o que deseja, melhor. Você precisa saber para onde está indo para conseguir chegar lá. Sandra e Adrian não estavam errados ao ficarem empolgados ou serem ambiciosos em relação ao quintal. Isso é bom. O mesmo vale para você, se está lendo este livro com aspirações de iniciar seu próprio negócio, economizar para uma aposentadoria antecipada ou vencer a luta de uma vida inteira contra a obesidade.

Os seres humanos são sonhadores por natureza, então todos nós temos ideias grandiosas guardadas em uma gaveta em algum lugar. Mas elas costumam ficar por lá — em parte por causa do modo como somos afetados por uma motivação inconstante. Então, como tiramos nossas aspirações do papel e colocamos a mão na massa sem depender da motivação?

Primeiro, vamos esclarecer a diferença entre três coisas: aspirações, resultados e comportamentos. Durante os cursos nos Centros de Treinamento e os workshops sobre Design de Comportamento, uma das primeiras coisas que pergunto às pessoas é que novo comportamento elas desejam trazer para suas vidas. É isso que eu ouço:

- "Quero reduzir meu tempo de tela."
- "Quero dormir melhor!"
- "Quero perder 12% de gordura corporal."
- "Quero ter mais paciência com meu filho."
- "Quero ser mais produtivo."

E eu digo: "Ótimo. Posso mostrar para vocês como transformar esses desejos em realidade. Mas esses não são comportamentos. São as aspirações que vocês têm ou os resultados que desejam obter."

Aspirações são desejos abstratos, como querer que seus filhos se saiam bem na escola. Resultados são mais mensuráveis, como várias notas dez seguidas. São dois excelentes pontos de partida para o processo de Design de Comportamento.

Mas aspirações e resultados não são comportamentos.

Eis uma maneira fácil de diferenciar comportamentos de aspirações e resultados: um comportamento é algo que você pode ter *agora* ou em um momento específico. Você pode desligar o seu telefone. Você pode comer uma cenoura. Você pode abrir um livro e ler cinco páginas. Essas são as ações que você pode executar a qualquer momento. Por outro lado, você não consegue atingir uma aspiração ou resultado a qualquer momento. Você não vai conseguir dormir melhor de uma hora para outra. Você não vai perder cinco quilos no jantar hoje à noite. Você só consegue alcançar aspirações e resultados a longo prazo se tiver determinados comportamentos específicos.

Descobri que as pessoas não costumam pensar em termos de comportamentos específicos, e essa tendência afeta praticamente todo mundo.

As pessoas usam a palavra "objetivo" quando estão falando sobre aspirações ou resultados. Se alguém diz "objetivo", não dá para ter certeza do que a pessoa está falando, já que a palavra é ambígua. Por esse motivo, "objetivo" não faz parte do vocabulário do Design de Comportamento. Use "aspiração" ou "resultado" para ser mais preciso.

Certa vez, trabalhei com um grande banco em uma campanha para estimular a poupança. O objetivo era incentivar os clientes a terem um fundo de emergência de quinhentos dólares. Os sites do banco apresentavam artigos, depoimentos de especialistas e dados esclarecendo que, se você não tivesse dinheiro guardado para emergências, teria problemas financeiros ao se deparar com um pneu furado, ou um vaso sanitário entupido que exigisse a contratação de um encanador.

"Então, qual comportamento você está pedindo que seu cliente tenha?", perguntei. "Economizar quinhentos dólares para emergências", disse o diretor do projeto. Para esse grupo de pessoas altamente estudadas, inteligentes e maravilhosas, isso parecia bastante específico. Mas observe que eles estavam falando de um resultado, não um comportamento.

Eu queria mostrar isso para eles, então desafiei a equipe de uma maneira divertida: "Cada um de vocês, economize quinhentos dólares agora."

Eles riram. E entenderam o que eu queria dizer.

Depois começamos a trabalhar. Concentrei nossa sessão em descobrir comportamentos específicos que os clientes do banco poderiam adotar para criar um fundo de emergência, e esses são alguns em que pensamos.

- Ligue para sua operadora de TV a cabo e reduza seu pacote para o mais simples disponível.
- Toda noite, quando chegar em casa, coloque as moedas que estão no seu bolso em um pote grande.
- Anuncie uma venda de garagem e coloque tudo que arrecadar em um fundo de emergência.

Ao final, chegamos a mais de trinta comportamentos específicos diferentes. Alguns eram melhores que outros, mas todos tinham alguma chance de ajudar os clientes do banco a tomar medidas concretas para alcançar o resultado pretendido, que era poupar dinheiro.

Os diretores do banco perceberam que a motivação não era a peça que faltava no quebra-cabeça. Em vez disso, eles precisavam oferecer aos clientes comportamentos específicos fáceis e eficazes. Eles aprenderam que seus sites deveriam se concentrar menos no "porquê" e mais no "como".

Os profissionais de saúde também precisam mudar seu foco nesse sentido. Se você já foi ao médico e ouviu que precisa comer melhor e se exercitar mais, provavelmente já se perguntou o que significa "comer melhor" e como fazer isso.

Com o método Micro-hábitos, eu parto do mesmo lugar tanto para objetivos profissionais quanto pessoais. E é exatamente daí que você pode começar.

Etapas do Design de Comportamento

 **Etapa 1:** Defina sua aspiração com clareza

ETAPA 1: TENHA CLAREZA NA HORA DE DEFINIR SUAS ASPIRAÇÕES

A primeira etapa no Design de Comportamento é saber exatamente quais são suas aspirações (ou resultados). O que você deseja? Qual é o seu sonho? Que resultado você deseja alcançar?

Anote suas aspirações ou resultados e leve em consideração que você provavelmente terá que revisar o que escreveu.

Se você escreveu "emagrecer", pergunte a si mesmo: "É isso mesmo que eu quero?" Talvez seja. Ou talvez você queira se sentir melhor em suas roupas. Ou queira controlar a diabetes. Ou queira começar a praticar stand-up paddle, mas sente que está muito pesado para isso.

Definir a sua aspiração com clareza permite que você projete com eficiência o que realmente deseja. Você pode supor que sua aspiração é estar mais atento. Mas quando você pensa sobre isso, entende que o que realmente deseja é reduzir o estresse em sua vida. E reduzir o estresse será mais fácil do que estar mais atento. Você poderia fazer uma caminhada diária, tocar um instrumento musical por dez minutos ou reduzir o tempo que passa assistindo às notícias na TV. Nessa etapa, revise sua aspiração ou resultado para que se adequem ao que realmente importa para você.

(Uma observação sobre partir de aspirações versus partir de resultados: você pode começar de qualquer um dos dois. No entanto, eu prefiro as aspirações como ponto de partida porque são mais flexíveis e menos intimidadoras do que resultados específicos.)

Etapas do Design de Comportamento

Etapa 1: Defina sua aspiração com clareza

Etapa 2: Explore suas opções de comportamento

ETAPA 2: EXPLORE SUAS OPÇÕES DE COMPORTAMENTO

Na etapa 2, você se aprofunda nas especificidades. Você seleciona uma de suas aspirações e depois pensa em vários comportamentos específicos que podem ajudá-lo a alcançar sua aspiração.

Você não está tomando nenhuma decisão e nem se comprometendo com nada nesta etapa. Você está explorando suas opções. Quanto mais comportamentos listar, melhor. Você pode abusar da sua criatividade ou talvez pedir ideias aos amigos.

Criei uma maneira de ajudar as pessoas a explorar suas opções de comportamento. Essa ferramenta é chamada de Nuvem de Comportamentos (ou Nuvem de Co's). Eis como funciona: escreva sua aspiração dentro da nuvem mostrada no gráfico. Em seguida, comece a preencher as caixas com comportamentos específicos.

Digamos que eu estivesse guiando meu amigo Mark nesse processo, e ele tivesse bastante clareza quanto à sua grande aspiração. Ele escreve "reduzir o estresse" dentro da nuvem.

Em seguida, eu diria: "Mark, se você pudesse usar uma varinha mágica e conseguisse ter qualquer comportamento que reduzisse seu estresse, qual seria?"

Depois que Mark me dissesse qual seria sua primeira opção de comportamento — receber uma massagem toda semana —, eu diria: "Ótimo. E o que mais?"

Não paramos nem nos aprofundamos na ideia dele. Mark continua escrevendo, e eu continuo dizendo: "Ótimo. E o que mais?"

Ao guiar as pessoas nesse processo, gosto de lembrá-las de que, por enquanto, elas têm poderes mágicos. Podem ter qualquer comportamento. *Mudar-se para Maui. Levar o cachorro para o trabalho. Conseguir uma vaga de gerência que pague 30% a mais.* É importante explorar durante essa etapa — e ser extremamente otimista. Eu chamo esse método de Varinha Mágica.

Mesmo com uma varinha mágica na mão e comigo ao lado encorajando-as a usar esses superpoderes, as pessoas às vezes almejam comportamentos práticos (o que não é um problema). Alguns desejos são comportamentos que você teria apenas uma vez: fazer o download de um aplicativo de meditação. Alguns são de novos hábitos: se alongar por dois minutos após cada chamada em conferência. E alguns desejos são de não ter um comportamento: parar de verificar os e-mails depois das sete da noite.

Para gerar diversas opções de comportamento, você pode usar as seguintes categorias durante suas próprias sessões de Varinha Mágica.

- Quais comportamentos você teria uma única vez?
- Quais novos hábitos você criaria?
- Que hábitos você abandonaria?

Depois de escrever cada possível comportamento, pense consigo mesmo, "Ótimo. E o que mais?" e continue. Depois de um tempo, você terá uma Nuvem de Comportamentos, que poderão ser completamente malucos, lógicos e surpreendentes. E isso é ótimo.

Ao criar opções de comportamento, você verá que há muitas maneiras de alcançar sua aspiração. Em uma etapa posterior, você examinará essas opções e fará uma análise realista. Mas por enquanto o ideal é explorar de forma mais ampla, e imaginar que você tem poderes mágicos ajuda a chegar lá.

Muitos comportamentos diferentes podem levar à sua aspiração

Se você ainda não começou, pode começar agora.

Escreva a aspiração escolhida dentro da nuvem. Em seguida, imagine que você tem uma varinha mágica que pode fazê-lo ter qualquer comportamento. O que você desejaria?

A ferramenta Nuvem de Comportamentos tem dez caixas para comportamentos, mas você não precisa parar por aí. Quanto mais ideias, maior amplitude, mais variedade, melhores serão os resultados que você terá nas etapas posteriores do Design de Comportamento.

Se estiver com dificuldades para ter novas ideias, convoque outras pessoas para ajudá-lo. Pergunte a seu parceiro, seus filhos e até aos amigos das mídias sociais se eles podem sugerir comportamentos que o ajudarão a alcançar sua aspiração. Você pode dizer (ou escrever): "Se você pudesse me fazer ter algum comportamento que me ajudaria, qual seria?"

Pode ser que você se surpreenda com as sugestões. E não se preocupe se alguns possíveis comportamento forem totalmente irreais. Vou mostrar como você pode selecionar os melhores e torná-los realidade. Por enquanto, ser criativo e pensar em novos comportamentos o ajudará a se divertir e a se sentir mais bem-sucedido.

Depois de esgotar os poderes de sua varinha mágica, examine seus possíveis comportamentos e tente tornar cada um mais específico. Se você escreveu "brincar com meu cachorro" como forma de reduzir o estresse, torne esse comportamento mais específico, revisando-o para o seguinte: "brincar com meu cachorro em casa todas as noites". Depois de revisar seus possíveis comportamentos para torná-los superespecíficos (o que eu chamo de "afiados"), passe para a próxima etapa do processo de Design de Comportamento e seja analítico e prático.

Adivinhar de forma intuitiva x Usar suas habilidades para fazer ajustes

Antes de apresentar a próxima etapa oficial do Design de Comportamento, quero que compreenda o contexto mais amplo de projetar mudanças.

Uma das principais falhas na maneira como as pessoas costumam abordar a mudança é como decidem qual comportamento colocar em prática. A forma como decidem ir do ponto A (início) ao ponto B (sua aspiração ou resultado) varia absurdamente, e aqui estão algumas das formas mais comuns, embora falhas, de se fazer isso.

Caminho errado nº 1: adivinhar, sem seguir uma metodologia

Digamos que você esteja no ônibus indo para o trabalho. Enquanto está preso no trânsito, você olha pela janela e vê um cara andando de bicicleta. Você pensa: *hoje em dia esse é o melhor jeito de ir para o trabalho. Eu deveria fazer isso! Sempre andava de bicicleta. Eu amo andar de bicicleta!* Infelizmente, você tinha doze anos na última vez que andou de bicicleta e atualmente a distância entre a sua casa e o escritório é de 24 quilômetros. Mas você realmente quer fazer isso (naquele momento!), então compra um monte de equipamentos em uma loja de bicicletas. Você veste todo o equipamento no dia seguinte e, ao sair pela porta, descobre que está frio e chovendo. Você não comprou equipamentos para isso, então sente um lampejo de irritação e decepção e, em vez de seguir adiante, caminha até o ponto de ônibus. No final, ir de bicicleta ao trabalho acaba por ser um ajuste ruim para você.

O problema dessa abordagem é sua natureza aleatória. É como um jogo de roleta. Talvez você compre as coisas certas que o ajudarão a alcançar aquele comportamento, talvez não. Seu comportamento pode ser um passo grande demais ou não. Talvez seja realista em relação à sua vida, talvez não.

Com o Design de Comportamento, você não adivinha.

OK, próximo problema.

Caminho errado nº 2: Inspiração da Internet

Muitos de nós assistem a palestras on-line e se inspiram. Muitos palestrantes têm histórias incríveis e fazem coisas incríveis. Digamos que você assista a um vídeo de um monge budista mestre em meditação. Ele fala com sabedoria e de maneira encantadora. Ele não parece estressado e não demonstra o mínimo sinal de irritação. Ele fala sobre sua pressão arterial (incrível) e sua frequência cardíaca em repouso (ainda mais incrível), e apresenta tomografias de seu cérebro para provar isso. Você pensa: *Meu Deus. Dá para entender o poder da meditação. As pessoas fazem isso há milhares de anos.* No final da palestra, ele diz que trinta minutos por dia é tudo de que você precisa para melhorar muito sua vida de maneiras cientificamente irrefutáveis. Você está impressionado. Você precisa fazer isso. Você vai fazer isso.

Naquele mesmo dia, você passa trinta minutos sentado, como o monge sugeriu. Você luta para acalmar sua mente, mas se sente muito bem... até ficar entediado. No dia seguinte, você tenta quinze minutos. Você se sente bem por um tempo. Mas em alguns dias você não pratica e em outros não consegue acalmar sua mente. Você tentou e falhou, e se sente mal por isso. Uma hora desiste.

Por que não funcionou?

Para início de conversa, você não é um monge budista. Mas não funcionou sobretudo porque esse comportamento foi muito difícil para você. Sem mencionar que você provavelmente começou com expectativas irreais a respeito da meditação. O monge budista tinha boas intenções, mas ele estava falando sobre o que funcionava para ele. Meditar pode não funcionar para você da mesma maneira.

Outra coisa que é preciso levar em conta é que os vídeos a que você está assistindo, os artigos que está lendo e os blogueiros que está seguindo podem ser ou não fontes confiáveis de informações. Embora essa abordagem de escolher o comportamento seja melhor do que apenas adivinhar, ainda é arriscada, porque a escolha não se deu de acordo com nenhum critério, exceto o que o empolgou naquele momento.

Caminho errado nº 3: Fazer o que funcionou para um amigo

O conselho de um amigo ou membro da família é o mais bem-intencionado de todos, mas não é a melhor maneira de se ajustar a um novo hábito. A hot ioga pode ter mudado a vida de seu amigo, mas não significa que seja a prática certa para você. Todos nós temos amigos que juram que seu novo hábito de acordar às quatro e meia da manhã mudou suas vidas e que precisamos adotá-lo. Não duvido de que acordar super cedo mude a vida das pessoas, às vezes de maneiras boas e às vezes, não. Mas tenha cuidado: você não sabe se esse hábito realmente vai melhorar a sua vida, principalmente se isso significa menos tempo de sono. Então, sim, você pode tentar o que funcionou para o seu amigo, mas não se torture se a solução que funcionou para o seu amigo não mudar você da mesma maneira.

Todas essas abordagens envolvem adivinhação e acaso. E essa não é uma boa maneira de projetar mudanças em sua vida. Ter critérios sistemáticos para escolher comportamentos para si mesmo o tornará eficaz no que se refere à obtenção de resultados, e a próxima etapa do Design de Comportamento o poupará de fazer adivinhações.

O CAMINHO CERTO: AJUSTE-SE A COMPORTAMENTOS ESPECÍFICOS

Etapas do Design de Comportamento

 **Etapa 1:** Defina sua aspiração com clareza

 **Etapa 2:** Explore suas opções de comportamento

 **Etapa 3: Ajuste-se a comportamentos específicos**

Depois de ter em mãos uma ampla gama de opções de comportamento, graças à Varinha Mágica e à sua Nuvem de Comportamentos, mude de estratégia e seja prático. Nessa etapa, você se ajustará a comportamentos específicos, e não há adivinhações nessa abordagem sistemática.

Esse conceito é importante o suficiente para receber um nome: Ajuste de Comportamento. Esta é a etapa mais decisiva no Design de Comportamento. Não importa que tipo de mudança você queira promover, ajustar-se aos comportamentos certos é a chave para mudar sua vida para sempre. No Design de Comportamento, temos um nome para os ajustes mais precisos: Comportamentos Especiais.

Um Comportamento Especial tem três critérios:

- O comportamento é eficaz para realizar sua aspiração (impacto).
- Você quer ter o comportamento (motivação).
- Você pode ter o comportamento (capacidade).

Existem algumas boas maneiras de ajustar o comportamento. Obter ajuda de um coach é uma ótima maneira, caso você tenha alguém em sua vida que possa ajustá-lo habilmente a Comportamentos Especiais. Você pode trabalhar com um coach, um médico, um nutricionista ou uma pessoa que tenha o treinamento ou a intuição adequados para saber o que funcionará para você. Por exemplo, um coach treinado em *Micro-hábitos para perda de peso* pode ajustá-lo a microcomportamentos que levem a uma enorme perda de peso. Se você encontrou um especialista como esse, considere-se uma pessoa de sorte. Para os demais, ofereço um método meu chamado Mapeamento de Foco.

Você usará a Nuvem de Comportamentos que criou mais cedo. A criação de um Mapa de Foco deve levar menos de dez minutos do início ao fim. No final, você terá dois ou três comportamentos de destaque. Esses são seus Comportamentos Especiais. São eles que você projeta, deixando de lado todas as outras opções.

Um Comportamento Especial pode ser uma ação isolada. O cancelamento da assinatura da TV a cabo é uma tarefa única que fará com que você assista menos à TV. Outros Comportamentos Especiais serão hábitos repetidos diariamente, como carregar o telefone na cozinha em vez de ao lado da cama.

Mapeamento de Foco

O Mapeamento de Foco é meu método favorito no Design de Comportamento. Ele foi criado ao longo de dez anos, a partir de meus projetos em Stanford, das mudanças implementadas na minha própria vida e do meu trabalho junto a pessoas importantes no mundo dos negócios, ajudando-as a criar novos produtos e serviços. Durante anos, trabalhei muito para melhorar o Mapeamento de Foco, e hoje acredito que este é o melhor método para ajudá-lo a se ajustar aos Comportamentos Especiais.

É assim que funciona um Mapa de Foco.

Você vai analisar cada comportamento da sua nuvem de acordo com esse esquema. Primeiro, vou mostrar como ele funciona usando como exemplo nosso amigo Mark, que está tentando reduzir o estresse.

Mark escreve cada comportamento de sua Nuvem de Comportamentos em um cartão e, em seguida, examina a pilha de cartões, um por um.

PRIMEIRA RODADA

Na primeira rodada do Mapeamento de Foco, Mark pensa apenas no impacto do comportamento — o quanto ajuda a reduzir o estresse — e não leva em consideração a viabilidade nem a praticidade de cada comportamento.

Cada vez que pega uma ficha com um comportamento, ele se pergunta: *o quão eficaz esse comportamento pode ser para me ajudar a reduzir o estresse?*

A primeira ficha que Mark pega diz "tocar violão por dez minutos todos os dias". É algo bem simples: Mark ama tocar violão e fica sempre de bom humor depois de alguns dedilhados. Ele sabe que isso terá um grande impacto e, portanto, coloca a ficha no topo do mapa, próximo a Comportamentos de Alto Impacto. O próximo comportamento anotado é "sair do trabalho quinze minutos mais cedo todos os dias". Parece uma boa ideia a princípio, mas depois ele argumenta que pode ter o efeito oposto — principalmente se tiver algum prazo a cumprir. Ele coloca esse comportamento na parte inferior, junto a Comportamentos de Baixo Impacto.

Você continua dessa maneira, ficha por ficha. Se você não tiver certeza do impacto que um comportamento terá, faça o melhor que puder e coloque-o no lugar que lhe parecer correto. Você poderá revisar isso mais tarde, ao longo do processo, caso seja necessário.

Se Mark tivesse colocado "sair do trabalho mais cedo" junto aos Comportamentos de Alto Impacto por engano, não seria um grande problema. Na pior das hipóteses, ele sairia do trabalho mais cedo alguns dias e perceberia que isso o estressaria ainda mais. Mark sabe que a experimentação é parte crucial do processo, e ele está amando seu novo hábito de tocar violão, portanto não fica tão chateado pelo fato de "sair do trabalho mais cedo" não ter sido capaz de reduzir seu estresse.

Depois de classificar seus novos comportamentos em relação ao quesito impacto, é hora de analisar esses comportamentos com outros olhos.

SEGUNDA RODADA

A seguir, você deve se concentrar na viabilidade e praticidade. Você se torna quem realmente é, e não mais a versão fantástica de si mesmo. Na segunda rodada, você não move os cartões para cima ou para baixo; você os desliza de um lado para o outro de acordo com o quesito viabilidade.

Mark observa os cartões que descrevem dois comportamentos: tocar violão e sair do trabalho mais cedo. Então se questiona: *vou conseguir fazer isso?*

É importante se fazer exatamente essa pergunta. Ela fala sobre motivação e habilidade ao mesmo tempo. Com essa pergunta, você aborda dois componentes do meu modelo de comportamento.

A maioria das pessoas é capaz de responder à pergunta relacionada à viabilidade muito facilmente. Quando Mark se pergunta "eu consigo tocar violão todos os dias?", a resposta é óbvia para ele — sim. No entanto, quando se pergunta "eu consigo sair mais cedo do trabalho todos os dias?", ele faz uma cara feia e começa a se questionar. É sinal de que não consegue fazer aquilo.

Para muitos comportamentos é simples assim. Para outros, é importante saber o que está provocando hesitação.

Para isso, pergunte-se: "Eu quero ter esse comportamento?"

Em outras palavras, motivação.

Você não vai conseguir fazer algo que não quer. Pelo menos não de maneira assídua. Você pode ter o comportamento uma ou duas vezes, mas é improvável que ele se torne um hábito. Quando nos ajustamos a comportamentos que já queremos ter, e não ao que achamos que devemos fazer, não há necessidade de se utilizar de truques ou técnicas motivacionais. Tiramos o Boicote da Motivação da jogada.

Digamos que você queira fazer com que tomar sorvete seja um hábito diário. Nenhum problema, certo? Por quê? Porque não há necessidade de criar motivação para mergulhar num sorvete de chocolate depois de um longo dia de trabalho. Se você estivesse avaliando esse comportamento de acordo com o Mapeamento de Foco, pensaria, "Claro, eu consigo ter esse comportamento". E colocaria a ficha do lado direito do gráfico.

Conforme você desliza os cartões para um lado ou para o outro, lembre-se de que não há qualquer julgamento nessa ação. Imagine-se tendo o comportamento. Você sente um pouco de receio? Ou se sente animado ao cogitar ter esse comportamento? Há uma enorme diferença entre esses sentimentos, mas a distinção importante aqui é entre "querer" e "dever".

O Design de Comportamento reconhece essa realidade: a chave para uma mudança duradoura é você se ajustar a comportamentos que deseja ter. Na sua missão de conseguir praticar exercícios diariamente, por exemplo, você encontrará muitas opções. Se dançar assistindo a um vídeo da Beyoncé durante cinco minutos enquanto prepara o café da manhã é o exercício que quer fazer, faça da dança um hábito diário. E esqueça a esteira na academia.

Uma grande diferença entre o Design de Comportamento e outras abordagens é que, com o meu método, você se concentra nos hábitos que já tem motivação para ter. Você não escolhe um hábito e tenta se motivar depois. No Design de Comportamento, a motivação já está incorporada no novo hábito. Em outras abordagens, você vai lutar para manter um hábito que acha que deveria ter. E isso não funciona muito bem.

Ajustar as pessoas aos comportamentos que elas desejam ter é tão importante para uma mudança duradoura que atribuí a esse conceito um status especial no Design de Comportamento.

Primeira Máxima de Fogg: Ajude as pessoas a fazer o que elas já querem fazer.

Essa máxima mudou a vida de muitos dos profissionais que treinei em Design de Comportamento. Pode mudar a sua vida também, se você se ajudar a fazer o que já quer fazer. O método Mapeamento de Foco foi projetado para seguir essa máxima.

Mas tem mais. A pergunta da segunda rodada — "vou conseguir ter esse comportamento?" — também é sobre habilidade.

Talvez você esteja motivado a comer pêssegos todas as manhãs, mas se mora no Maine e não consegue encontrar pêssegos no inverno, comer um pêssego todos os dias não é algo que vai acontecer de maneira consistente. Você não tem a capacidade de ter esse comportamento com regularidade, então desliza a ficha para o lado esquerdo.

Ao organizar seus cartões, imagine-se tendo o comportamento no contexto do seu cotidiano. Digamos que sua aspiração é comer mais frutas, e o comportamento que você cogitou consiste em colocar mirtilos no mingau de aveia. Não imagine o seu "eu fantástico" acordando cedo para preparar mingau de aveia todos os dias. Em vez disso, pense no seu "eu real" saindo da cama menos de vinte minutos antes de disparar pela porta. Colocar mirtilos no mingau de aveia todos os dias talvez não seja um comportamento realista. Que tal colocar uma maçã na bolsa?

O objetivo de um Mapa de Foco é ajustá-lo a comportamentos fáceis que você deseja ter e que são eficazes para concretizar a sua aspiração. Quando começa com a coisa mais fácil, mais motivante, pode avançar naturalmente para comportamentos maiores — talvez até chegar a comer mirtilos com seu mingau de aveia.

No Design de Comportamento, nos ajustamos a novos hábitos que conseguimos ter, mesmo quando estamos apressados ou desmotivados, e quando somos imperfeitos. Se você consegue se imaginar tendo um comportamento no dia mais difícil da semana, provavelmente trata-se de um bom ajuste. Provavelmente é um Comportamento Especial.

Descobrindo seus comportamentos especiais com facilidade

Quando comecei a pesquisar e a experimentar o Ajuste de Comportamento, comprei muitas fichas de papel. Com a prática, aprendi a gastar pouco tempo usando a Varinha Mágica para listar comportamentos e analisando-os de acordo com a Nuvem de Comportamentos. Marcava cinco minutos no cronômetro e via se conseguia escrever vinte e cinco comportamentos nas fichas. (É mais fácil do que você pensa.) Depois, organizava as fichas de comportamentos e as colocava em um Mapa de Foco na bancada da cozinha. É como resolver um quebra-cabeças. Meu processo de Design de Comportamento sempre começa com uma abstração — seja uma aspiração ou um resultado. Cerca de vinte minutos depois, depois de seguir as etapas do Design de Comportamento, eu descobria quais comportamentos específicos poderia facilmente transformar em realidade. Vinte minutos e pronto.

Ainda faço isso com muita frequência. É extremamente rápido e eficaz.

Vou guiá-lo por um Mapa de Foco inicial que funcionou para mim. Ele chegou num momento em que eu estava bastante estressado por ter que organizar uma grande conferência em Stanford, dormindo mal. Eu não estava sendo otimista como de costume e estava muito preocupado com a possibilidade de a conferência ser um desastre.

Mas senti que dormir mais me ajudaria a ficar mais otimista e ser mais produtivo. Considerando isso minha aspiração, sentei diante da bancada da cozinha com a minha canetinha preta favorita e uma pilha de fichas de papel. Comecei a usar a Varinha Mágica para pensar em comportamentos que me ajudariam a dormir melhor.

- Colocar o telefone em modo avião depois das sete da noite.
- Jantar uma hora mais cedo.
- Ligar minha máquina de ruído branco todas as noites.
- Instalar blecautes nas janelas do quarto.
- Comprar roupas de cama melhores.
- Adotar um ritual noturno de relaxamento de quinze minutos.
- Fazer uma lista de tudo que causa ansiedade antes de dormir.
- Colocar Millie em sua casinha à noite.

Esses foram cerca de um quarto dos comportamentos que listei, mas você entendeu.

Com uma pilha de possíveis comportamentos em mãos, comecei a colocá-los no meu Mapa de Foco de acordo com o impacto. Os que eu sabia que fariam muita diferença eram colocar meu telefone em modo avião, ligar a máquina de ruído branco à noite e instalar blecautes, então os coloquei próximo a Comportamentos de Alto Impacto. Eu também sabia que colocar Millie em sua casinha seria importante, porque quanto mais velha ela fica, mais perambula durante a noite. Jantar mais cedo significaria que eu poderia ir para a cama mais cedo, mas eu não tinha certeza de que isso me faria dormir mais cedo. Então, coloquei esse comportamento no meio do mapa. Fazer uma lista das minhas ansiedades parecia ser algo que poderia funcionar, mas eu não tinha certeza.

Então passei para a segunda rodada e me perguntei se conseguiria colocar em prática cada um daqueles comportamentos.

Na mesma hora, pensei que jantar mais cedo era algo muito difícil de fazer, então coloquei a ficha do lado esquerdo. Mas instalar o blecaute nas janelas era um comportamento isolado e fácil de ser executado (porque eu poderia contratar alguém para fazê-lo). Coloquei a ficha do lado direito. O mesmo servia para a máquina de ruído branco — seria fácil ligá-la todas as noites. A ativação do modo avião no telefone exigiria diversas etapas (ligar

o telefone, deslizar para cima etc.), então editei a ficha: "Colocar o telefone no modo silencioso." Mais fácil. Então a ficha foi para a direita junto com a ficha que sugeria colocar Millie em sua casinha todas as noites.

Ao concluir um Mapa de Foco, você terá comportamentos distribuídos por todo o gráfico. Vai ficar mais ou menos como o gráfico anterior.

Todo esse processo de Mapeamento de Foco levou apenas alguns minutos e, de repente, eu tinha meus Comportamentos Especiais: um comportamento isolado (instalação do blecaute) e três comportamentos que poderiam se transformar em hábitos (ativar o modo silencioso do telefone, ligar minha máquina de ruído branco e colocar Millie em sua casinha). A última etapa do método Mapeamento de Foco é selecionar quais comportamentos você vai projetar. O que entra e o que sai? Quase sempre você vai selecionar alguns dos comportamentos que estão no canto superior direito do mapa. Você projeta esses Comportamentos Especiais e esquece o resto.

Quando vi meus Comportamentos Especiais no canto superior direito, o que mais me impressionou não foi a velocidade do meu processo, mas como aquilo me parecia correto. Tinha passado semanas pensando em como conseguir dormir melhor, e esse problema parecia sem solução. No mundo moderno, dormir pode ser difícil. Mas, ao sair da aspiração em direção à prática, de repente passei a visualizar comportamentos concretos e fáceis que eu era capaz de ter. Eles não eram absurdamente criativos ou revolucionários, mas eram meus. Eu sabia que conseguiria tê-los — eu, BJ, na minha vida real. Quando olhei para meus Comportamentos Especiais, senti algo semelhante a um reconhecimento. Pensei: *É claro que eu consigo fazer isso. Por que não pensei nisso antes?*

Não sou o único a reagir dessa maneira ao processo de ajuste. Sempre que faço um Mapeamento de Foco com alunos e clientes, há muitos momentos em que a ficha cai.

Depois de concluir meu comportamento isolado e fixar meus novos hábitos, pude observar uma grande melhora no meu sono depois de mais ou menos uma semana. Antes disso, eu vinha dormindo terrivelmente mal na maioria das noites, preocupado com a conferência. Odiava ir para a cama — parecia que estava me preparando para uma batalha. Mas fui capaz de mudar isso. Consegui dormir mais, recuperei meu otimismo e concluí o que parecia ser uma infinidade de tarefas para garantir que a conferência fosse um sucesso. E tudo graças ao meu Mapa de Foco — e ao processo de Design de Comportamento.

(Atualização: Desde então, parei de colocar Millie em sua casinha à noite. Eu me sentia culpado ao imaginar como deveria ser ficar trancado sem poder sair. Como eu não gosto de me sentir assim, acabei com esse hábito. Era a coisa certa a fazer: você deve se sentir à vontade para mudar sempre que um novo hábito acabar não funcionando como você queria.)

Se você é como a maioria das pessoas, quando terminar de organizar o seu Mapa de Foco, verá os Comportamentos Especiais e se sentirá otimista e animado. O que você *quer* fazer e o que você *consegue* fazer vão convergir para o que você provavelmente *fará*, e esse é o terreno mais fértil para fazer com que hábitos se estabeleçam. No método eu ensino às pessoas a pensarem em seus novos hábitos como sementinhas. Se você plantar uma boa semente no lugar certo, ela crescerá sem que haja necessidade de cuidados excessivos. Começar com comportamentos que você consegue e deseja ter é uma boa semente. Escolher comportamentos com mais chance de sucesso aumenta sua confiança e domínio à medida que você avança, fazendo crescer assim sua motivação natural para praticar comportamentos cada vez maiores. Mas tudo começa micro, simples e específico.

Devemos sonhar alto em relação às nossas aspirações, mas não em relação aos comportamentos que nos levarão até lá. Comportamentos são fundamentados. Concretos. Servem de apoio para as mãos e para os pés e levam até o topo. O caminho até lá é apenas seu, e você escolhe seus comportamentos de acordo com o tipo de montanha que está escalando.

Ajustar-se aos comportamentos corretos é a etapa mais difícil do processo de Design de Comportamento e um ponto importante a que voltar quando precisar solucionar problemas.

Etapas do Design de Comportamento

Etapa 1: Defina sua aspiração com clareza

Etapa 2: Explore suas opções de comportamento

Etapa 3: Ajuste-se a comportamentos específicos

Revisando: Tenha clareza sobre sua aspiração ou seu resultado, produza um grandc número de opções de comportamentos e se ajuste a Comportamentos Especiais específicos. É assim que você coloca o Design de Comportamento em prática em sua vida. Também é como você se ajusta aos melhores hábitos de acordo com o método Micro-hábitos.

Você pode usar o Design de Comportamento no trabalho para criar um programa de bem-estar, recrutar os melhores talentos e criar hábitos orientados para a produtividade. Esses métodos que estou compartilhando são a maneira mais prática, poderosa e confiável de obter sucesso em seus projetos profissionais. Os conceitos podem ser aplicados de maneira ampla: Micro-hábitos para melhores reuniões, Micro-hábitos para mães que trabalham, Micro-hábitos para trabalho em equipe eficaz e muito mais.

A próxima etapa no processo de Design de Comportamento é simplificar as coisas o máximo possível. O tipo de simplicidade de que estou falando pode surpreendê-lo. Todo mundo já ouviu falar em dar pequenos passos, mas percebi anos atrás que ninguém estava levando essa abordagem a sério no mundo das mudanças de comportamento. Então foi o que fiz. E isso produziu avanços. No próximo capítulo, vou ajudá-lo a ver o verdadeiro significado de "micro", e a tornar seus Comportamentos Especiais uma realidade, começando dessa forma de maneira deliberada, intencional e radical.

Micro-exercícios para praticar o Design de Comportamento

No primeiro exercício, defino a aspiração para você: dormir melhor. No segundo exercício, você pensa na própria aspiração.

EXERCÍCIO 1: UM ATALHO PARA SE AJUSTAR AO COMPORTAMENTO

Etapa 1: Desenhe uma nuvem em um pedaço de papel.

Etapa 2: Escreva a aspiração "Dormir melhor" dentro dela.

Etapa 3: Crie pelo menos dez comportamentos que ajudem a concretizar a sua aspiração de dormir melhor. Escreva cada comportamento fora da nuvem com setas apontando em direção a ela. Pronto: você criou sua Nuvem de Comportamentos.

Etapa 4: Coloque uma estrela ao lado de quatro ou cinco comportamentos que acredite que seriam altamente eficazes para alcançar sua aspiração.

Etapa 5: Circule os comportamentos eficazes que seriam facilmente colocados em prática. Seja realista.

Etapa 6: Encontre os comportamentos que têm estrela e círculo. Esses são seus Comportamentos Especiais.

Etapa 7: Crie uma maneira de realizar seus Comportamentos Especiais em sua vida. Faça o seu melhor durante essa etapa. Eu ainda não expliquei como projetar sistematicamente uma solução, então por enquanto use sua intuição.

EXERCÍCIO 2: MAPEAMENTO DE FOCO PARA DESCOBRIR SEUS COMPORTAMENTOS ESPECIAIS

Escolha sua própria aspiração desta vez e use o Mapeamento de Foco (e não estrelas e círculos) para encontrar seus Comportamentos Especiais.

Etapa 1: Desenhe uma nuvem em um pedaço de papel.

Etapa 2: Escreva sua aspiração dentro da nuvem. (Se você não conseguir pensar em nada, escreva "Reduzir o estresse".)

Etapa 3: Crie pelo menos dez comportamentos que ajudem a concretizar a sua aspiração. Escreva cada comportamento fora da nuvem com setas apontando em direção a ela.

Etapa 4: Escreva cada comportamento em uma ficha ou um pedacinho de papel. Essa é a primeira etapa do Mapeamento de Foco.

Etapa 5: Distribua as fichas de comportamento na parte de cima ou de baixo do gráfico, de acordo com o critério *impacto*. Não pense em viabilidade. Concentre-se no impacto que os comportamentos poderiam ter. (Para obter orientação, consulte o gráfico Mapeamento de Foco algumas páginas antes.)

Etapa 6: Deslize as fichas de comportamento de um lado para o outro de acordo com a *viabilidade*. Seja realista. Você realmente conseguiria ter esses comportamentos?

Etapa 7: Dê uma olhada no canto superior direito do gráfico. Esses são seus Comportamentos Especiais. (Se não houver nada nesse canto, volte para a Etapa 3.)

Etapa 8: Projete formas de tornar seus Comportamentos Especiais uma realidade usando sua intuição por enquanto. Compartilharei uma maneira sistemática de fazer isso à frente.

CAPÍTULO

CAPACIDADE — VÁ COM CALMA

Qual a diferença entre o Yahoo e o Google? Entre o Blogger e o Twitter? Por que uma inovação perde força e outra ganha o mundo? Talento? Visão? Dinheiro? Sorte?

Tudo isso e muito mais. Mas a maior diferença talvez seja a menos reconhecida.

Simplicidade.

Quando Mike Krieger e Kevin Systrom começaram a pensar em criar um novo aplicativo em 2009, começaram a analisar o fracasso do ano anterior — um aplicativo chamado Burbn, para compartilhamento de localização. Eles fizeram uma autópsia digital completa, analisando não apenas o que deu errado, mas também o que deu certo. A partir da análise do fracasso, eles encontraram uma semente multibilionária: o compartilhamento de fotos.

Embora poucas pessoas tenham gostado da função check-in do Burbn (o aplicativo compartilhava com seus amigos sua localização em tempo real), elas tinham *adorado* a função de compartilhamento de fotos do aplicativo. Então, os dois parceiros decidiram criar um aplicativo que permitisse às pessoas explorar ao máximo as câmeras dos iPhones convenientemente guardados no seu bolso. O compartilhamento de fotos era o Comportamento Especial de Systrom e Krieger — seus potenciais clientes já *queriam* fazê-lo. Compartilhar fotos com outras pessoas é divertido, e todo mundo gosta de feedback positivo. Outro Comportamento Especial importante para a dupla era permitir que as pessoas adicionassem filtros para que suas fotos de comida, pôr do sol e filhotes de cachorro ficassem muito melhores. Isso faria com que os usuários se sentissem bem com as imagens que estavam compartilhando, o que os encorajaria a fazer isso com mais frequência. Observe que Krieger e Systrom acertaram o componente de motivação escolhendo um comportamento que as pessoas já queriam ter. De acordo com o Modelo de Comportamento, eles já estavam se saindo bem. Isso por si só já poderia ter trazido a eles algum sucesso. Mas o que fizeram a seguir os levou ao panteão de semideuses do Vale do Silício — eles fizeram com que um Comportamento Especial fosse de fácil execução.

Krieger tinha acabado de terminar um de meus cursos em Stanford. Ele sabia como o comportamento humano funcionava e o quanto era importante facilitar a execução das coisas que você queria que as pessoas fizessem. Esse era outro ponto no qual o Burbn tinha deixado a desejar. Havia muitos recursos desnecessários ou difíceis de utilizar. Compreender isso reforçou o desejo de Krieger e Systrom de simplificar o novo aplicativo de compartilhamento de fotos. Então foi isso que eles fizeram.

Quando o Instagram foi lançado em 2010, eram necessários apenas três cliques para postar uma foto. De acordo com a descrição original do aplicativo, o Instagram era "molezinha", o que era notável quando comparado à concorrência da época. Krieger e Systrom não foram as primeiras pessoas a entender que as pessoas adoram fotos e que talvez quisessem compartilhá-las. Seus maiores concorrentes à época eram o Flickr, o Facebook e o Hipstamatic. Os três ofereciam aos usuários ótimas experiências, com diversos recursos, e o Facebook e o Flickr tinham a vantagem de ter dinheiro e infraestrutura. O Instagram, em comparação, era um aplicativo gratuito criado por dois caras em uma cafeteria. Tudo o que você tinha que fazer era tirar uma foto, colocar um filtro e compartilhá-la. Esse tipo de simplicidade não era (e ainda não é) a norma. Embora todos os concorrentes do Instagram tivessem os recursos que as pessoas queriam, nenhum deles tinha solucionado a questão do compartilhamento de fotos. Menos de dezoito meses depois do lançamento do aplicativo, o Facebook comprou o Instagram por um bilhão de dólares. (À época, a gigantesca rede social foi publicamente ridicularizada por pagar mais do que o aplicativo valia. Hoje, o valor estimado do Instagram é superior a 100 bilhões de dólares.)

Então por que a abordagem simples do Instagram fez tanto sucesso? Por que todos os desenvolvedores de aplicativos não fazem a mesma coisa? Parece bastante óbvio. Certo?

Não exatamente.

A maioria das pessoas opera sob o pressuposto do "tudo ou nada". Elas acham que, para abandonar um hábito ruim, relaxar ou ganhar muito dinheiro, precisam fazer algo radical. Romper por completo. Vender a casa e se mudar para o litoral. Colocar todas as suas fichas na mesa. Apostar tudo. Aqueles que tomam medidas extremas como essas e obtêm sucesso são elogiados. Se você já assistiu a um especial sobre uma atleta olímpica que treina doze horas por dia desde que tinha três anos ou sobre um empresário de sucesso que vendeu tudo e se mudou para a Itália a fim de encontrar a verdadeira felicidade sabe do que estou falando. Não há nada de errado em tomar decisões ousadas. A vida e a nossa felicidade às vezes exigem isso. Mas lembre-se de que você ouve falar de pessoas que promovem grandes mudanças porque essa é a *exceção*, não a regra. Histórias dramáticas vêm de ações ousadas, não do progresso gradual que leva ao sucesso sustentável. É por isso que não tenho uma equipe de filmagem me seguindo enquanto faço minhas duas flexões pós-xixi. (OK, talvez esse não seja o único motivo.) Meu argumento é que ações ousadas de grande porte, no final das contas, não são tão eficazes quanto muitos de nós somos levados a crer.

Embora o que é micro possa não ser exatamente sexy, *é* bem-sucedido e sustentável. Quando se trata da maioria das mudanças que as pessoas querem fazer em suas vidas, passos grandes e ousados na verdade não funcionam tão bem quanto os pequenos e discretos. Partir da premissa do "tudo ou nada" em tudo o que você faz é a receita para a autocrítica e a decepção. Já sabemos que o Boicote da Motivação gosta de nos ajudar a dar grandes passos e depois se afasta quando as coisas ficam difíceis. E fazer coisas grandes pode ser doloroso. Muitas vezes, nos esforçamos para além de nossas capacidades físicas, emocionais ou mentais. E, embora possamos manter esse nível de esforço por um tempo, os humanos não fazem coisas que doem por muito tempo. Como você pode imaginar, essa não é uma boa receita para criar hábitos bem-sucedidos.

Apesar de tudo isso, muitas pessoas encaram a mudança a partir do "tudo ou nada". Como resultado, a maioria não sabe pensar pequeno. Projetar comportamentos simples não é uma habilidade que todos têm. Se conseguem dividir as coisas em etapas, essas etapas em geral são muito grandes ou complicadas. O resultado é que as pessoas ficam sobrecarregadas e se veem sem opções para tentar corrigir o rumo quando são pegas em seguidos rompantes de motivação, porque suas Ondas de Motivação, já em baixa, as deixam à deriva.

Sarika, gerente de projetos de uma empresa da Fortune 500 com sede em Bengaluru, experimentou esse ciclo de motivação por anos. Antes de começar o método Micro-hábitos, Sarika tinha tentado adquirir o hábito de cozinhar para si mesma e de praticar exercícios com o intuito de se manter saudável. Ela sofre de transtorno bipolar, o que significa que experimenta altos e baixos extremos de humor e ânimo. No passado, Sarika usou medicamentos para controlar sua condição, mas odiava os efeitos colaterais. Seus médicos lhe disseram que era possível tratar seus sintomas com meditação, exercício e terapia, mas que manter uma rotina era fundamental para garantir o funcionamento dessa abordagem. A rotina a ajudaria a identificar a gravidade de seus sintomas desde o início, para que ela pudesse agir antes que eles afetassem sua vida de forma negativa. Sarika nem sempre podia dizer se uma alta na condição maníaca ou uma baixa depressiva estava por vir. Portanto, fazia sentido para ela que os hábitos diários fossem uma ótima maneira de avaliar como estava se sentindo. Se ela começasse a regar sua planta-jade todas as manhãs, saberia a sensação de concluir essa ação. Nos dias bons, ela faz isso sem pensar. Mas se sente vontade de ignorar o jarro de água que colocou na porta como lembrete, ela sabe que algo está acontecendo e que deve prestar mais atenção em como se sente, dando conta de todos os outros hábitos.

Havia apenas um problema. Sarika não era capaz de manter uma rotina, por mais que tentasse.

Antes de descobrir os Micro-hábitos, nada na vida de Sarika era rotineiro, exceto ir ao trabalho — e mesmo assim ela raramente chegava ao trabalho em um horário consistente. Ela costumava comprar o café da manhã em algum *foodtruck* pelo caminho, e o almoço, quando acontecia, era algum *delivery* no próprio escritório. A cozinha não era limpa até que ficasse muito bagunçada, então ela dava uma geral e arrumava tudo em uma hora. Sarika adorava meditar, mas era capaz de passar semanas sem sentar-se em sua almofada. Sem a medicação e sem esses hábitos como uma forma de se manter estável, ela muitas vezes se sentia fora de controle. Ela se irritava com facilidade em casa e vivia infeliz no trabalho. Quando seus médicos lhe diziam para criar hábitos, ela sentia como se estivesse sendo chamada a construir uma nave espacial rumo a outro planeta.

Sarika estava presa em um ciclo de "altos e baixos". Uma das questões mais problemáticas na vida dela era a fisioterapia. Depois de meses seguindo ocasionalmente uma rotina de exercícios de trinta minutos prescrita pelo fisioterapeuta, Sarika descobriu que o joelho machucado não estava melhorando. Ela precisava fazer os exercícios, mas não conseguia se forçar a pegar aquelas faixas elásticas. Quando não aguentava mais a dor, atingia um pico motivacional — um "alto" — e só então fazia o que vinha adiando. Mas como ela não praticava os exercícios com regularidade, eles eram ainda mais dolorosos do que o habitual, e ela atingia a parte "baixa" do ciclo e não fazia seus exercícios por vários dias. Repetia esse ciclo com quase todos os hábitos que tentava adotar.

O que Sarika estava vivenciando é comum. Muitas pessoas ficam presas em um ciclo de altos e baixos que as deixa ansiosas e decepcionadas quando estão tentando parar de beber refrigerante, acordar antes do nascer do sol, preparar o jantar em casa todas as noites, ter controle de cada centavo que ganharam ou investir tempo todos os dias para descobrir novas perspectivas. Como a maioria das pessoas presas neste ciclo, as emoções de Sarika estavam uma bagunça — em alguns dias ela se sentia bem e em outros se sentia mal por não conseguir estabelecer hábitos saudáveis. Sua confiança era quase nula, e ela estava preocupada por não ser capaz de realizar mudanças permanentes.

Sarika finalmente descobriu um método simples para projetar seus hábitos, que não dava a impressão de que era necessário dominar a astrofísica. Ela começou a construir sua rotina à maneira dos Micro-hábitos, pequena e constante. Em vez de tentar praticar vinte minutos de meditação todos os dias, ela começou com três respirações sentada em uma almofada estrategicamente colocada no meio da sala de estar. Em vez de preparar um café da manhã completo, Sarika se comprometeu a acender uma boca do fogão logo após entrar na cozinha. Em vez de trinta minutos de exercícios de fisioterapia, ela começou com trinta segundos de alongamento em seu tapete de ioga azul favorito. A partir daí, Sarika desenvolveu habilidades e confiança, e se conectou a esses microcomportamentos até que eles se enraizaram como hábitos. Então, eles cresceram. Ela dominou a rotina diária que vinha buscando por todos aqueles anos, e sua saúde melhorou agora que prepara suas refeições, limpa a cozinha, se exercita, medita e rega suas plantas todos os dias. Sarika me disse que tem uma sensação de resiliência que nunca havia experimentado antes.

Segundo Sarika, a parte mais importante disso tudo não foi apenas a criação de seus hábitos saudáveis nem o controle de seus sintomas, mas também a confiança que isso lhe deu. Ela sabe agora que pode fazer quase tudo o que quiser, desde que comece pequeno.

Mesmo que haja momentos em que ela não consegue seguir seus hábitos porque não está se sentindo bem, ela não entra mais em uma espiral de vergonha. Recentemente, Sarika torceu o tornozelo e ficou de cama por alguns dias. Como mora em um prédio sem elevador, ela me disse que, se fosse antes, choraria e pensaria: "Por que essas coisas sempre acontecem comigo?" Mas, dessa vez, ela aceitou a dor sem mergulhar numa espiral emocional. Ela viveu um dia de cada vez, sabendo que poderia voltar à sua rotina saudável assim que se curasse. A razão pela qual ela se sentiu assim é que é mais fácil retomar as coisas quando elas são pequenas. Não há montanha para escalar, apenas uma pequena colina. Simples. De execução fácil. E isso faz toda a diferença — não apenas em relação à capacidade de Sarika de agir, mas também a como ela se sente no dia a dia. Ela não se martiriza durante os dias em que não está se sentindo bem, porque sabe que pode retomar sua rotina maior amanhã. Nos dias em que sua motivação é alta, ela escala a colina de micro-hábitos e descobre que tem espaço mental e emocional para experimentar e ter curiosidade sobre outras coisas boas que pode trazer para sua vida. As coisas parecem mais leves e mais possíveis. Se ela quer começar um novo hábito, fica animada e curiosa, em vez de se sentir sobrecarregada. Essa mudança de mindset teve uma repercussão positiva em todos os aspectos da vida dela.

Sarika e os fundadores do Instagram foram capazes de superar um mito fundamental a respeito da mudança e de chegar ao sucesso porque exploraram ao máximo a maneira mais regular de impulsionar o comportamento — mexendo no medidor de capacidade e facilitando as coisas. Como neste livro eu estou focando em hábitos, facilitar a execução das coisas ajudará você com quase qualquer comportamento. Falarei especificamente sobre como resolver essas ações isoladas que você está adiando e também lhe darei mais ferramentas para ajudá-lo a projetar a vida que deseja. Você poderá usar essas novas habilidades para atingir grandes objetivos de longo prazo. Com o Design de Comportamento, você tem um enorme potencial. Não importa se a mudança que você deseja é grande ou pequena, nós começamos micro.

Etapas do Design de Comportamento

 **Etapa 1:** Defina sua aspiração com clareza

 **Etapa 2:** Explore suas Opções de Comportamento

 **Etapa 3:** Ajuste-se a Comportamentos Específicos

 **Etapa 4:** Comece micro

Usando a capacidade de criar hábitos

O motivo pelo qual queremos facilitar um comportamento — o que em geral significa começar micro — é para que a imprevisibilidade do Boicote de Motivação não atrapalhe nosso sucesso futuro. Para se ter um comportamento, a motivação e a capacidade precisam existir em nível suficiente a fim de colocá-lo acima da Linha de Ação no Modelo de Comportamento. Já estabelecemos que a motivação não é regular. Felizmente, a capacidade é. Observando onde está nossa capacidade no Modelo de Comportamento, temos uma boa ideia de quais comportamentos têm maior ou menor probabilidade de se tornar um hábito. Digamos que você queira fazer vinte flexões todos os dias. Veja como esse comportamento é mapeado no modelo de comportamento:

Na maior parte do dia, sua motivação para fazer vinte flexões provavelmente está na extremidade inferior, o que o leva à metade inferior do eixo vertical. No eixo horizontal, esse comportamento está localizado praticamente todo à esquerda, porque isso é difícil para você. Ambos os critérios colocam o comportamento bem abaixo da Linha de Ação. Isso nos informa que é improvável que fazer vinte flexões de uma só vez se torne um hábito para a maioria das pessoas. Como sua capacidade é muito baixa, você só terá esse comportamento nos dias em que estiver navegando na Onda de Motivação. (E isso não acontece com muita frequência.)

Mas veja como seria se seu novo hábito consistisse em fazer duas flexões em uma parede.

Quando olhamos para o eixo vertical de motivação, vemos que ele é igual ao da versão do gráfico das vinte flexões. Mas há uma diferença importante: duas flexões na parede colocam o ponto na extrema direita no eixo horizontal. Observe que, se você facilitar a execução de um comportamento, sua motivação pode até ainda ser baixa, mas você estará acima da Linha de Ação. Este é um dos truques no método Micro-hábitos: torne o comportamento tão pequeno que você não precisará de muita motivação. É fácil fazer duas flexões na parede, portanto é muito mais provável que você mantenha isso como um hábito.

Quando você está criando um novo hábito, está realmente projetando consistência. E, para atingir esse resultado, você descobrirá que a simplicidade é a chave. Ou, como eu gosto de ensinar aos meus alunos: a simplicidade muda o comportamento.

Se você deseja adotar um hábito de forma consistente, precisa ajustar a coisa mais regular no modelo Co = MCP — a capacidade. É aí que temos mais poder para ajustar as coisas a nosso favor. Se um comportamento for difícil, facilite. Você verá que, com o tempo, sua motivação vai variar, mas sua capacidade vai melhorar quanto mais você praticar seu novo hábito. E esse aumento de capacidade ajuda seu hábito a crescer.

Aqui está um modelo mostrando como seria se você fizesse duas flexões em uma parede por algumas semanas, de forma constante.

Cada vez que você tem esse comportamento, desenvolve um pouco mais de força muscular, flexibilidade e habilidade. Isso torna o comportamento cada vez mais fácil, movendo-o cada vez mais para a direita no eixo horizontal. (E sentindo-se bem-sucedido, sua motivação também aumentará. Vamos falar mais sobre isso no próximo capítulo.)

Quando você põe a motivação de lado e projeta seus hábitos manipulando a capacidade, pode se surpreender com a rapidez com que seus hábitos se estabelecem e crescem. Eu aprendi isso logo no início durante meus experimentos na criação de meus próprios Micro-hábitos, antes mesmo de chamá-los assim. Eu já havia descoberto o Modelo de Comportamento e sabia que o componente de capacidade de Co = MCP era crucial para se manter um comportamento de maneira consistente ao longo do tempo. Mas eu tinha usado isso apenas em minha pesquisa em Stanford e quando ajudava profissionais a projetar novos produtos e serviços. Eu não havia utilizado o conceito no campo da mudança pessoal.

Até um certo dia.

Eu estava na cadeira do dentista sendo gentilmente castigado (outra vez) por não usar fio dental.

Constrangedor, não é? Lá estava eu, um cientista do comportamento, que não conseguia usar fio dental todos os dias. Alguns dias eu me sentia motivado (como no dia seguinte à visita ao dentista), mas em outros momentos não me importava tanto. O Boicote da Motivação estava ganhando.

Mas eu tinha certeza de que poderia tornar o fio dental um hábito diário se focasse no componente de capacidade do meu Modelo de Comportamento.

Quando a assistente que estava fazendo a limpeza foi chamar o dentista para uma inspeção final, me perguntei: como posso facilitar meu uso do fio dental?

Encontrei uma resposta, mas não ousei dizer à assistente. Ela ficaria horrorizada.

Eu decidi usar o fio dental em apenas um dente. Sério.

Depois de escovar os dentes pela manhã, eu usaria o fio dental em um único dente.

Minha Receita — Método Micro-hábitos

Depois que eu...	Eu vou...	Para consolidar esse hábito em minha mente, eu vou imediatamente:
escovar os dentes,	passar fio dental em um dente.	☺

É isso.

Apesar de parecer idiota, funcionou. Nos primeiros dias, usei o fio dental apenas para manter as coisas bem simples. Mas criei uma regra: recebia um bônus ao passar fio dental em mais dentes, mesmo que o meu compromisso fosse apenas com um único dente. Após cerca de duas semanas, eu estava passando fio dental em todos os dentes duas vezes por dia. Estou fazendo isso desde então.

Depois que descobri meu plano de ação, usar fio dental regularmente, foi fácil. Mas há uma complexidade subjacente e bonita que tornou tudo isso possível. Cheguei à minha solução, facilitando ridiculamente o uso do fio dental, mas primeiro tive que entender o que torna algo difícil de ser feito.

É por isso que você deve sempre começar com esta pergunta: o que está dificultando esse comportamento?

O que descobri com minha pesquisa e anos de experiência é que a sua resposta envolverá pelo menos um de cinco fatores. Eu os chamo de Fatores de Capacidade. Veja como eles se dividem:

- Você tem tempo suficiente para ter o comportamento?
- Você tem dinheiro suficiente para ter o comportamento?
- Você é fisicamente capaz de ter o comportamento?
- O comportamento requer muita energia criativa ou mental?
- O comportamento se encaixa na sua rotina atual ou requer ajustes?

O mais fraco dos elos de Fator de Capacidade é que vai determinar a força de toda a sua Cadeia de Capacidades.

Ao fazermos o que chamo de **Pergunta Reveladora** — "O que está dificultando a execução desse comportamento?" —, estamos analisando qual fator provavelmente nos causará mais problemas. E quando digo "dificultando", lembre-se de que não estou falando "dificultando muito". Refiro-me a qualquer grau de dificuldade que o impediria de ter o comportamento.

Você vai entender o que quero dizer com o próximo exemplo.

Vamos dar uma olhada no hábito de praticar sete minutos de atividade física — algo que a maioria das pessoas diria que parece fácil. Mas é mesmo? Vamos dividir as coisas usando a Cadeia de Capacidades. O tempo é provavelmente o elo mais forte; é fácil para a maioria das pessoas encaixar sete minutos de prática em seu dia. Pelo menos quando comparado à expectativa de que uma pessoa deve se exercitar trinta minutos por dia.

Dinheiro? Você pode fazer isso em sua própria casa, de forma que esse comportamento seja gratuito. Esforço físico? Arrá. Aqui vamos nós. Para algumas pessoas, fazer exercícios por sete minutos parece fácil. No entanto, a maioria dos aplicativos para os exercícios exige que você se esforce cada vez mais à medida que avança. E isso não é fácil. Portanto, para as pessoas que seguem as instruções, o elo do esforço físico provavelmente é fraco. Só isso já pode ser suficiente para atrapalhar seus esforços em tornar o treino de sete minutos um hábito.

O que me traz de volta ao meu microcomportamento em relação ao fio dental.

O uso do fio dental leva apenas alguns segundos (tempo). Não custa quase nada (dinheiro). Eu já sabia como fazer isso (esforço mental). Ele se encaixava bem na minha vida (rotina). Portanto, esses fatores eram todos elos fortes. Mas quando pensei no fator esforço físico, fiquei surpreso.

O uso do fio dental era difícil de se fazer fisicamente.

Isso pode parecer estranho, porque usar fio dental não é como cavar um buraco ou levantar um carro, mas para mim era difícil o suficiente para inviabilizar meu hábito. O detalhe importante aqui é que, para mim, o uso do fio dental é difícil porque meus dentes são muito próximos. Meu dentista chama esse fenômeno de "contatos próximos", o que significa que passar o fio dental entre os dentes é uma luta para mim. Eu tenho que forçar o fio dental para fazer com que entre ali, depois sinto que estou arrancando meu dente para tirá-lo de volta. Depois o fio sai todo desfiado e fica preso, e preciso começar de novo com um novo pedaço. Esse pequeno e vacilante elo na minha Cadeia de Capacidades era fraco o suficiente para eu não passar o fio dental por meses a fio. O comportamento era difícil, e minha motivação, fraca o suficiente para que o uso do fio dental nunca se tornasse um hábito do jeito que eu tentava fazer isso acontecer.

Então, o que fiz para facilitar o uso do fio dental? Procurei um fio dental que coubesse entre meus dentes. Depois de experimentar cerca de quinze tipos, encontrei o fio dental perfeito para mim.

Quase todo mundo que conheço tem hábitos como esse dos quais se esquivam. Pense em todas as coisas que você não faz por sua saúde, sua produtividade e sua sanidade que você deseja fazer. Então, por que você não consegue?

Você pode conseguir — com a abordagem correta.

Faça a si mesmo a Pergunta Reveladora e identifique os elos fracos da sua Cadeia de Capacidades. Em seguida, concentre-se no problema certo a ser resolvido. É isso que torna a Cadeia de Capacidades uma ferramenta tão transformadora. Ela permite que você entre em ação sem se sentir confuso, irritado ou exasperado. No que diz respeito à minha mudança de comportamento em relação ao fio dental, não me culpei por não ter motivação para usá-lo. Em vez disso, decidi facilitar a execução do processo, começando com um dente e usando um fio mais fino. Depois de ter fortalecido esse Fator de Capacidade, repeti o comportamento várias vezes. Cultivei um hábito que tentava criar havia anos. Depois de dar o primeiro passo, foi fácil fazer o resto. Minhas mãos já estavam na boca, certo? Além disso, quanto mais eu fazia, mais habilidoso me tornava. Esse sentimento de sucesso me motivava a usar o fio dental novamente no dia seguinte.

Ao manter o comportamento pequeno, ajudei esse hábito a se enraizar na minha rotina. É assim que você precisa pensar nesse processo: imagine uma planta grande com raízes pequenas. Quando bate um vento forte, a imensa planta pode tombar, porque não está bem presa. É assim que a formação de hábitos funciona. Se você começa com um comportamento grande e difícil de se ter, o design é instável; é como uma planta grande com raízes rasas. Quando uma tempestade entra em sua vida, seu grande hábito está em risco. No entanto, um hábito fácil de se praticar pode resistir a uma tempestade tal como brotos flexíveis e, depois, raízes mais profundas e fortes poderão crescer.

Portanto, se há um ano você não se levanta do sofá, não comece com sete minutos de atividade física extenuante. Comece pequeno. Fortaleça o elo mais fraco da sua Cadeia de Capacidades, tornando seu novo hábito radicalmente fácil. Reduza o objetivo para uma flexão de braço na parede. Apenas uma. Quando você se deparar com um contratempo — um resfriado, por exemplo —, mesmo assim é possível fazer uma flexão na parede, como o nariz entupido e tudo mais. Ao começar pequeno, você cria consistência; ao continuar pequeno, seu novo hábito se estabelece com raízes firmes.

O que nos leva à segunda pergunta crucial que devemos nos fazer acerca de qualquer comportamento ou hábito que desejamos cultivar: como posso facilitar a execução desse comportamento? Eu chamo isso de **Pergunta Transformadora**, e existem apenas três respostas para ela.

Vamos voltar ao gráfico da Pessoa PAC para ver como podemos facilitar a execução de um comportamento.

Todas as três abordagens afetam o elemento capacidade de Co = MCP para jogá-lo acima da Linha de Ação e aumentar a probabilidade de você realmente colocar um comportamento em prática. Independentemente de qual seja sua aspiração, aumentar suas habilidades, obter ferramentas e recursos e diminuir o comportamento são as atitudes que facilitam a execução das coisas.

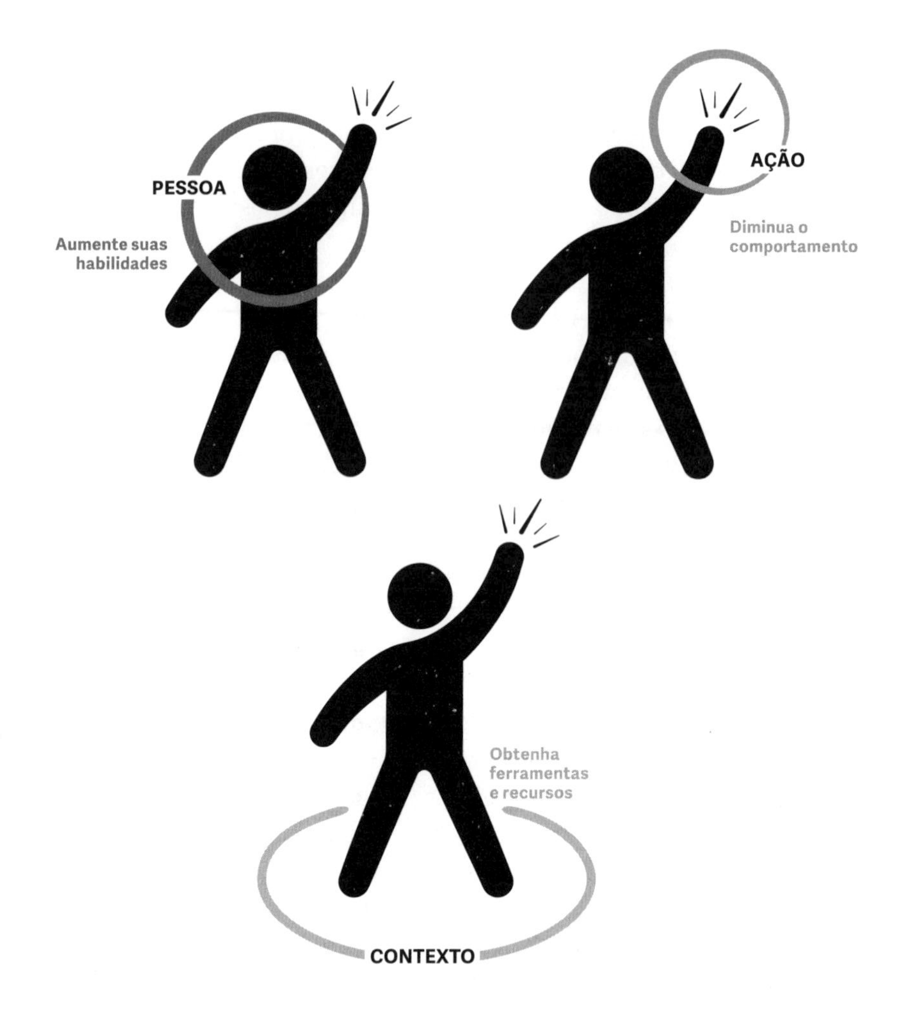

Mas é importante lembrar que o design de comportamentos pode seguir caminhos diferentes. Às vezes, tudo de que você precisa é a ferramenta certa para facilitar a execução de um novo hábito, como o fio dental, e outras vezes tudo que precisa fazer é diminuir o comportamento até ele atingir a sua menor versão, como usar o fio dental em apenas um dente. Encare algo de fácil execução como se fosse um lago, e houvesse três maneiras diferentes de entrar nele. Não importa se você escolher mergulhar do cais, entrar pela praia ou pular de uma corda, em breve estará nadando na mesma água.

Agora vamos detalhar cada abordagem.

As três abordagens para facilitar a execução de um comportamento

1. AUMENTE SUAS HABILIDADES

Quando você é melhor em algo, a execução se torna mais fácil. Ao ganhar habilidades, você está aumentando sua capacidade. O modo como você aumenta suas habilidades depende do comportamento. Isso pode significar fazer pesquisas on-line, pedir dicas a um amigo ou ter aulas. E você pode aumentar suas habilidades repetindo o comportamento diversas vezes. Aumentei minhas habilidades com o uso do fio dental assistindo a alguns vídeos na Internet (há vídeos mostrando como fazer qualquer coisa que você for capaz de imaginar). O livro de Marie Kondo, *A mágica da arrumação — A arte japonesa de colocar ordem na sua casa e na sua vida*, é um best-seller no mundo tudo, não porque o livro se concentra em motivar as pessoas a manter suas casas limpas, mas porque se concentrava em lhes ensinar o passo a passo de *como* organizar tudo.

Aumentar suas habilidades pode significar contratar um coach de voz, fazer um curso sobre o uso de diferentes facas em um supermercado local ou praticar suas flexões de braço. O ato de "se aprimorar" parece natural quando você está na crista de uma Onda de Motivação, porque está usando esse pico de energia a seu favor. São ações isoladas que facilitam a execução de comportamentos futuros, por que não praticá-las quando você está cheio de energia no início? Digamos que você termine este capítulo e esteja se sentindo empolgado para fazer flexões. Seria um bom momento para procurar um vídeo na Internet sobre a modalidade de flexão adequada, enquanto sua motivação ainda está alta.

Pode ser que nem sempre você tenha energia para se aprimorar, e isso é bom.

Existem outras maneiras de facilitar a execução de seu comportamento.

2. OBTENHA FERRAMENTAS E RECURSOS

Algo tão pequeno quanto um pé de alface não lavado ou tampas de recipientes plásticos que não se encaixam pode fazer a diferença entre levar uma salada para o trabalho ou comer um hambúrguer. Se um comportamento é frustrante, ele não se tornará um hábito. Obter as ferramentas certas para facilitar um comportamento pode significar alguma coisa, desde obter o melhor conjunto de facas de cozinha até encontrar sapatos mais confortáveis. Se você deseja facilitar a execução do método Micro-hábitos, este livro é um ótimo primeiro passo. Obter orientação pessoal de um coach treinado por mim também é uma ótima opção.

As ferramentas foram cruciais para mim quando precisei facilitar o uso do fio dental. Eu tive que encontrar o fio certo — fino e liso. Fiquei tão fã que fiz uma visita especial à fábrica de fios dentais quando viajei para Dublin a trabalho. Eu sei que parece estranho (Denny pensou que eu estava louco no começo). Mas para um nerd de fios dentais como eu, essa visita não parecia nem um pouco estranha.

Molly, uma ex-participante de meu Centro de Treinamento, é outro exemplo de como ferramentas e recursos podem catalisar mudanças. Molly lutava para manter-se no peso saudável desde os dez anos de idade. Na vida adulta, seu maior obstáculo era o preparo de refeições. Ela não era capaz de prepará-las de maneira consistente, embora soubesse o quanto se sentia melhor quando preparava sua comida antecipadamente, em vez de ser pressionada a fazer más escolhas — almoços comprados em máquinas de venda automática ou sobras de pizzas. Sem uma refeição saudável na bolsa, ela se deparava com um dilema que lhe causava ansiedade ao meio-dia. "Vou comer alguma coisa? Onde devo ir? Será que vai ser saudável o suficiente?" Molly chamava isso de "peso da decisão" — o fardo de fazer uma escolha em um momento em que ela estava menos equipada para isso (com fome e atarefada) —, e isso não apenas criava um processo mental desnecessário, como também a levava a comer de maneira desalinhada em relação às suas aspirações saudáveis. Como profissional ocupada, ela não era apenas pressionada pelo tempo, mas também era profundamente ambivalente em relação a cozinhar.

Do ponto de vista de que Co = MCP, a motivação de Molly para preparar suas refeições era baixa, mas não inexistente — ela realmente queria a energia, a saúde e a confiança que vinham junto com a alimentação saudável. Era em relação à capacidade que Molly precisava melhorar. Por sorte, ela descobriu um recurso — um recurso bonito, ainda por cima. Ryan, seu futuro marido, gostava de halterofilismo e dava muito valor à alimentação. Ele era metódico no preparo de suas refeições para a semana e não parecia se importar em fazer isso tanto quanto Molly. Ela observou e adotou algumas de suas técnicas — usando recipientes plásticos e cozinhando grandes quantidades de batata-doce para momentos de baixa glicêmica no sangue. Logo eles adquiriram o hábito de cozinhar aos domingos e se preparar para a semana seguinte. Embora ela adorasse passar tempo com o marido, Molly estava menos entusiasmada em passar cinco horas na cozinha. O domingo chegava e ela fazia outros planos para evitar a cozinha, prometendo a si mesma que pegaria uma salada a caminho do trabalho todos os dias. Mas ela raramente fazia isso. Então lá estava ela, no meio do dia de trabalho olhando para o que restava da pizza na sala de reuniões, sabendo o que escolheria e já decepcionada consigo mesma.

Depois de participar de um programa de dois dias no Centro de Treinamento, Molly compreendeu que se tratava de um problema de Design de Comportamento, não uma falha de caráter ou uma questão de força de vontade. Em vez de começar a pensar em pular os domingos na cozinha com seu futuro marido, ela começou a pensar mais estrategicamente sobre como poderia facilitar a preparação das refeições. Ela sugeriu, brincando, que, já que preparar a comida era algo tão divertido para ele, talvez Ryan pudesse fazer a dela também. Ela disse que, como resposta, recebeu um olhar arregalado e uma gargalhada, nada mais do que isso.

Certo dia, Molly foi à casa de uma amiga e a viu usar um aparelho desconhecido para ela, com uma estrutura plana e uma lâmina ajustável. Sua amiga cortou uma cenoura inteira dentro de uma saladeira em questão de segundos, sem tábua de cortar e faca sem fio. Para Molly, aquilo parecia mágica. Ela perguntou à amiga: "Uau! O que é isso?" Era uma mandolina — o primeiro de muitos itens de cozinha que Molly iria adquirir no futuro. (Aviso: mandolinas são ótimas, mas também são perigosas — tenha cuidado.) Usando seu futuro marido como guia e ferramentas-chave como a sua mandolina, Molly reduziu o tempo de preparo da comida aos domingos de cinco horas para duas horas e meia. Agora ela separa cenouras, pepinos e pimentões em recipientes organizados para cada dia da semana. Cortar o tempo pela metade e tornar o processo mais agradável era o necessário para movê-lo para a parte superior da Linha de Ação.

Meses depois de reformularem seu comportamento, Molly e Ryan passaram a preparar de forma consistente dez refeições por semana, que cobriam todos os almoços e jantares dos dias úteis. Deixar o peso da decisão de lado significava que Molly poderia ter tempo durante o dia para praticar exercícios, o que a ajudava a aumentar ainda mais sua energia e bem-estar geral. Ela se viu mais capaz de acompanhar Ryan em suas trilhas, e até propôs que eles mantivessem a alimentação saudável durante as férias. Na noite anterior à lua de mel, Molly arrastou Ryan para a seção de produtos a granel do supermercado para que pudessem estocar nozes e mirtilos para a viagem de avião. Um ano depois, ela me disse que está mais feliz, mais produtiva e com mais energia do que nunca. E, ainda mais importante, ela agora se pergunta "Como posso facilitar a execução disso?" sempre que não tem motivação para fazer o que quer.

Nem todo mundo precisa comprar uma mandolina ou um equipamento de cozinha sofisticado para facilitar a execução de seu comportamento, mas Molly já havia experimentado outras maneiras (comprar alimentos pré-cozidos, preparar refeições todas as noites) e nada havia funcionado. Ela sabia que as ferramentas e os recursos eram uma estratégia de Design de Comportamento que ela ainda não havia tentado, então optou por isso. Ao reduzir o tempo pela metade, ela saiu do nível difícil para o fácil. No final, eu diria que um mindset flexível e experimental para a solução de problemas talvez tenha sido a ferramenta mais útil no caso de Molly.

ANÁLISE PARA FACILITAR A EXECUÇÃO

***Hábito de preparar suas refeições* — O que está dificultando a execução desse comportamento?**

O problema: Os elos mais fracos da Cadeia de Capacidades de Molly eram tempo (cinco horas eram demais) e esforço físico (picar e cortar com os equipamentos ruins é muito trabalhoso).

***Hábito de preparação de refeições* — Como posso facilitar a execução desse comportamento?**

A solução: Molly usou ferramentas para ajudá-la a eliminar os fatores tempo e esforço físico que estavam prejudicando sua capacidade de agir. Ela também se apoiou em Ryan como um guia em relação ao que preparar para a semana e a como fazê-lo.

3. DIMINUA O COMPORTAMENTO

Tornar um comportamento radicalmente pequeno é a pedra angular do método Micro-hábitos por um motivo: é uma maneira infalível de facilitar a execução de algo, o que significa que muitas vezes é um bom lugar para começar, independentemente dos seus níveis de motivação.

Já vimos vários exemplos de como diminuir as coisas. Eles se enquadram em duas categorias: Etapa Inicial e Reduzir o Tamanho.

Etapa Inicial

É exatamente o que parece: um pequeno passo em direção ao comportamento desejado. Se você deseja criar o hábito de caminhar cinco quilômetros todos os dias, sua Etapa Inicial pode ser calçar os tênis. Essa Etapa Inicial se torna seu Microcomportamento e a única ação que você precisa pôr em prática no início de seu novo hábito. O objetivo aqui é começar com uma etapa crucial no processo de execução do comportamento desejado. Diga a si mesmo: "Eu não tenho que caminhar. Só preciso me assegurar de que vou calçar os tênis todos os dias."

Calçar os tênis mudará sua percepção. Andar de repente não vai parecer tão difícil. Na maior parte dos dias, você vai sair pela porta e dar uma volta no quarteirão depois de calçar os tênis. Essa é uma das maneiras pelas quais as Etapas Iniciais podem se transformar em hábitos maiores. No entanto, quero compartilhar uma parte importante do mindset dos Micro-hábitos: não force a barra antes do tempo. Não se apresse em aumentar o comportamento. É sempre bom não caminhar depois de calçar os tênis, caso isso seja tudo o que você deseja fazer naquele dia. Ao não se cobrar demais, você mantém o hábito vivo. Você vai garantir que sempre será capaz de ter o comportamento, independentemente do quanto sua motivação flutuar.

Uma das maiores vitórias de Sarika foi preparar o café da manhã. Essa era uma tarefa que ela considerava insuperável e frustrante. As pessoas preparavam café da manhã todos os dias; por que isso parecia tão difícil para ela? Depois de fazer um curso sobre os Micro-hábitos e aprender sobre as Etapas Iniciais, Sarika estava determinada a revirar seus hábitos para ver se conseguia encontrar uma saída para o problema. Então, Sarika decidiu que acenderia uma boca do fogão logo de manhã. Esse era seu novo hábito. Ah, tão pequeno. Era uma Etapa Inicial para preparar o café da manhã. E foi tudo o que ela fez durante os primeiros dias. Ela deixava a boca do fogão acesa por alguns segundos e depois a desligava. Mas ela logo avançou na Etapa Inicial e colocou uma panela em cima do fogão. Uma vez que a panela já estava lá, ela pensou: "Por que não ferver água para fazer um mingau?" Uma vez que a água estava fervendo, parecia bobo não colocar a aveia lá dentro, e ela acabou preparando o café da manhã praticamente todos os dias, espantada com o fato de aquilo ser muito mais fácil do que ela imaginava. Mas se ela alguma vez estivesse com pressa ou distraída, tudo bem se apenas ligasse e desligasse a boca do fogão, porque a Etapa Inicial é o comportamento que precisava ser consolidado em sua rotina.

A Etapa Inicial é uma espécie de jiu-jitsu mental — um movimento tão pequeno tem um impacto surpreendente, porque o impulso que ele cria em geral leva você aos próximos passos com menos atrito. A chave é não forçar a barra. Cumprir a Etapa Inicial é sucesso garantido. Toda vez que você faz isso, mantém esse hábito vivo e cultiva a possibilidade de ele crescer.

Sarika ficou surpresa com a rapidez com que seu hábito de acender a boca do fogão se transformou em vários outros hábitos que levaram ao hábito de preparar um café da manhã completo. Impulsionada por seu sucesso, ela alistou a mãe como recurso, que também começou a se aperfeiçoar. Dentro de alguns meses, ela havia avançado para além do mingau e estava preparando panquecas com chutney.

ANÁLISE PARA FACILITAR A EXECUÇÃO

Pergunta Reveladora
***Hábito de preparar o café da manhã* — O que está dificultando a execução desse comportamento?**

O problema: O elo mais fraco da Cadeia de Capacidades de Sarika era o esforço mental. Ela não tinha um plano sobre o que cozinhar, e os pratos se empilhavam na bancada, então ela não tinha espaço para servir uma refeição, e isso parecia muito complicado para ela lidar.

Pergunta Transformadora
***Hábito de preparar o café da manhã* — Como posso facilitar a execução desse comportamento?**

A solução: Sarika facilitou sua execução utilizando a Etapa Inicial para dividir um processo antes trabalhoso em etapas menores.

Acender a boca do fogão era fácil, e esse comportamento simples lhe deu uma sensação de sucesso que fez com que seu hábito crescesse.

Reduzir o tamanho

Agora chegamos à segunda forma de diminuir o comportamento: Reduzir o Tamanho.

Isso significa pegar o comportamento desejado e encolhê-lo. Como resultado, seu Micro-hábito será uma versão muito menor do comportamento desejado. Considere o meu hábito de usar o fio dental: eu queria usar o fio dental em todos os dentes, mas comecei com apenas um. Eu reduzi o tamanho.

Se o comportamento desejado for caminhar um quilômetro e meio todos os dias, você pode reduzir o tamanho caminhando até a caixa de correio. Nem um passo a mais. Assim como na Etapa Inicial, a versão de tamanho reduzido é o seu Micro-hábito — é o seu comportamento básico, a única coisa que você precisa fazer todos os dias para cultivar o hábito de caminhar que eventualmente crescerá até o tamanho desejado.

ANÁLISE PARA FACILITAR A EXECUÇÃO

Pergunta Reveladora
***Hábito de usar fio dental* — O que está dificultando a execução desse comportamento?**

O problema: O elo mais fraco da minha Cadeia de Capacidades era o esforço físico. O fio grosso que eu usava era difícil de passar entre os dentes, e isso exigia esforço e me frustrava sempre que eu tentava.

Pergunta Inovadora
***Hábito de usar fio dental* — Como posso facilitar a execução desse comportamento?**

A solução: Facilitei o uso do fio dental adquirindo a ferramenta certa. Encontrei um fio dental que deslizava suavemente entre meus dentes. Sem esforço. Sem tensão. Mas a chave foi a seguinte: reduzi o tamanho do comportamento de todos os dentes para apenas um dente. Sem reduzir o tamanho, usar o fio dental não teria se tornado um hábito para mim. Eu precisava começar pequeno.

Projetando seus Micro-hábitos

Pegue seus Comportamentos Especiais do Capítulo 2 e veja se você consegue diminuí-los. Encontre uma Etapa Inicial ou Reduza o Tamanho — tanto faz.

Hábito a ser diminuído	Etapa Inicial	Reduzir Tamanho
Ler todos os dias	Abrir meu livro	Ler um parágrafo
Beber mais água	Colocar garrafa de água na bolsa	Tomar um gole de água
Meditar por dez minutos	Tirar a almofada de meditação do armário	Fazer três respirações
Limpar a cozinha depois de todas as refeições	Abrir a lava-louças	Recolher a louça depois de todas as refeições
Tomar vitaminas diariamente	Colocar vitaminas em um pote	Tomar uma vitamina
Comer mirtilos no lanche	Colocar mirtilos na bolsa do trabalho	Comer dois ou três mirtilos
Pagar as contas on-line	Entrar no site para pagamento de contas on-line	Pagar uma conta

Por onde começo? Habilidades, ferramentas ou tamanho?

Como o Design de Comportamento é um sistema com vários caminhos, não existe uma resposta certa. No entanto, posso orientá-lo a chegar a essa conclusão por si mesmo. Mesmo que você não precise fazer as três coisas para facilitar a execução de uma tarefa, usar as três opções é uma ótima maneira de se preparar para obter sucesso, ao assegurar que seu comportamento seja o mais simples possível.

Para decidir qual o melhor ponto de partida para você, verifique seu nível de motivação. A aquisição de habilidades e ferramentas em geral é uma ação isolada, mais bem-sucedida quando sua motivação é alta. Quando nossa motivação é alta, podemos fazer coisas mais difíceis; mas, quando está baixa, precisamos compensar diminuindo o comportamento. Avaliar nossa motivação para concluir cada comportamento nos ajuda a determinar o próximo passo no caminho que tomamos para torná-lo um hábito. É como verificar a pressão nos pneus do carro. Você precisa colocar mais ar ou pode ir embora sem fazer isso? Como sou uma pessoa que adora sistemas, criei um fluxograma que mostra como facilitar a execução de qualquer comportamento. Você o encontrará nos apêndices, mas vamos analisar um exemplo aqui para ajudá-lo a compreender como isso funciona na vida real.

Digamos que você queira criar o hábito de fazer vinte flexões todos os dias. Aqui estão as etapas para facilitar a execução desse comportamento, com perguntas para guiá-lo.

FASE DE ANÁLISE

Faça a Pergunta Reveladora: *O que dificulta a execução de vinte flexões?*

A Cadeia de Capacidades lhe dará a resposta. Nesse caso, provavelmente será esforço físico. Esse é o elo que você precisará fortalecer.

FASE DE DESIGN

Faça a Pergunta Inovadora: *Como posso facilitar a execução das flexões?*

Sabendo que o esforço físico é o elo mais fraco, pergunte-se qual das maneiras de facilitar a execução de um comportamento vai funcionar no seu caso. Para a fase de design, passamos às três partes do modelo PAC.

O aprimoramento das minhas habilidades de flexão facilitará o processo?

Não é a solução perfeita, mas provavelmente será uma boa ideia se você tiver motivação.

Obter as ferramentas ou recursos certos me ajudará a facilitar a execução?

Na verdade, não. Existem vídeos que podem orientá-lo em relação à maneira correta de fazer flexões, mas eles não facilitam a execução do exercício. E um personal trainer não pode fazer as flexões no seu lugar, no final das contas.

Posso reduzir o hábito para que ele seja mais fácil de ser executado?

Sim. Fazer vinte flexões requer muito esforço físico; portanto, a melhor opção é diminuir o tamanho desse hábito. Há algumas maneiras de fazer isso. Reduzir para uma flexão, fazer algumas flexões com os joelhos apoiados no chão ou em uma parede.

Qualquer que seja o novo hábito que você deseja criar, essas perguntas e essas três abordagens o guiarão pelo processo de criação de seu novo hábito para que seja mais fácil executá-lo. E essas questões se tornarão automáticas com a prática.

Facilitar a execução de um comportamento — Fluxo de Design

Você está se sentindo motivado o suficiente para aprender uma nova habilidade?

Sim? Ótimo — faça isso. Agora vá para a próxima pergunta.
Não? Próxima pergunta.

Você está se sentindo motivado o suficiente para descobrir uma ferramenta ou recurso?

Sim? Excelente, faça isso acontecer. E agora vá para a próxima pergunta.
Não? Próxima pergunta.

Você pode reduzir o tamanho do comportamento até que ele se torne pequeno?

Sim? Fantástico. Encerramos por aqui. Você pode começar a praticar seu novo hábito.
Não? Próxima pergunta.

Você consegue descobrir uma Etapa Inicial para o seu comportamento?

Sim? Ótimo. Faça da Etapa Inicial seu hábito inicial e vá um pouco mais adiante quando quiser.
Não? Ops. Se você disse não a todas essas perguntas, talvez seja necessário voltar e escolher um comportamento diferente da sua Nuvem de Comportamentos.

Mantenha o hábito vivo

Facilitar a execução do seu comportamento não apenas ajuda a criar raízes, mas também a manter o hábito quando as coisas ficam difíceis. Pense da seguinte maneira: você pode manter muitas plantas pequenas vivas fornecendo-lhes algumas gotas de água por dia. O mesmo acontece com os hábitos. Ainda há dias em que minha motivação para usar o fio dental é extraordinariamente baixa. Nesses dias, eu uso o fio dental em apenas um dente. O principal é que eu nunca me sinto mal por isso, uma vez que mantive o meu hábito — sei que um dente é suficiente para manter o hábito vivo. Praticamente todos os dias, eu passo fio dental em todos eles, então não vou me punir por causa de um ou dois dias sem fazê-lo. Coisas acontecem. As pessoas ficam doentes, tiram férias e têm emergências. Não estamos em busca de perfeição aqui, apenas de consistência. Manter o hábito vivo significa mantê-lo enraizado na sua rotina, por menor que seja.

O padrão vencedor: a simplicidade muda o comportamento

Quando se trata de formação de hábitos, a simplicidade vence. E não apenas em nossas vidas pessoais.

Tenho visto um padrão bastante evidente nos produtos digitais que milhões de pessoas usam todos os dias: tudo que é grande começou pequeno.

Observe o Google, o Instagram, a Amazon e o Slack. Quando esses produtos foram lançados, cada empresa tinha começado a partir de algo pequeno e focado. Por serem simples de usar, se enraizaram firmemente na vida das pessoas. As empresas adicionaram mais recursos somente quando esses produtos se tornaram hábitos sólidos. (A maioria dos produtos lançados com muitos recursos e alta complexidade são fracassos retumbantes.)

Estou pedindo que você se utilize desse padrão de sucesso na sua vida: se você deseja que um hábito cresça, é necessário começar pequeno e simples. Quando o hábito se instala, você pode cultivá-lo naturalmente.

Antes de Sarika e Molly colocarem seus Micro-hábitos em movimento, as duas se sentiam sobrecarregadas. Elas sentiam pavor, falta de confiança e uma resistência misteriosa. Começar pequeno mudou tudo isso. Elas deram início às práticas com facilidade e logo gostaram da sensação de se sentir bem-sucedidas. A cada sucesso, seus medos diminuíam. O processo de mudança começou a parecer menos trabalhoso e mais divertido.

Você pode aplicar a abordagem dos Micro-hábitos a tudo, não apenas a hábitos. Inúmeras dinâmicas familiares frustrantes e desentendimentos no ambiente de trabalho surgem devido à crença equivocada de que manipular a motivação é a chave para mudar o comportamento. Mas agora você sabe que a simplicidade é o que muda o comportamento de maneira confiável.

Uma observação sobre comportamentos isolados

As Etapas Iniciais também podem funcionar incrivelmente em coisas que não são necessariamente hábitos. Há pouco tempo, tive que ligar para o cirurgião-dentista para agendar uma consulta de acompanhamento (algo nada divertido), então estava procrastinando, mesmo que isso não pareça um comportamento de difícil execução. É um bom exemplo de situações nas quais nos achamos estúpidos por adiar uma decisão, mas adiamos mesmo assim. Algo importante que devemos nos lembrar a respeito da procrastinação é que a percepção da dificuldade pode ser tão importante quanto a dificuldade real. Além disso, todos os dias que você não realiza a tarefa, ela cresce em sua cabeça, tornando a execução cada vez mais difícil. Antes de chegar ao fundo do poço, criei uma Etapa Inicial: escrever o número do médico em um post-it e colocá-lo no meu telefone. Eu disse a mim mesmo que escrever o número era tudo o que tinha que fazer, então fiz.

Ao me cobrar menos, fui capaz de hackear meu cérebro. Anotar o número não era algo intimidador — eu achava que era capaz de fazê-lo. Assim que o fiz, já tinha dado um passo em direção à conclusão do comportamento completo, então peguei o telefone e liguei. Pense em quantas dessas pequenas tarefas que você não deseja fazer estão entupindo seu cérebro todos os dias. Isso pode se tornar algo cansativo para a mente. Dar o primeiro passo, por menor que seja, pode gerar uma sensação de impulso que nosso cérebro ama. A conclusão de tarefas nos dá um impulso de confiança, e isso aumenta nossa motivação para dar conta do comportamento inteiro.

No próximo capítulo, falaremos sobre prompts. O último componente do Modelo de Comportamento também é a etapa seguinte do processo de cultivar Micro-hábitos bem-sucedidos. Sabemos que nenhum comportamento acontece sem um prompt. Prompts são as dicas que nos lembram de agir. Eles são a faísca que acende o fogo. Então, por que não facilitar o prompt também? E se você projetasse um prompt que já estivesse incorporado no seu dia? Algo que não leva tempo, esforço ou dinheiro para construir? Isso, sim, parece simples.

Micro-exercícios para facilitar a prática de um hábito

Este exercício é dividido em duas partes. A primeira se concentra na análise e a segunda, no design.

PARTE A: ANÁLISE DE UM HÁBITO DIFÍCIL

Etapa 1: Anote um hábito difícil que você tentou criar no passado, mas não conseguiu manter. Se você não consegue pensar em nada da sua vida, use o seguinte: Comer mais legumes todos os dias.

Etapa 2: Faça a si mesmo a Pergunta Reveladora: O que dificultou a execução desse hábito? Considere os elos em sua Cadeia de Capacidades: Esse hábito exigia muito tempo? Dinheiro? Esforço mental ou físico? Atrapalhava a sua rotina?

PARTE B: ELABORE UM DESIGN PARA FACILITAR A PRÁTICA DE SEU HÁBITO

Etapa 3: Para cada elo fraco que você encontrou na Etapa 2, faça a si mesmo a Pergunta Transformadora: Como você pode facilitar a execução desse hábito? Por exemplo, você pode refletir sobre como fazer com que esse hábito exija menos tempo. Assegure-se de pensar em várias ideias para cada elo fraco.

Etapa 4: Selecione as três principais ideias que você teve durante a Etapa 3.

Etapa 5: Imagine-se adotando as três principais ideias para facilitar a execução do hábito. Analise em detalhes como você faria isso.

Bônus: Coloque suas ideias em prática e veja o que acontece.

Para ajudá-lo nesse exercício, trouxe de volta nossa simpática Pessoa PAC para lembrá-lo das três maneiras de facilitar a execução de um comportamento.

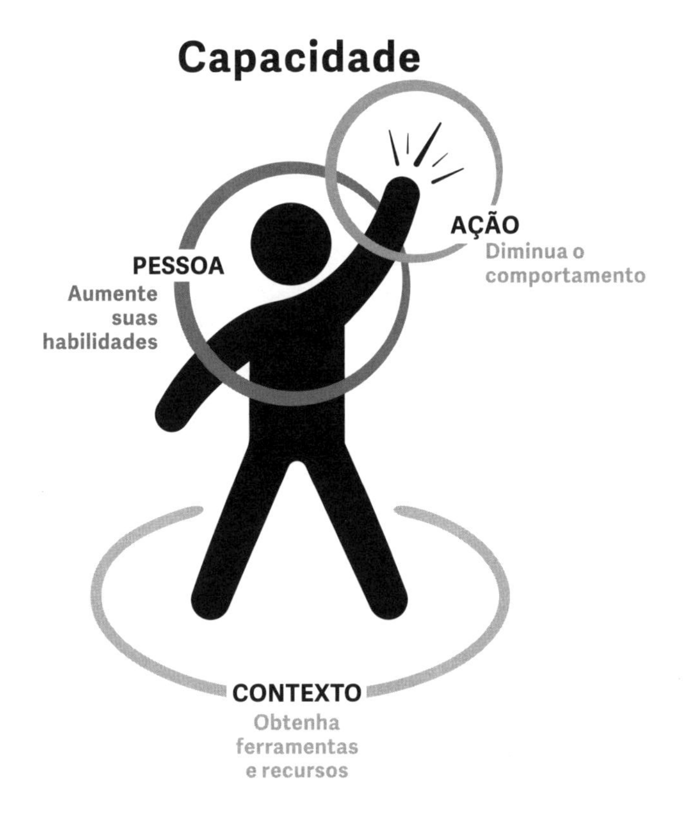

CAPÍTULO

4

PROMPTS — O PODER DO DEPOIS

Prompts são os guias invisíveis das nossas vidas.

Centenas de prompts acontecem todos os dias, mas mal notamos a maioria deles. Na maior parte das vezes, nós simplesmente agimos. O sinal de trânsito fica verde — você acelera. Alguém oferece uma prova de queijo no supermercado — você come. Surge uma notificação de um novo e-mail na tela do computador — você clica para abri-lo. Alguns prompts são orgânicos — você sente algumas gotas de chuva caírem no braço, então abre o guarda-chuva. Outros são projetados — o alarme de fumaça dispara, então você abre as janelas e resgata a pizza que tinha esquecido dentro do forno. Seja orgânico ou projetado, um prompt diz: "Coloque tal comportamento em prática agora."

Mas o crucial é: *nenhum comportamento entra em ação sem que haja um prompt*.

Podemos confiar que as pessoas vão reagir aos prompts quando estão motivadas e capacitadas, e é justamente isso que faz com que os prompts sejam tão poderosos quando o *timing* é certeiro. Repórteres que criam manchetes caça-cliques e designers que desenvolvem aplicativos para celular sabem bem disso. Existe um motivo pelo qual muitas pessoas não resistem a clicar em um aplicativo com numerozinho vermelho no ícone — esse recurso foi projetado para chamar nossa atenção e nos fazer agir. Quem anuncia na internet sabe que, se conseguir juntar um prompt a um motivador (Clique aqui para ganhar um prêmio!), um percentual ainda maior de pessoas vai reagir.

Por outro lado, se não houver prompt, não haverá comportamento, ainda que existam altos níveis de motivação e capacidade. Talvez você quisesse usar o aplicativo de meditação que baixou na semana passada, mas como não houve nenhum prompt, você esqueceu.

A vida é repleta de um número esmagador de prompts indesejados, mas existem muitos que nós de fato desejamos. No entanto, a maioria das pessoas age no piloto automático a partir de prompts invisíveis, ao mesmo tempo em que luta desesperadamente para se lembrar de fazer coisas que está sempre esquecendo de fazer. Se a sua mesa estiver coberta de post-its, seu telefone encher sua paciência com lembretes, mas mesmo assim você ainda não está estiver fazendo o que quer, é hora de recuperar o poder dos prompts.

Neste capítulo, vou ensinar a *projetar* prompts para sua vida, e também a *excluir* outros. Depois de escolher o comportamento certo e tornar mais fácil sua execução, você vai estar pronto para a etapa seguinte: projetar um bom prompt para o comportamento desejado. Isso é importante. Não deixe os prompts ao acaso.

Etapas do Design de Comportamento

Etapa 1: Defina a aspiração com clareza

Etapa 2: Explore suas Opções de Comportamento

Etapa 3: Ajuste-se a Comportamentos Específicos

Etapa 4: Comece micro

Etapa 5: Encontre um bom prompt

No Modelo de Comportamento, a motivação e a capacidade existem em *gradação*, mas os prompts são preto no branco. Ou você percebe o prompt, ou não percebe. E, se não perceber o prompt, ou se o prompt surgir na hora errada, o comportamento não será posto em prática. Isso faz com que os prompts sejam um componente crucial para o sucesso. Projetar um bom prompt é parte essencial da Primeira Máxima de Fogg. *Ajude as pessoas a fazer o que elas já querem fazer.*

Uma pessoa que aprendeu a projetar prompts com eficiência foi minha amiga e colega Amy, cuja decisão de adotar micro-hábitos foi detalhada no início do livro. Uns sete anos atrás, Amy estava atolada cuidando de três filhos e tentando expandir seu negócio como redatora freelance de materiais didáticos. Ela adorava o trabalho de desenvolver materiais didáticos sobre cuidados com pacientes para médicos e hospitais, mas não estava colocando em prática os comportamentos necessários para expandir o negócio. Apesar de ser otimista na maior parte do tempo, Amy percebeu que ficava angustiada ao pensar no futuro. Ela não dormia bem e vivia com um mau pressentimento que não ia embora nunca. Todo empresário se preocupa em se manter atualizado, mas o medo de Amy vinha de algo muito pior do que ficar para trás ou perder clientes — seu verdadeiro medo era perder seus filhos.

Amy e o marido não estavam felizes havia anos, mas as coisas tinham se tornado insuportáveis nos últimos tempos. As brigas haviam aumentado, e ela sabia que aquele não era um ambiente saudável para as crianças. Ela queria o divórcio, e desconfiava que seu marido também. A separação seria dolorosa, mas Amy estava ainda mais preocupada com o que viria a seguir. Durante anos, ela tinha optado por focar nas qualidades do marido — ele era bem-humorado e generoso, e sempre a apoiava suas escolhas profissionais. Mas agora ela se sentia num beco sem saída, sem enxergar uma forma saudável de resolver a hostilidade, o desprezo e a crescente falta de transparência entre eles. Eram esses os aspectos do marido dela que ela não desejava ter visto e que agora tiravam seu sono à noite. O divórcio pode trazer à tona o pior das pessoas, e ela temia o que ele seria capaz fazer se ela despertasse a ira dele. Amy percebeu que isso estava prestes a acontecer. Ela sabia que havia uma possibilidade real de que seu marido envolvesse os filhos na briga, e, sem um rendimento estável, ela se veria diante do risco de perder a guarda deles.

Mais do que qualquer outra coisa, Amy amava os filhos. A ideia de não estar perto deles o tempo todo era devastadora. E, se ela não conseguisse sobreviver em termos financeiros, seus piores medos poderiam se tornar realidade. Amy temia que o marido recorresse a todos os expedientes possíveis e que ela ficasse sem alternativa, presa em um conflito interminável, com as crianças no meio. A única coisa em que ela conseguia pensar era em contratar um advogado e organizar suas finanças antes de dar início ao processo de divórcio. Mas ela não tinha ideia de como ampliar os negócios.

A ansiedade diante do casamento em ruínas e o estresse diário de criar três filhos faziam com que fosse ainda mais difícil para Amy conseguir se concentrar. Ela tinha todos os motivos do mundo para riscar itens de sua lista de tarefas — retornar ligações, correr atrás de trabalho e escrever desesperadamente —, mas não conseguia tomar providências quanto às coisas importantes de verdade. Todo dia de manhã, Amy tentava começar a trabalhar, mas na maioria dos dias acabava dobrando roupas, limpando a cozinha ou reescrevendo e reorganizando sua lista de tarefas, em vez de pôr em prática ações que gerariam renda para sustentar a família. Ela cumpria algumas tarefas de sua lista, mas em geral eram as mais fáceis e menos essenciais. Ela ou estava pensando demais ou agindo de menos, mas de um jeito ou de outro o fato era que o trabalho não estava sendo feito. Ela não estava botando dinheiro na conta, nem chegando perto de assegurar um futuro ao lado dos filhos.

Depois de aprender sobre Design de Comportamento e Micro-hábitos, Amy descobriu a solução: todos os dias, ela escrevia uma tarefa em um post-it — a coisa *mais importante* — que ela precisava fazer naquele dia. Era isso. Esse seria o novo hábito dela. Amy se sentiu confiante e otimista de que conseguiria fazer isso todos os dias. Afinal, ela realmente não precisava obrigatoriamente realizar a tarefa anotada no post-it; ela só precisava escrevê-la. Simples assim. A capacidade tinha sido sintonizada. Mas o que fazia desse hábito um sucesso não era a motivação ou a capacidade; era o fato de projetar um bom prompt.

Para alguns hábitos, o truque é descobrir como encaixá-lo no seu dia.

O ponto onde um hábito se encaixa em sua rotina diária pode fazer a diferença entre ação e inércia, entre sucesso e fracasso. Por sorte, Amy acertou de primeira; ela plantou a semente do seu novo hábito no lugar certo.

Funcionava assim: Amy deixava a filha Rachel no jardim de infância todo dia de manhã, e Rachel dava tchau e fechava a porta do carro. A porta se fechando era o prompt de Amy. Na mesma hora, ela parava em um estacionamento ao lado da escola e colocava o hábito em prática — anotar sua tarefa mais importante em um post-it. Ao terminar, Amy colava o bilhete no painel do carro, batia palmas para si mesma e dizia: "Feito!"

Depois de uma semana praticando seu novo hábito, Amy disse que ele passou a fluir sem esforço e se tornou automático. Ela encontrou um espaço orgânico para aquilo em sua rotina. Antes, até a hora de deixar a filha no jardim de infância, Amy ficava se perguntando o que as pessoas fazem para conseguir se levantar e sair para trabalhar todo dia. Mas depois que o hábito de escrever no post-it passou a ser a *primeira* coisa relacionada a trabalho que ela fazia no dia, não havia mais tempo para pensar demais nem se distrair. Ela também fez um favor a si mesma ao projetar uma Etapa Inicial de forma ultrafocada. Porta do carro fecha. O mindset muda para "modo trabalho": estacione o carro, identifique a coisa mais importante a ser feita hoje e anote-a. *Finito.* (U-hu!) Aquilo se encaixou facilmente nas suas manhãs porque ela associou o hábito a algo que já fazia parte da sua rotina. Ela não precisava de um alarme nem de uma notificação na agenda para dizer a ela que tinha que levar Rachel para a escola, o que significava que não precisava de um lembrete artificial para escrever seu post-it. Amy projetou um prompt sólido, então o novo hábito se consolidou organicamente.

Amy ficou fascinada com a clareza que esse simples hábito passou a dar aos seus dias. Sim, era uma ação pequena, ela sabia, mas a sensação de estar focada e bem-sucedida se transformaram em ações muito maiores, num efeito cascata. Ela criou outros hábitos amparados no primeiro. Quando chegava em casa depois de deixar Rachel, Amy ia imediatamente para o escritório e colava o post-it na parede, acima da sua escrivaninha.

Alguns dias, Amy não executava sua tarefa mais importante, mas na maioria deles, sim. Uma onda de orgulho e realização a motivou a listar uma enxurrada de tarefas, e como seu Comportamento Especial tinha raízes fortes e já havia se transformado em hábito, Amy se tornou mais produtiva do que seria capaz de imaginar. Em algum momento ao longo do trajeto, seu medo começou a perder força. A certa altura, ela disse em voz alta para si mesma: "Uau, eu estou mesmo fazendo isso. Eu *consigo*."

E continuou a trilhar esse caminho.

O que havia começado com um post-it se transformou em uma avalanche de produtividade. Amy percebeu que tinha uma enorme paixão pelo trabalho e que desejava expandir seus negócios, deixando de ser um escritório-de-uma-mulher-só para se transformar numa agência de estratégia e de criação de conteúdo, com uma equipe de verdade. Uma vez que ela descobriu o prompt correto, ela rompeu seu bloqueio, e toda a ambição reprimida começou a borbulhar, conforme ela terminava de escrever seus projetos e aceitava propostas para novos projetos. Quando uma grande empresa do setor de saúde pediu que ela enviasse um orçamento para um projeto de um milhão de dólares, Amy não hesitou. Aquilo significaria contratar pessoas para ajudá-la, mas depois de meses de sucesso ela não duvidava de si mesma. Amy me disse mais tarde que o que fez com que ela ganhasse o projeto foi a autoconfiança que ela demonstrou na reunião de *pitch*.

Seis meses depois, Amy se divorciou. Também quadruplicou sua renda. O mais importante, ela havia conseguido a guarda dos filhos e dormia em paz à noite.

Um simples novo hábito pode conduzir a mais hábitos, que se espalham muito além do inicial. No caso de Amy, seu sucesso dependia de projetar o prompt correto. Se você está projetando um hábito a partir do zero ou tentando consolidar um hábito que teima em não se encaixar na rotina, você precisa descobrir um prompt que acione esse hábito sempre, e o Design de Comportamento oferece um sistema para encontrar a resposta certa para você.

Não deixe os prompts ao acaso!

A boa notícia é que você já tem muita experiência no design de prompts, mesmo que nunca tenha notado. Você já fez uma lista de afazeres. Você já pediu a alguém para lembrá-lo. Você já configurou uma notificação de agenda no seu e-mail de trabalho. Em todos esses casos, você estava criando um prompt para influenciar o seu comportamento.

Mas, com bastante frequência, os prompts que as pessoas acreditam que funcionam são mal projetados. Se você é o tipo de pessoa que aperta o botão "soneca" seis vezes antes de sair da cama, sabe do que eu estou falando. (Em alguns telefones, o botão "soneca" é maior e mais fácil de acionar do que o botão "desligar". Por incrível que pareça, a impressão é que o design nos conduz a dormir mais um pouco.)

Ao projetar prompts para nós mesmos, não funciona colocar mais um post-it em uma tela de computador já cheia de post-its. Escrever um lembrete na palma da mão pode não parecer lá muito profissional quando você está em uma reunião de negócios. De qualquer forma, há mais por trás dos motivos que levam alguns prompts a funcionarem e outros não. Caso contrário, todos nós seríamos Ninjas do Hábito.

Projetar prompts é uma habilidade que você pode aprender e praticar.

Uma abordagem sistemática dos prompts

Vamos analisar a que tipos de prompts podemos recorrer e como eles funcionam. Depois de aprendermos isso, podemos parar de deixar os prompts ao acaso ou nas mãos de outras pessoas e começar a cultivar nosso novo hábito em um solo fértil.

Para entender melhor como os prompts funcionam, podemos voltar novamente ao modelo de Pessoa PAC. Existem três tipos de prompts na vida: Prompts Pessoais, Prompts de Contexto e Prompts de Ação.

Vamos começar pelo Prompt Pessoal.

Esse tipo de prompt depende de algo pessoal para que você ponha um comportamento em prática. Os impulsos corporais básicos são os Prompts Pessoais mais naturais de que dispomos. Nossos corpos nos lembram de fazer coisas essenciais, como comer e dormir. Essa pressão na sua bexiga? Sim, isso é um prompt. Estômago roncando: prompt. Graças à evolução, esses prompts são bastante confiáveis para nos colocar em ação.

No entanto, se a sua sobrevivência não depende do comportamento que você quer pôr em prática, o Prompt Pessoal não é uma boa solução, porque nossas memórias são notoriamente falhas. Claro, algumas vezes você lembrou o aniversário da sua mãe como que por mágica, mas é provável que o número de vezes que esqueceu seja maior, se estava contando apenas com o Prompt Pessoal.

Alguns anos atrás, conheci um novo casal de vizinhos, Bob e Wanda. Ela era uma executiva aposentada da Intel, e ele havia trabalhado como engenheiro. Fiquei feliz quando eles nos convidaram para jantar. Respondi com um "sim" entusiasmado e prometi estar lá às seis da tarde em ponto, levando uma salada.

Duas semanas depois, meu telefone tocou às 18h42. Eu estava completamente imerso em um trabalho com prazo apertado e não identifiquei o número que estava ligando. Deixei a ligação cair na caixa postal, mas fiquei curioso e ouvi a mensagem na mesma hora. Assim que ouvi a voz de Wanda, fui inundado pelo arrependimento. "Oi, BJ. O macarrão está ficando frio e pegajoso. Eu mesma fiz do zero, então não vai durar muito. Estávamos esperando vocês às seis. Vocês vêm? Ou talvez a gente marque outra coisa. Tchau."

Isso mesmo. Eu estraguei tudo.

Liguei para Wanda e me desculpei profusamente. Fiquei mortificado. Aquela era uma péssima forma de dizer: "Bem-vindos à vizinhança!"

Não é dos melhores momentos da minha vida, mas serve como ótimo exemplo do motivo pelo qual você deve ser cauteloso com os Prompts Pessoais de forma geral, e deixá-los de lado quando estiver projetando um comportamento. Isso vale para ações isoladas, como ir a um jantar para o qual foi convidado, mas é ainda mais válido para comportamentos que quer que se transformem em hábitos. É pouco provável que confiar apenas em si mesmo para se lembrar todos os dias de pôr em prática um novo comportamento leve a mudanças verdadeiras. O mesmo vale quando você quer ajudar alguém a cultivar um hábito. Digamos que você queira que sua filha faça o dever de casa todas as noites, em vez de passar uma hora no telefone. Pedir para ela se lembrar de fazer isso não é a melhor estratégia, porque os Prompts Pessoais não são confiáveis.

Avançando para o Prompt de Contexto!

Esse prompt pode ser qualquer coisa no seu ambiente que o faz entrar em ação: post-its, notificações de aplicativos, o toque do seu telefone, um colega que lembra que você tem uma reunião.

Você pode aprender a projetar esses Prompts de Contexto de forma eficaz. Se eu tivesse criado um evento do jantar na minha agenda, com um lembrete pop-up, eu e o Denny teríamos tocado a campainha dos nossos vizinhos às seis em ponto com uma salada fresca nas mãos. Criar esse Prompt de Contexto levaria cerca de vinte segundos. Mas, se eu tivesse colocado "Ir ao jantar na casa de Wanda e Bob" na minha lista de tarefas, isso provavelmente teria dado errado, porque eu não olho para a minha lista de tarefas quando estou mergulhado em um projeto.

Projetar os Prompts de Contexto de forma eficaz é uma habilidade, e aprender essa habilidade requer prática.

Cerca de dez anos atrás, percebi que havia certos comportamentos que eu precisava executar apenas uma vez por semana: regar as plantas, pagar as contas e reiniciar meus computadores. Primeiro, tentei configurar alarmes no celular. Às dez da manhã de sábado, o alarme para regar as plantas tocava. Beleza. Mas, às vezes, eu estava no supermercado, então minha capacidade de realizar a tarefa era nula. Eu estava abaixo da Linha de Ação. Às vezes, um alarme tocava para me lembrar de uma tarefa que eu já tinha feito aquela semana, de modo que esse prompt me fazia perder tempo à toa.

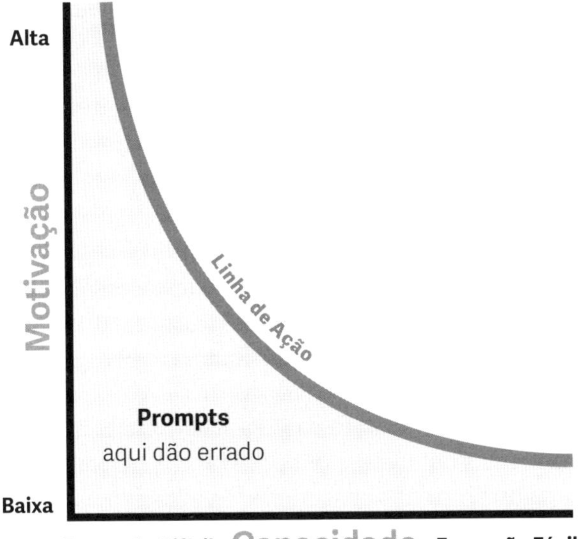

Busquei uma solução para esse problema e encontrei a resposta. Escrevi cada tarefa de fim de semana em uma etiqueta adesiva com metade do tamanho do post-it comum. Colei todos os pedacinhos em uma folha de papel plastificada com o título TAREFAS DE FIM DE SEMANA. Agora, minha rotina típica nas manhãs de sábado consiste em pegar a folha plastificada e colocá-la sobre a bancada da cozinha. Simples assim. Essa folha se tornou minha checklist para o fim de semana. À medida que executo cada tarefa, passo a etiqueta para o verso da folha, de modo que eu veja apenas as tarefas ainda não concluídas. No domingo, quando termino a última tarefa, viro a folha plastificada, passo o último adesivo para o verso (triunfantemente!) e guardo para o próximo fim de semana. Minha checklist de fim de semana foi um divisor de águas para mim. Finalmente consegui executar com assiduidade tarefas como limpar a geladeira e regar as plantas.

Há momentos em que você terá que projetar um Prompt de Contexto para si mesmo ou para outras pessoas. Esse tipo de prompt é mais adequado para um comportamento isolado (como marcar uma consulta médica), mas não é a forma ideal de criar um hábito. Quando dou aulas para grupos de inovadores, peço que compartilhem seus Prompts de Contexto mais eficazes. Alguns são comuns e óbvios. Outros são surpreendentes. Eis alguns deles.

- Colocar a aliança no dedo errado.
- Enviar uma mensagem de texto para si mesmo.
- Escrever com caneta hidrográfica no espelho do banheiro.

- Reorganizar os móveis para que algo fique visivelmente fora do lugar.
- Configurar um alarme no assistente de voz.
- Colocar um lembrete dentro da geladeira.
- Pedir ao seu filho para lembrar você.
- Colar um post-it na tela do celular.

Os Prompts de Contexto podem ser úteis e eficazes, mas às vezes também podem ser estressantes. Gerenciar nossos prompts de maneira eficaz é um dos maiores desafios da vida moderna. Quando você cria muitos Prompts de Contexto, eles acabam tendo o efeito oposto — você perde a sensibilidade e deixa de reagir ao prompt. Você passa a não escutar mais as notificações e a não perceber mais os post-its. É como morar próximo à linha do trem. No início, o barulho do trem é ensurdecedor, mas depois... De que trem você está falando?

Eu tenho um enorme quadro branco no meu escritório em casa, listando dezenas de tarefas separadas por projeto e identificadas por cores. É... bastante coisa. Para gerenciar essa avalanche visual e mental, uso um biombo para cobrir os prompts relacionados às tarefas que não estou fazendo, de modo a ver apenas os prompts relacionados ao que eu preciso fazer naquele dia. Aprendi que cobrir o restante me deixa mais calmo — e mais focado.

Se você criou um Prompt de Contexto que não está funcionando, não há nada de errado. Provavelmente não lhe falta motivação nem força de vontade. Faça um favor a si mesmo — não se culpe. Refaça o design do prompt. Descubra que tipo de prompt funciona para você.

No mundo de hoje, muitos dos nossos Prompts de Contexto são criados por outras pessoas ou empresas. Recebemos e-mails nos pedindo favores. Nosso relógio de pulso digital nos diz para acordar. Um pontinho vermelho surge sobre o ícone do aplicativo quando recebemos uma nova mensagem.

Os prompts clássicos que conhecemos há muitos anos são relativamente fáceis de gerenciar: movemos o spam para a lixeira e solicitamos que nosso e-mail seja excluído do mailing. Trocamos de canal durante os comerciais. Penduramos um aviso de NÃO PERTURBE na maçaneta do escritório.

No entanto, os prompts provenientes da tecnologia digital são mais difíceis de gerenciar. O LinkedIn investiu bastante tempo e dinheiro para lhe informar que 233 pessoas acessaram o seu perfil esta semana, e que você deve clicar para saber quem são. Você quer excluir esse prompt? Talvez sim. Talvez não. Afinal de contas, você é curioso, e receber atenção é sempre bom. Já o spam é uma questão mais clara. Ele não para de roubar nosso tempo todos os dias.

Talvez não haja uma forma perfeita — exceto ficar totalmente offline — de eliminar prompts indesejados de empresas com modelos de negócios que dependem de nós para clicar, ler, assistir, avaliar, compartilhar ou reagir. Essa é uma questão complicada, que coloca nossas fragilidades humanas frente a frente com programadores brilhantes e poderosos algoritmos.

Dito isto, você pode encontrar maneiras de suavizar seus Prompts de Contexto. Peço encarecidamente que faça um pouco de esforço agora para ganhar tempo e energia mais adiante. Às vezes é simples e rápido. Recentemente, um inovador me enviou uma mensagem de texto pedindo um favor profissional: ele queria que eu fizesse uma apresentação para a sua equipe. Gostei da proposta dele e sabia que provavelmente diria sim. Mas ele fez o pedido usando o canal errado. Eu mandei uma mensagem de volta para ele: "Olá! Quero te responder, mas me envie esse pedido por e-mail. (Uso mensagens de texto apenas para familiares e amigos.) Obrigado!" Na manhã seguinte, vi seu e-mail: "Desculpe. Vou usar o e-mail a partir de agora." Em cerca de trinta segundos, evitei que dezenas de prompts piscassem no meu celular no futuro, o que me interromperia e me distrairia.

É possível que jamais tenhamos pleno controle sobre a forma como as empresas nos enviam prompts, ou como colegas de trabalho e outros seres humanos bem-intencionados nos enviam o que quer que seja. Os Prompts de Contexto vieram para ficar. Mas, quando se trata de projetar prompts para nós mesmos e para os outros, existe uma alternativa melhor do que os Prompts de Contexto.

O terceiro tipo de prompt — e o meu favorito — é o que eu chamo de Prompt de Ação.

Um Prompt de Ação é *um comportamento que você já pratica* e que pode lembrá-lo de adotar um novo hábito que deseja cultivar. Este é um tipo especial de prompt.

O Prompt de Ação é uma maneira de hackear seu comportamento com o método Micro-hábitos.

Por exemplo, seu hábito já existente de escovar os dentes pode servir como prompt para passar fio dental, que é um novo hábito. Ligar a cafeteira pode ser um prompt para você adotar um novo hábito, como fazer alongamento na bancada da cozinha.

Você já tem muitos hábitos regulares em sua rotina, e cada um deles pode servir como Prompt de Ação para um novo hábito. Você coloca os pés no chão ao sair da cama. Você ferve a água para fazer chá ou liga a cafeteira. Você dá a descarga no vaso sanitário. Você deixa seu filho na escola. Você tira o casaco quando chega em casa no final do dia. Você põe a cabeça no travesseiro todas as noites.

Essas ações já estão incorporadas à sua vida de maneira tão espontânea e natural que você não precisa pensar nelas. Por isso, elas servem como prompts fantásticos. É uma solução com um design elegante, porque é extremamente natural. Você já tem um ecossistema inteiro de rotinas funcionando muito bem — basta mergulhar de cabeça nele.

Os Prompts de Ação são tão mais úteis do que os Prompts Pessoais e os de Contexto que criei um apelido para eles: Âncoras. Ao falar sobre Micro-hábitos, eu uso o termo Âncora para descrever algo em sua vida que já é estável e sólido. O conceito é muito simples. Se tem um hábito que você deseja adotar, encontre a Âncora certa em sua rotina atual para servir como prompt, como lembrete. Escolhi o termo "Âncora" porque está associando o seu novo hábito a algo sólido e confiável.

Usar Âncoras para me lembrar de pôr em prática um novo hábito foi uma ideia que me veio de repente, muitos anos atrás, quando eu estava saindo do chuveiro. (É claro que já ouvi falar de pessoas que têm ideias incríveis *durante* o banho, mas sou a única pessoa que conheço que teve uma ideia *depois* dele. O que você vai ver adiante combina perfeitamente com isso.) Uma noite, depois de tomar banho, sem estar pensando em nada em particular, eu saí, me sequei, me enrolei na toalha e fui para o quarto. Quando eu estava abrindo minha gaveta de cuecas, me veio o insight. *A chave é o "depois"*.

Eu presumo que meu cérebro tenha notado esse padrão: depois de um banho, eu *sempre* me seco. Depois de me secar, eu *sempre* vou para o quarto. Depois de ir para o quarto, eu *sempre* abro minha gaveta de cuecas. Assim — *a-há!* —, para criar um novo hábito, você precisa descobrir um comportamento, e encaixar o novo hábito depois dele. Por exemplo, se eu quiser começar a passar fio dental sempre *depois* de escovar os dentes, então escovar os dentes é um prompt perfeito para o meu novo hábito de usar fio dental.

Com minha gaveta de cuecas ainda aberta, percebi que tinha encontrado a resposta que procurava: o sequenciamento de comportamentos. Você precisa apenas determinar o que vem depois do quê. *Eureca!*

Hoje, enxergo isso de forma semelhante a escrever um programa de computador. Se você programou o algoritmo da forma correta — comportamento X, depois comportamento Y, depois comportamento Z, aí *bum* —, o resultado será confiável.

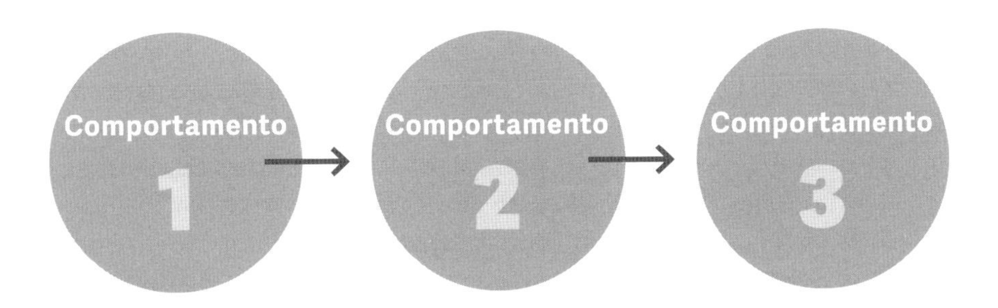

Os comportamentos ocorrem em sequência: um leva a outro.

Um *hábito* consolidado. Você só precisa "programar" as coisas corretamente, colocando-as na ordem certa.

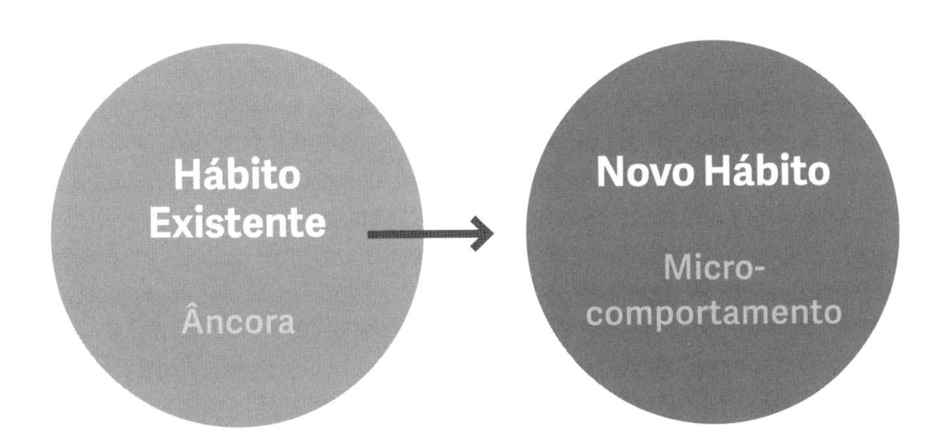

Você projeta a sequência para um novo hábito.

Quando abri a gaveta de cuecas, me dei conta de que já havia muitas coisas que eu fazia todos os dias. Se eu pudesse inserir meus novos comportamentos entre os hábitos já existentes, eles se encaixariam na minha rotina sem muito esforço. E não há limites — você pode continuar adotando novos hábitos, desde que os ancore aos que já existem. Esse método evita as armadilhas do Prompt Pessoal e do Prompt de Contexto, porque você não depende de si mesmo nem de outras pessoas para lembrá-lo. Você não recebe uma enxurrada de prompts. Em vez disso, sua própria rotina é o prompt. Mais fácil do que isso, impossível.

Eu comecei a experimentar na mesma hora. Peguei um dos comportamentos mais básicos e regulares dos seres humanos — ir ao banheiro — e usei-o como estímulo para um novo hábito: fazer flexões. Defini que, depois de dar a descarga, eu faria duas flexões. Isso pode parecer esquisito, mas na época eu trabalhava em casa a maior parte do tempo, então era um pouco menos esquisito. Não demorou muito para que esse hábito se consolidasse. Foi como juntar as peças de um quebra-cabeças. Fazer flexões depois do xixi logo se tornou algo que eu colocava em prática algumas vezes por dia. Fiquei mais forte bem rápido, o que também me ajudou a aumentar a meta e fazer mais flexões. Sete anos depois, eu ainda mantenho esse hábito. Alguns dias acabo fazendo cinquenta flexões ou mais (dependendo da quantidade de água que bebo!), mas, quando estou em casa, sempre faço pelo menos duas depois de fazer xixi. Essa é a minha Receita de Micro-hábito: *Depois de fazer xixi, eu vou fazer duas flexões.*

Minha Receita — Método Micro-hábitos

Depois de...

fazer xixi

Eu vou...

fazer duas flexões.

Para consolidar esse hábito em minha mente, eu vou imediatamente:

Momento Âncora

Um hábito já existente na sua rotina que lembra você de pôr em prática o Micro-hábito (seu novo hábito).

Micro-hábito

O novo hábito que você quer adotar, mas reduzido, para ficar bem simples — e bem fácil de fazer.

O uso de Âncoras é uma ótima maneira de projetar prompts, porque qualquer um é capaz de aplicar esse método. Não precisa de relógios caros nem de aplicativos sofisticados para adotar novos hábitos. Você pode fazer isso sozinho, com mais eficiência, e vai descobrir o quão transformador pode ser um simples truque de design. O poder do *depois* não é mágica; ele é mais próximo da química. Combine os comportamentos certos na sequência correta e, *puf*, um novo hábito foi criado.

A receita de Micro-hábitos

Nesse ponto do processo de design de Micro-hábitos, você já identificou pelo menos um novo hábito que deseja em sua vida. Você já o ajustou, já reduziu o comportamento para facilitar sua execução, e agora vai acrescentar um prompt. Quando chegar ao final deste capítulo, você vai saber tudo de que precisa para criar uma Receita de Micro-hábitos completa, que é mais ou menos assim.

Depois de (ÂNCORA), eu vou (NOVO HÁBITO).

- *Depois de dar a descarga, eu vou fazer duas flexões.*
- *Depois de estacionar o carro, eu vou escrever a tarefa mais importante do dia.*
- *Depois de escovar os dentes, eu vou usar fio dental.*

Encontrar a sequência correta e ajustá-la aos seus novos hábitos requer algumas adaptações, mas isso é bem simples. Se você quiser dar uma olhada numa lista com muitos exemplos de receitas, confira o apêndice, no qual eu compartilhei trezentas receitas de Micro-hábitos.

Encontre suas Âncoras

Sua Âncora deve ser algo constante em sua rotina. Alguns de nós levam vidas muito bem organizadas, com uma rotina que se repete regularmente. Outros têm vidas mais imprevisíveis. Não importa o quão aleatório o seu dia possa parecer, garanto que você já tem comportamentos que ocorrem de maneira consistente o bastante para serem usados como Âncoras. Na pesquisa que fiz alguns anos antes de criar o método Micro-hábitos, descobri que as pessoas em geral têm uma rotina mais certinha na parte da manhã. Isso faz com que as manhãs sejam terreno fértil para o cultivo de novos hábitos.

As pessoas relataram que, conforme o dia avançava, a rotina pode facilmente sair dos trilhos. E quando uma atividade sai dos trilhos, outras atividades seguem: por causa de uma reunião que terminou tarde, você se atrasa para buscar o seu filho na creche. Você pede uma pizza em vez de fazer o jantar, porque chegou em casa tarde e exausto depois de um dia difícil. Imprevistos acontecem.

Portanto, a manhã talvez seja nosso horário mais previsível, mas há muito que também pode ser feito à tarde e à noite. Aqui vão alguns exemplos de Âncoras comuns em diferentes momentos do dia.

Atividades matinais

- Depois de botar os pés no chão, eu vou...
- Depois de me sentar na cama, eu vou...
- Depois de desligar o alarme, eu vou...
- Depois de fazer xixi, eu vou...
- Depois de dar a descarga, eu vou...
- Depois de ligar o chuveiro, eu vou...
- Depois de escovar os dentes, eu vou...
- Depois de pentear o cabelo, eu vou...
- Depois de arrumar a cama, eu vou...
- Depois de amarrar os sapatos, eu vou...
- Depois de ligar a cafeteira, eu vou...
- Depois de servir minha xícara de café, eu vou...
- Depois de colocar meu prato na lava-louças, eu vou...
- Depois de dar ração para o cachorro, eu vou...
- Depois de colocar a chave na ignição do carro, eu vou...

Atividades da tarde (ou a qualquer momento)

- Depois que o meu telefone tocar, eu vou...
- Depois de desligar o telefone, eu vou...
- Depois de tomar uma xícara de café, eu vou...

- Depois de ler todos os e-mails, eu vou...
- Depois de usar o banheiro, eu vou...

Atividades noturnas

- Depois de chegar em casa, eu vou...
- Depois de pendurar a chave, eu vou...
- Depois de largar a bolsa, eu vou...
- Depois de pendurar a coleira do cachorro, eu vou...
- Depois que eu sentar para jantar, eu vou...
- Depois de colocar meu prato na lava-louças, eu vou...
- Depois de ligar a lava-louças, eu vou...
- Depois de desligar a TV, eu vou...
- Depois de colocar a cabeça no travesseiro, eu vou...

Você pode conferir mais exemplos de Âncoras no apêndice, no qual listo trezentos exemplos de receitas de Micro-hábitos.

Você vai notar que todos esses exemplos se referem a atividades específicas. Uma Âncora imprecisa ("depois do jantar" ou "sempre que me sentir estressado") não funciona. Torne-as precisas. Uma boa maneira de pensar em Âncoras é chamá-las de Momentos Âncora, o que sugere que elas ocorrem em um momento específico.

Agora que você pescou a essência, faça uma lista de Âncoras exclusivamente suas, usando o exercício no final deste capítulo.

Depois que você tiver uma coleção de Âncoras entre as quais possa escolher, analise atentamente os novos hábitos que deseja cultivar, a fim de associar o seu novo hábito à Âncora ideal.

EM QUE MOMENTO DO MEU DIA ESSE NOVO HÁBITO SE ENCAIXA DE FORMA MAIS NATURAL?

Depois de ensinar a milhares de pessoas como encontrar boas Âncoras para seus novos hábitos, aprendi que você precisa levar três coisas em consideração.

Ajustar a localização geográfica

Primeiro, observe a localização geográfica do seu novo hábito. Encontre uma Âncora que você já tenha nesse mesmo local. Se o novo hábito que você deseja adotar é limpar a mesa da cozinha, procure uma atividade já existente nesse cômodo. Essa pode ser sua Âncora. É melhor evitar que a Âncora esteja em um lugar e o novo hábito em outro. Minha pesquisa mostra que isso raramente funciona. A localização é o fator mais importante quando você associa Âncoras a novos hábitos.

Ajustar a frequência

Em seguida, ao examinar sua rotina, determine a frequência com que você deseja adotar seu novo hábito. Se você quiser fazê-lo uma vez por dia, observe a sequência e coloque-o depois de uma Âncora que acontece uma vez por dia. Se você quiser pôr seu novo hábito em prática quatro vezes ao dia, coloque-o depois de uma Âncora que acontece quatro vezes ao dia. Eu queria fazer flexões durante o dia inteiro, portanto colocar esse hábito depois de fazer xixi era uma boa solução, ainda que peculiar.

Ajustar o tema/objetivo

Por fim — e esse ponto é menos vital do que os dois anteriores —, as melhores Âncoras terão o mesmo tema ou objetivo que o novo hábito. Se você vê o café e a injeção de ânimo que ele provoca como uma forma de ser mais produtivo, isso pode ser uma boa Âncora para um novo hábito de abrir o aplicativo com sua lista de tarefas. No entanto, se o seu café da manhã é mais um momento de relaxar e tirar um "tempo para si mesmo", o aplicativo de tarefas não é um bom ajuste temático. Em vez disso, você pode criar esta receita: "Depois de servir meu café, vou abrir meu diário."

Você se lembra da Sarika, do capítulo anterior? Um dos primeiros hábitos que ela incorporou à sua nova rotina matinal foi beber um copo de água antes do chá ou do café. A Âncora que ela encontrou que melhor funcionou foi: "Depois que eu regar a planta-jade do meu banheiro, vou tomar um gole de água." Quando perguntei a ela por que funcionava tão bem, ela me respondeu que pensava em ambas as ações como nutritivas. Ao regar a planta, estava dando à planta o que era necessário para ela prosperar, e, ao "regar a si mesma", estava se dando algo de que precisava para prosperar. O tema aqui era um ato de cuidado, o que tornou mais fácil que ela se lembrasse dele. Os hábitos se encaixaram tão bem que passou a ser difícil separar um do outro.

Mas é quase certo que uma receita como *Depois de escovar os dentes, eu vou varrer a garagem* não terá êxito em criar um hábito, porque nem a localização, nem a frequência, nem o tema se ajustam. Se você quiser varrer a garagem todo sábado, encontre uma atividade já existente que você faz aos sábados, em casa (e, de preferência, na garagem), para usar como Âncora.

Quando for projetar seu novo hábito, não se preocupe demais em criar a receita perfeita. Se ela não ficar do seu agrado, mude. Essa é uma das razões pelas quais batizei esse formato de "receita". Você deve se sentir à vontade para modificar suas criações, sejam elas Âncoras e novos hábitos ou um ensopado de batata.

Criei um modelo para ajudá-lo a criar receitas do método Micro-hábitos. Você pode usar uma ficha de 7 cm x 12 cm, pautada ou em branco. Ou você pode entrar na internet e usar o meu modelo. De um jeito ou de outro, pense nessa ficha de receita como parte de uma coleção de Receitas de Hábitos que você vai começar a montar. Talvez você guarde as fichas em uma caixa de receitas. Assim, ficará mais fácil revisar os hábitos que você está adotando. E você poderá revisar o quanto for necessário, riscando e reescrevendo uma nova versão diretamente na ficha.

Minha Receita — Método Micro-hábitos

Depois de...	Eu vou...	Para consolidar o hábito em minha mente, eu vou imediatamente:
______________	______________	______________
______________	______________	______________
______________	______________	______________
Momento Âncora	**Micro-hábito**	**Comemoração**
Um hábito já existente na sua rotina que lembra você de pôr em prática o Micro-hábito (seu novo hábito).	O novo hábito que você quer adotar, mas reduzido, para ficar bem simples — bem fácil de fazer.	Algo que você faz para criar um sentimento positivo (o sentimento é chamado de Brilho).

Experimentar é bom

A essa altura, você já tem o que é necessário para começar a experimentar seus novos Micro-hábitos. Como nossas vidas são complexas e únicas, naturalmente serão necessários ajustes. Para alguns hábitos, o momento será óbvio — que melhor hora para usar fio dental do que depois de escovar os dentes, certo? —, enquanto outros podem exigir um pouco mais de tempo para entrar em sincronia. Nos primeiros dias, ou até semanas, de experimentação, seus novos hábitos podem mudar bastante, e isso é mais do que bom; é ótimo. Significa que você está aprimorando suas habilidades e aprendendo mais sobre a associação de Âncoras a Micro-comportamentos.

Se um hábito não se encaixa com naturalidade a uma Âncora, você pode se sentir impelido a substituí-lo por um hábito diferente que pareça se ajustar melhor. O momento em que minha cabeça toca no travesseiro me parecia uma boa hora para eu respirar três vezes com atenção plena, então tentei. Funcionou, mas eu não sentia que estava fazendo o suficiente por mim. Não foi um encaixe natural e, às vezes, parecia inútil. Em vez de ficar deprimido, fiquei curioso. O que mais eu poderia fazer? Eu queria praticar a gratidão, então, depois que minha cabeça tocava o travesseiro, eu pensava em algo que tinha acontecido naquele dia e pela qual eu tinha ficado grato. Quando fiz isso pela primeira vez, fiquei com uma leve sensação de felicidade que me dizia que eu havia encontrado o ponto certo.

Ao experimentar com hábitos em processo de formação, aprimoramos nossas habilidades. Com a prática, você aprende a usar esses princípios de forma cada vez melhor para criar micro-hábitos que vão ajudá-lo a alcançar suas aspirações. Muitas vezes, a habilidade de que você precisa é saber encontrar uma boa Âncora e associá-la ao Microcomportamento certo. Em seguida, você pode pensar num design eficiente para realizar mudanças no seu dia a dia.

Há alguns anos, eu estava em um restaurante sensacional, mas não consegui terminar meu prato, que era delicioso. Não era a primeira vez que aquilo acontecia. Eu sabia qual era o problema: tinha comido muito pão antes do prato principal. Quando os garçons levam pão quentinho à mesa, é muito tentador, mas comer o pão me levava a comer em excesso mais tarde ou a não desfrutar totalmente do prato principal. Ambos eram problemas que eu queria resolver. Então, recorri ao método Micro-hábitos em busca de solução, e encontrei uma que funcionou para mim.

Criei uma receita que era a seguinte: *Depois que o garçom me oferecer pão, eu vou dizer: "Não, obrigado."* E essa simples frase me proporcionou imediatamente os resultados que eu queria. Já não me entupo de pão e desfruto melhor dos pratos. Sim, tive que praticar um pouco esse novo hábito até consolidá-lo — e contornar as reações das demais pessoas à mesa —, mas dizer essa frase agora é algo automático.

Uma pequena frase no momento certo, e eu consigo me manter dentro do planejado.

Minha Receita — Método Micro-hábitos

Depois de...	Eu vou...	Para consolidar o hábito em minha mente, eu vou imediatamente:
ouvir o garçom oferecer pão	dizer "não obrigado".	☺
Momento Âncora	**Micro-hábito**	**Comemoração**
Um hábito já existente na sua rotina que lembra você de pôr em prática o Micro-hábito (seu novo hábito).	O novo hábito que você quer adotar, mas reduzido, para ficar bem simples — bem fácil de fazer.	Algo que você faz para criar um sentimento positivo (o sentimento é chamado de Brilho).

Refine sua Âncora usando a Borda de Fuga

Vale a pena insistir na importância de escolher uma atividade específica em sua rotina — o momento Âncora. Usar a Âncora "depois de fazer xixi" me levou a fazer duas flexões. Eu não precisava ser mais específico do que isso. Mas, se não tivesse funcionado, eu poderia ter observado a Âncora com um pouco mais de atenção até encontrar um momento específico que eu chamo de Borda de Fuga. Você procura a última ação que realiza em um comportamento. A última ação de fazer xixi, pelo menos para mim, é dar a descarga. Assim, pude refinar minha receita para *Depois de dar a descarga, vou fazer duas flexões.*

Para encontrar a Borda de Fuga, observamos a Âncora como se com microscópio, para entender qual é o final da ação. Isso é particularmente importante para Âncoras que parecem confusas. A seguir, dou alguns exemplos de como ser mais específico e aumentar a probabilidade de sucesso usando a Borda de Fuga em sua receita.

A Âncora confusa "Depois de tomar café da manhã" fica melhor quando você se concentra na Borda de Fuga "Depois de ligar a lava-louças". A Âncora confusa "Depois de chegar em casa do trabalho" fica melhor quando escrita de outra forma: "Depois de tirar a mochila das costas."

Uma Praticante (alguém que pratica Micro-hábitos) que foi minha aluna estava tentando criar o hábito de limpar a bancada da cozinha. Elena criou uma receita com o que parecia ser uma Âncora específica: *Depois de colocar a louça do café da manhã na pia, vou limpar a bancada.*

Essa receita parece boa, certo?

Exceto pelo fato de que não funcionou. O hábito de limpar a bancada não se consolidou. Elena resolveu o problema encontrando a Borda de Fuga. Ela percebeu que a última ação de "Colocar a louça do café da manhã na pia" era fechar a torneira depois de lavar a tigela de cereal. Então, fechar a torneira era o desfecho da Âncora. Dessa forma, a versão ajustada da sua Receita de Hábito virou: *Depois de fechar a torneira, vou limpar a bancada.*

Adivinha o que aconteceu? Sucesso.

Bastou encontrar a Borda de Fuga para encaixar seu novo hábito no lugar certo. A sensação de fechar a torneira e o som da água parando abruptamente eram os estímulos sensoriais que fizeram o prompt ser mais concreto e perceptível. Embora limpar uma bancada pareça uma coisa simples, Elena me disse que era realmente um grande ponto de tensão entre ela e o marido todas as manhãs. (Uma bancada cheia de migalhas era a coisa que mais o incomodava na vida.) Ao incorporar esse único hábito à sua rotina, ela mudou o clima das manhãs do casal.

Abaixo, listo alguns outros exemplos de Âncoras confusas, e ao lado, versões revisadas usando Bordas de Fuga mais específicos.

Âncora confusa	**Borda de Fuga da Âncora**
Escovar os dentes	Colocar a escova de dentes de volta no lugar
Servir o café/ chá	Colocar a garrafa térmica na mesa
Tomar banho	Pendurar a toalha depois do banho
Fazer a barba	Colocar o barbeador de volta no carregador
Chegar ao trabalho	Tirar a mochila das costas no trabalho
Pentear/escovar o cabelo	Colocar o pente de volta na bancada

Grande Jogada: comece pelas Âncoras

Pronto para uma reviravolta?

Você pode criar receitas bem-sucedidas do método Micro-hábitos *começando* pela Âncora. É basicamente um giro de 180 graus em relação ao que vínhamos fazendo. Em vez de partir de um hábito que você deseja ter e encontrar um lugar para ele, comece pelas atividades que você já realiza e encontre novos hábitos para associar a elas. Se você esvazia a lava-louças assiduamente todas as manhãs, que novo hábito poderia encaixar logo a seguir? Dobrar os panos de prato ou arrumar a bancada? Depois de colocar o cinto de segurança, que novo hábito você pode encaixar a seguir? Talvez você possa respirar fundo para relaxar. Vamos supor que você sempre leva uma caneca de café para sua mesa de trabalho. Que novo hábito se encaixaria logo após essa atividade regular? Talvez seja examinar sua lista de tarefas.

Observando as atividades que já fazem parte da sua rotina — suas Âncoras —, você é capaz de descobrir que novo microcomportamento pode ser encaixado depois delas. Algumas pessoas usam essa abordagem como uma técnica avançada — algo a ser testado quando já criaram um monte de novos hábitos, mas querem incluir ainda mais oportunidades no dia a dia. Outros podem começar por essa abordagem. De um jeito ou de outro, você tem mais de uma estratégia à disposição quando se trata de criar receitas de Micro-hábitos.

Hábitos de Meio-tempo

Ao examinar cuidadosamente seus hábitos já existentes, você encontrará pequenos intervalos livres, que são os pontos ideais para cultivar um novo hábito. Quando ligo o chuveiro, a água ainda está fria. Eu não gosto de banho frio, então minha rotina típica consiste em esperar até a água esquentar, o que leva cerca de vinte segundos. Esse período de espera gera uma oportunidade: *Depois de ligar o chuveiro (e enquanto isso), eu vou...*

Eu chamo esse tipo de hábito de Hábito de Meio-tempo.

Enquanto espero a água esquentar, penso em uma coisa sobre o meu corpo pela qual sou grato. Procuro algo novo para apreciar todos os dias, desde a flexibilidade dos meus ombros até a capacidade de cicatrizar um arranhão.

Todos nós temos esses pequenos intervalos: depois de parar no sinal vermelho, depois de entrar na fila do supermercado, depois de começar a regar as plantas na varanda. Nós temos escolha. Podemos ficar entediados ou distraídos nesses momentos, ou podemos usar esses intervalos como Âncoras para novos hábitos.

Esses novos hábitos começarão pequenos e permanecerão pequenos — tenho vinte segundos para esperar pela água morna. Mas não subestime o poder dos Hábitos de Meio-tempo. Um microcomportamento executado de forma consistente pode fazer uma grande diferença. Ao encontrar uma nova maneira de apreciar seu corpo a cada dia, você provavelmente se sentirá mais motivado a cuidar melhor dessa criação magnífica que é o seu eu físico.

Apesar de a maioria dos Hábitos de Meio-tempo permanecerem pequenos, você pode encontrar intervalos maiores para hábitos que deseja cultivar. Brittany, uma mãe de cinco que trabalha fora, parecia ter sempre dez ou mais livros empilhados ao lado da cama. Ver essa pilha aumentar cada vez mais gerava estresse. Sendo coach certificada do método Micro-hábitos, ela havia desenvolvido um hábito sólido de ler à noite; no entanto, isso não tinha sido suficiente para tudo o que ela queria aprender. Brittany procurou um ponto em sua rotina no qual os audiolivros se encaixassem naturalmente. Após algumas tentativas, ela criou um Hábito de Meio-tempo com a receita: "Depois de afivelar o cinto de segurança, vou dar *play* em um audiolivro." Então, agora, enquanto ela dirige até o trabalho, ela ouve audiolivros. Vários deles. Graças a seu Hábito de Meio-tempo, Brittany ouve pelo menos cinco audiolivros por mês, e a pilha de leitura ao lado da cama não é mais uma fonte de estresse.

Os melhores prompts para seus clientes

Não importa se você está desenvolvendo um aplicativo, pedindo doações, ou ajudando as pessoas a tomarem suplementos de magnésio, um prompt bem projetado é vital para a maioria das empresas. Na verdade, é difícil pensar em qualquer produto ou serviço que não dependa de um chamado à ação. Ausência de prompt significa ausência de ação. Para que seu produto ou serviço tenham sucesso, você precisa descobrir o que vai motivar seu cliente no momento certo.

No atual mundo de aplicativos, e-mail e mídias sociais, somos bombardeados com Prompts de Contexto de empresas. Além disso, ainda recebemos mala direta e telefonemas projetados para servir de prompt. Isso não é nenhuma novidade. Mas farei agora uma previsão que será inédita para muita gente. Eu prevejo que os Prompts de Contexto vão se tornar cada vez menos eficazes ao longo do tempo. As empresas pagarão mais para aparecerem diante de clientes, mas receberão muito menos em troca. Por quê? No futuro, os Prompts de Contexto não alcançarão os clientes no momento certo, ou serão filtrados e passarão despercebidos. E se por acaso os Prompts de Contexto conseguirem alcançar as pessoas, elas poderão ignorá-los cada vez mais, da mesma forma que pulávamos os comerciais quando assistíamos a um programa de televisão gravado no videocassete. ("O que é videocassete?", meus alunos costumam perguntar.)

Para que sua empresa tenha sucesso, eu prevejo que você precisará encontrar uma forma melhor de abordar seus clientes, pois os Prompts de Contexto estão perdendo a eficácia. A boa notícia é que existem os Prompts de Ação. Hoje em dia as empresas raramente os empregam, mas acredito que serão o "padrão-ouro" no futuro. Muitos produtos e serviços serão bem-sucedidos se ajudarem os clientes a criarem seus Prompts de Ação. Veja como isso pode funcionar.

Suponha que sua empresa precisa que os pacientes meçam a própria pressão arterial uma vez ao dia. No passado, você confiou nos Prompts Pessoais — os próprios pacientes se lembravam de fazer isso todos os dias —, e descobriu que isso não dava muito certo. Então, você começou a usar Prompts de Contexto: enviava mensagens de texto, um aplicativo exibia um lembrete chamativo, ou pedia às enfermeiras que ligassem para a casa dos pacientes. Mas eles foram perdendo força ao longo do tempo, porque seus pacientes passaram a ser bombardeados com outros diversos prompts. Em vez de reforçar os Prompts de Contexto, você recorre aos Prompts de Ação.

Para descobrir bons Prompts de Ação, comece pesquisando um pouco. Entre em contato com seus duzentos melhores pacientes, aqueles que medem e informam a pressão arterial com assiduidade. Pergunte a eles: "Em que momento da sua rotina diária você costuma medir sua pressão arterial?"

Analise suas respostas e busque tendências. Vamos supor que 26% dos pacientes tenham respondido que medem a pressão depois de sentarem para tomar café e ler o jornal de manhã. Outros 21% relatam que medem logo após colocar a ração para o animal de estimação. Mais 17% fazem a medição assim que começa o programa de TV matinal preferido. Mas os 36% restantes têm uma ampla variedade de respostas, sem uma tendência clara.

Agora você tem projeções sobre o que funciona com pessoas reais; tem dados sobre quais atividades podem servir de Âncora para o hábito de medir a pressão arterial. Para tentar aumentar a adesão, explique que a maioria dos pacientes bem-sucedidos praticam esse hábito diário em uma de três ocasiões possíveis.

Pergunte a eles: "Qual desses momentos funcionaria melhor para você?"

Dessa forma, você ajuda seus pacientes a descobrirem onde o novo hábito pode se encaixar na rotina deles com naturalidade.

Isso personaliza o prompt da rotina de cada pessoa. Você não depende que os próprios pacientes se lembrem de medir a pressão arterial. Você não enche a paciência deles com lembretes. E não fica torcendo para que eles descubram por conta própria como serem mais assíduos. Você usa o Design de Comportamento e o poder dos Prompts de Ação para ajudar seus pacientes a serem bem-sucedidos.

O cenário que descrevi pode parecer estranho hoje, mas prevejo que se tornará corriqueiro, e mesmo essencial, no futuro. As empresas que ajudam os clientes a criarem hábitos terão uma enorme vantagem sobre as outras.

Hábitos Pérola — transformando problemas em beleza

Quando você aprende a fazer e refazer o design de seus prompts, está abrindo a porta para novas formas de lidar com situações que, de outra forma, seriam problemáticas.

Dormir bem tem sido um desafio para mim nas últimas décadas. Há muito tempo sei o quanto a qualidade do sono é importante, mas provavelmente essa é a minha principal questão de saúde. Eu sabia que o barulho no meu quarto estava me fazendo acordar no meio da noite, porque o termostato do ar-condicionado fazia um clique toda vez que o aparelho ligava e desligava. Eu cheguei a planejar a instalação de um termostato *high-tech*, mas encontrei uma solução mais rápida e simples. Uma noite, quando estava acordado já esperando pelo próximo clique, decidi transformar esse barulho em uma Âncora para relaxar meu rosto e pescoço. Dessa forma, minha receita foi: *Depois de ouvir o clique, vou relaxar o rosto e o pescoço.*

Minha Receita — Método Micro-hábitos

Depois de...	Eu vou...	Para consolidar o hábito em minha mente, eu vou imediatamente:
ouvir o clique do ar-condicionado	relaxar o rosto e o pescoço	☺
Momento Âncora	**Micro-hábito**	**Comemoração**
Um hábito já existente na sua rotina que lembra você de pôr em prática o Micro-hábito (seu novo hábito).	O novo hábito que você quer adotar, mas reduzido, para ficar bem simples — bem fácil de fazer.	Algo que você faz para criar um sentimento positivo (o sentimento é chamado de Brilho).

A receita funcionou, e logo consolidei esse hábito. Quando ouço o clique, eu relaxo. Graças a esse resultado positivo eu me sinto feliz quando escuto o clique, porque ele me lembra de relaxar, então durmo melhor.

Eu chamo esses hábitos de Hábitos Pérola, porque eles usam prompts que de início eram um problema, mas que se transformaram em algo lindo.

Meu exemplo não é exatamente o mais incrível de todos, mas eu descobri há pouco tempo que minha amiga Amy fez algo semelhante, aproveitando o poder do depois de forma criativa e positiva.

Amy estava lidando com um problema muito mais complicado que o meu e criou um notável Hábito Pérola ao longo dessa trajetória.

Enquanto ela e o marido estavam se separando, a palavra "rancor" era usada por todo mundo, desde o advogado até o terapeuta indicado pelo juiz para avaliar as crianças. Mesmo depois de eles finalmente definirem a dinâmica da guarda, seu ex-marido ainda estava irritado com ela, e ela não estava muito feliz com ele também. Mas não tinham como evitar um ao outro.

Depois de alguns meses, Amy começou a notar um padrão. Ela tinha um encontro desagradável com o ex-marido, passava o dia inteiro relembrando esse momento, e se sentia chateada, com raiva ou culpada, repetidas vezes.

Então decidiu fazer alguma coisa.

Ela não tinha como controlar o que o ex-marido dizia nem a forma como as interações se desenrolaram. Os ataques verbais dele eram como a previsão do tempo — às vezes dava pra saber que tinha uma tempestade a caminho, às vezes surgiam do nada. A única coisa que *era* previsível era a forma como ela se sentia depois. Então foi isso que ela decidiu mudar. O objetivo dela era tirar o foco de seu marido. Usando o comportamento dele como prompt, Amy elaborou um plano: sempre que se sentisse derrotada ou atacada pelo ex, ela imediatamente decidiria fazer algo de bom para si mesma — ouvir o disco novo de sua banda favorita, ou o audiolivro que queria acabar de ouvir mas nunca tinha tempo. Às vezes, Amy dirigia direto para a Starbucks para tomar uma xícara de seu chá preferido. O que quer que ela escolhesse tinha que fazê-la sentir-se bem. Como Amy tinha muito pouco tempo para si mesma, ela percebeu que transformar seu novo comportamento em um hábito de "autocuidado" lhe dava uma dupla recompensa — ela recuperava um pouco de controle e fazia algo de bom por si mesma. *Depois de me sentir insultada, eu vou pensar em algo bom para fazer por mim mesma* foi sua Receita de Hábito vencedora.

Minha Receita — Método Micro-hábitos

Depois de...	Eu vou...	Para consolidar o hábito em minha mente, eu vou imediatamente:
me sentir insultada,	pensar em algo bom para fazer por mim mesma	
Momento Âncora	**Micro-hábito**	**Comemoração**
Um hábito já existente na sua rotina que lembra você de pôr em prática o Micro-hábito (seu novo hábito).	O novo hábito que você quer adotar, mas reduzido, para ficar bem simples — bem fácil de fazer.	Algo que você faz para criar um sentimento positivo (o sentimento é chamado de Brilho).

Funcionou perfeitamente. Em vez de insultá-lo de volta ou se sentir atacada, ela dizia a si mesma: *Ih, olha só, mais um insulto. Acho que é hora de assistir àquele filme que eu estava curiosa para ver*. Em vez de reagir, ela se despedia, voltava a cuidar da própria vida e formulava planos para a noite. Os dias dela não saíam mais dos eixos, ela não se pegava revivendo a conversa em sua cabeça, ela... deixava passar. Começou a ver os insultos dele como presentes inesperados. Afinal, foi *ele* que a estimulou a cuidar melhor de si mesma. Ela admite que essa é uma lógica engraçada, mas pensar em uma situação difícil da forma mais generosa possível a ajudou a superar o momento.

Num mundo ideal, Amy não teria alguém em sua vida que a fizesse se sentir daquela maneira. Mas nem sempre podemos eliminar todas as pessoas e situações tóxicas de nossas vidas. Às vezes, temos de aturar pessoas que nos tratam de forma injusta, nos irritam ou se comportam de forma inadequada. Mas podemos assumir o controle do nosso lado da equação. Foi o que Amy fez ao usar os prompts de maneira genial. Usar o comportamento de alguém como prompt para uma reação saudável, em vez de uma reação autodestrutiva, é uma ótima ideia que pode funcionar em todo tipo de situação em que nos sentimos impotentes. E Amy descobriu que o impacto positivo superou em muito sua expectativa inicial. Seus filhos, que às vezes eram pegos no fogo cruzado, pareciam ficar menos estressados com o dia de troca de casa. Ela também notou que sua calma recém-descoberta parecia contaminar o ex. Era como se ela tivesse esvaziado o tanque de raiva dele. Ele ainda fazia um ou outro comentário maldoso, mas seu coração não parecia mais tão amargo. Pela primeira vez em muito tempo, Amy ousou imaginar que um dia eles pudessem realmente ser amigos, ou pelo menos tratar um ao outro com cordialidade. Aquela mudança repercutiu nele, e não demorou muito para que ele cortasse os insultos por completo. Amy lembra que ele até contou uma piada certo dia, quando ela foi deixar os filhos. Eles riram juntos pela primeira vez em mais de dois anos. Parecia mentira. Eles alcançaram uma espécie de trégua tácita que, apenas um ano antes, parecia impossível.

Quando liguei para ela há pouco tempo para pedir sua ajuda em um projeto, ela me disse que ela e o ex-marido haviam acabado de organizar em conjunto a festa de formatura da filha mais nova. Eu disse a ela que isso era ótimo, mas também um pouco surpreendente. Ela riu e disse: "Confie em mim, BJ, ninguém está mais chocado do que nós dois." Perguntei como ela achava que aquilo havia acontecido, e ela me disse que tinha a ver com compaixão. Ao usar o comportamento negativo dele para estimular um comportamento positivo da parte dela, ela se tornou mais feliz e mais capaz de demonstrar compaixão. Quando ela saiu daquele lugar de vergonha e desânimo, foi capaz de pensar com mais clareza. Percebeu que seu ex não havia passado tanto tempo quanto ela desenvolvendo as habilidades para lidar bem com as pessoas. Durante o casamento, ela servia de anteparo para as alterações de humor dele. Portanto, ele teve que aprender tudo sozinho quando se divorciaram. Amy sabia que aquilo era difícil para ele e teve compaixão.

Como seres humanos, temos instintos que nos dizem como alguém se sente a respeito de nós, mesmo que esse sentimento não seja explícito. Amy acredita que o marido percebeu a mudança de atitude dela e a compaixão que havia por trás, e começou a fazer as próprias mudanças. Ela também me disse que isso tinha sido involuntário. Quando ela criou seu hábito de autocuidado, estava simplesmente tentando se proteger e mudar uma situação horrível.

É o que acontece quando você aprimora uma habilidade e se permite experimentá-la de novas e maravilhosas formas. Usar prompts para resolver problemas e influenciar o comportamento do marido foi uma solução única e criativa da parte de Amy. O que não é único na história de Amy é o efeito cascata que esse hábito positivo inicial teve sobre outras pessoas e sobre a própria vida dela.

O fato de ter repercutido de forma tão positiva é o segredo escondido que explica por que o método Micro-hábitos funciona tão bem: *A mudança é mais eficaz quando as pessoas se sentem bem, não quando se sentem mal.* Amy se preparou para o sucesso usando prompts para projetar mudanças. Essas mudanças deram certo porque a ajudaram a fazer o que ela já queria fazer. E o sucesso? Era muito bom. Portanto, ela continuou a correr atrás desse sentimento, e se sentiu cada vez mais confiante de que era capaz de trazer coisas boas para a própria vida se projetasse suas atitudes de acordo. Sua capacidade de tornar os comportamentos mais fáceis de pôr em prática e sua disposição de experimentar com os prompts aumentaram, o que fez com que novos hábitos se tornassem realidade. A espontaneidade desse processo aumentou sua motivação e a tornou mais propensa a experimentar coisas novas que antes pareciam difíceis.

Mas há mais uma razão para que Amy tenha tido tanto sucesso.

Ela deu mais um passo para sintonizar boas vibrações. Ela começou a criar emoções positivas, na mesma hora, usando uma técnica que havia aprendido com o método Micro-hábitos. Ela comemorava. E esse é o nosso próximo tópico.

No capítulo a seguir, vou compartilhar uma técnica para hackear seu cérebro e lhe dar o poder de criar hábitos de maneira rápida e fácil.

Micro-exercícios para encontrar prompts para seus novos hábitos

EXERCÍCIO 1: ENCONTRE SUAS ÂNCORAS

Uma lista de hábitos (ou atividades) que você faz todos os dias é um recurso valioso. Você pode usar qualquer hábito regular em sua rotina como um prompt — uma Âncora — para um novo hábito.

Divida um dia de trabalho em várias partes, seguindo as etapas abaixo, para ajudá-lo a criar uma lista.

Etapa 1: Liste todos os hábitos diários que você faz de manhã, antes de chegar ao trabalho.

Etapa 2: Liste todos os hábitos diários que você faz antes do almoço.

Etapa 3: Liste todos os hábitos diários que você faz durante o almoço.

Etapa 4: Liste todos os hábitos diários que você faz logo após o almoço. (Se você é como a maioria das pessoas, pode ser que não tenha muitos hábitos regulares à tarde. Tudo bem.)

Etapa 5: Liste todos os hábitos diários que você faz para encerrar seu dia de trabalho. (Pode ser que você tenha poucos desses, mas eles são excelentes Âncoras para novos hábitos.)

Etapa 6: Liste todos os hábitos diários que você faz depois que sai do trabalho (incluindo os que faz depois chegar em casa).

Etapa 7: Liste todos os hábitos diários que você faz antes de dormir.

Etapa 8: Guarde essa lista. Você vai usá-la no exercício seguinte.

EXERCÍCIO 2: CRIE RECEITAS DE MICRO-HÁBITOS USANDO SUA LISTA DE HÁBITOS JÁ EXISTENTES

Uma maneira rápida e eficaz de criar novos hábitos é começar com os hábitos diários já existentes e encontrar um novo micro-hábito que se encaixe naturalmente depois dele. No exercício anterior, você criou uma lista de hábitos diários. Muito bem. *Você vai usar essa lista agora.*

Etapa 1: Escolha um hábito regular em sua lista.

Etapa 2: Pense em quais novos hábitos poderiam se encaixar naturalmente logo depois dele. Liste algumas ideias.

Etapa 3: Escolha o novo hábito de que mais gostou da etapa 2. Escreva uma receita no formato Micro-hábitos: Depois de ______, eu vou ______.

Etapa 4: Repita as etapas 1 a 3 para mais dois hábitos regulares e crie mais duas receitas de Micro-hábitos. (Ao trabalhar com três hábitos ao mesmo tempo, você vai aprender mais.)

Etapa 5: Comece a pôr seus novos hábitos em prática. (Não seja muito rígido nem crítico. Pule de cabeça e se divirta.)

EXERCÍCIO 3: CRIE HÁBITOS PÉROLA PARA LIDAR COM PROBLEMAS EM SUA VIDA

Este exercício é sobre criar algo valioso a partir de um problema.

Etapa 1: Liste pelo menos dez coisas que acontecem com frequência e que deixam você irritado (uma fila enorme, uma moto barulhenta, um cachorro latindo na casa do vizinho).

Etapa 2: Selecione a coisa mais frequente e mais irritante da lista.

Etapa 3: Pense em novos hábitos benéficos que você pode adotar após esse aborrecimento. Liste pelo menos cinco opções.

Etapa 4: Selecione sua melhor opção da etapa anterior e crie uma Receita de Micro-hábitos. Por exemplo: *Depois que eu parar em uma fila, vou praticar ficar em um pé só de cada vez.*

Etapa 5: Comece a praticar seu Hábito Pérola. (E perceba o que acontece com seu grau de irritação.)

Antes de avançarmos para o próximo capítulo, vamos da mais uma olhada na Pessoa PAC para relembrar o que aprendemos sobre as fontes de prompts.

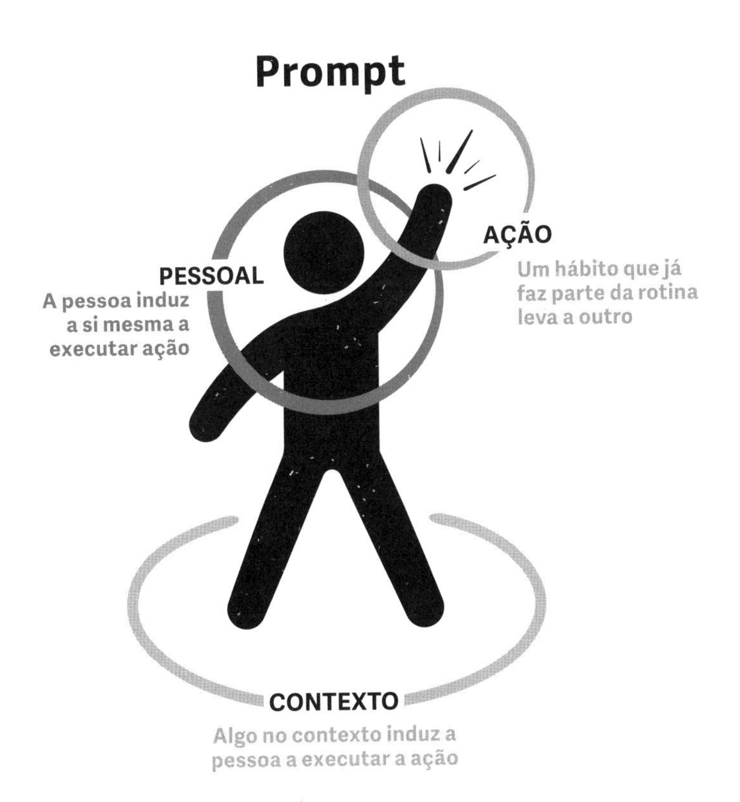

CAPÍTULO

EMOÇÕES CRIAM HÁBITOS

Linda tinha um cartão-postal preso na geladeira, ao lado das obras-primas em pintura a dedo dos filhos. Era uma ilustração em preto e branco de uma dona de casa dos anos 1950 falando ao telefone. Acima dos cabelos perfeitamente penteados da mulher, havia um balão de diálogo: "Se as crianças chegarem vivas às cinco da tarde, meu trabalho está feito."

Quando Linda viu aquilo, ela gargalhou alto.

Primeiro ele a fez sorrir, depois a fez pensar. Ele ilustrava uma postura de autoaceitação que ela queria desesperadamente ter, mas que achava muito difícil adotar. A hipótese de que era possível se sentir satisfeita com o que fazia por seus filhos fazia sentido para ela, em termos lógicos, mas era totalmente inacessível em termos emocionais. Por isso ela colocou o postal na porta da geladeira.

Quando seu marido chegou em casa e viu o cartão pendurado ali, ele arregalou os olhos com a ironia.

"É aspiracional", disse Linda com um suspiro.

Naquela época, Linda era dona de casa e cuidava em tempo integral dos seis filhos menores de treze anos. Ela adorava ficar em casa com eles e não tinha alternativa, mas se sentia constantemente sufocada e sobrecarregada. Quando botava a cabeça no travesseiro à noite, todos os seus pensamentos eram sobre o que ela não tinha feito durante o dia. Lembranças do dia surgiam em sua mente: migalhas de cereal no banco de trás do carro (*eu deveria ter passado o aspirador*); pilhas de roupas lavadas por dobrar (*eu deveria ter guardado*); a cara de tristeza do filho depois que ela o repreendeu por ter empurrado a irmã (*eu deveria ter tido mais paciência com ele*); a louça suja se acumulando na pia (*eu deveria ter lavado; minha mãe jamais teria deixado isso acontecer*). O que havia começado como pequenos déficits em sua lista de tarefas acabou se tornando algo muito pior. Cada tarefa não realizada que passava pela cabeça de Linda à noite se transformava em uma ruminação sobre todas as formas pelas quais ela não se comportava como a mãe, parceira ou humana ideal.

Algumas noites, quando Linda guardava o leite de volta na geladeira pela enésima vez, até a dona de casa dos anos 1950 parecia estar decepcionada com ela. Linda não só não conseguia cumprir os deveres de mãe até as cinco da tarde, como também não se dava crédito por todo o seu trabalho. Olhar para a mulher em sua geladeira acabou sendo menos uma inspiração e mais um lembrete do quão longe ela estava daquela postura corajosa de autoaceitação.

Quando Linda me contou essa história, anos depois, eu não fiquei surpreso.

Em minha pesquisa, descobri que os adultos têm diversas formas de dizerem a si mesmos "Fiz um péssimo trabalho" e muito poucas de dizer "Fiz um bom trabalho". Raramente reconhecemos nossos êxitos e nos sentimos bem com o que fazemos. Sentir-se bem com seus pequenos êxitos pode parecer estranho para você. Como Linda, você pode se concentrar apenas em suas deficiências, à medida que os dias voam e os anos se arrastam. Estou aqui para lhe dizer que você não está sozinho. É por isso que escrevi este capítulo.

Nas páginas a seguir, vou mostrar como adquirir um superpoder — a capacidade de se sentir bem a qualquer momento. Você pode usar esse superpoder para transformar seus hábitos e, no fim das contas, sua vida.

Sentir-se bem é parte vital do método Micro-hábitos. Você pode criar esse sentimento bom usando uma técnica que chamo de comemoração. Quando você comemora ao modo Micro-hábitos, cria um sentimento positivo em si mesmo, sob medida. Esse sentimento consolida o novo hábito em sua mente. Você vai descobrir que a comemoração é surpreendentemente eficaz e pode ser rápida, fácil e até divertida.

A comemoração é uma técnica específica para mudanças de comportamento e de estrutura psicológica. Imagine quão diferentes as ruminações noturnas de Linda seriam se ela tivesse uma forma de fazer as coisas parecerem muito menos desequilibradas. Porque a verdade é que o dia dela foi repleto de altos e baixos, momentos estressantes e bem-sucedidos. Ela podia não ter passado aspirador no carro, mas levou os filhos para a escola, para o futebol e para as aulas de violino na hora. Ela podia não ter dobrado a roupa perfeitamente, mas lavou e secou toda a roupa suja. Ela podia não ter lavado a louça, mas alimentou os filhos com uma refeição saudável de que eles desfrutaram juntos. Naquela época, Linda não entendia a importância de abraçar essas pequenas vitórias como uma forma de mudar seu comportamento e sua vida. Essas vitórias estavam lá o tempo todo, mas Linda, como muita gente, carecia das habilidades necessárias para comemorar a existência delas.

Uma confissão: eu não contei toda a razão pela qual meu hábito de usar fio dental foi tão bem-sucedido tão rapidamente.

Claro, eu ajustei meu comportamento usando a perspectiva Co = MCP.

Eu fiz com que usar fio dental ficasse mais fácil. Encontrei um ótimo prompt. *Bum* — está tudo certo, não?

Bem, faltava uma peça no quebra-cabeça. Eu me deparei com ela numa época em que estava tão estressado que mal conseguia chegar ao fim de cada dia. Um novo negócio que eu havia começado estava falindo e meu jovem sobrinho havia morrido em circunstâncias trágicas. Viver sob os impactos pessoal e diário desses eventos significava que eu não tinha uma boa noite de sono havia semanas. Eu estava tão ansioso que na maioria das noites acordava às três da manhã e fazia a única coisa que me acalmava: assistir a vídeos de filhotes na internet. De manhã, eu me arrastava para fora da cama e começava meu dia. Quando lavava o rosto na pia, evitava me olhar no espelho. Eu não queria ser lembrado da realidade que eu sabia que estaria me encarando: minha aparência estava péssima, eu me sentia péssimo, e estava com medo de encarar o dia.

Certo dia, pela manhã, depois de uma noite particularmente ruim, quando até os vídeos de cachorrinhos não tinham sido capazes de me acalmar, eu me olhei relutantemente no espelho e pensei comigo mesmo: *Bom, talvez hoje seja o dia em que tudo vai por água abaixo.* Um dia não apenas de contratempos, mas de um fracasso paralisante.

Enquanto continuava minha rotina matinal, eu peguei o fio dental. Pensei comigo mesmo: *Bem, mesmo que tudo dê errado hoje, não sou um completo fracassado. Pelo menos passei fio dental em um dente.*

Sorri para mim mesmo diante do espelho e falei: *Vitória!*

Então, eu senti.

Alguma coisa havia mudado. Era como se eu tivesse sentido um calor e uma leveza no peito onde antes só havia escuridão e apreensão. Eu me senti mais calmo e até um pouco mais animado. E isso me fez ter vontade de me sentir assim novamente.

Mas, então, tive medo de estar perdendo a noção. Meu sobrinho tinha acabado de morrer, minha vida parecia prestes a desmoronar, e passar fio dental em um dente tinha feito eu me sentir melhor? Aquilo era loucura. Como é que *aquilo* poderia ser capaz de fazer com que eu me sentisse melhor?

Se eu não fosse um cientista comportamental e não estivesse curioso sobre a natureza humana, poderia ter rido de mim mesmo e esquecido aquilo. Mas me perguntei: *De que forma* usar o fio dental fez com que eu me sentisse melhor? Foi o ato em si? Foi ter dito "Vitória!" diante do espelho? Ou foi ter sorrido?

Naquela mesma noite, tentei de novo. Passei fio dental em um dente, sorri para mim mesmo no espelho e disse: "Vitória!" Nos dias que se seguiram, muitos dos quais igualmente difíceis, continuei a usar fio dental e comemorar a vitória. Não importa o que mais estivesse acontecendo, eu era capaz de criar um momento todos os dias em que eu me sentia bem — e aquilo era admirável.

Minha Receita — Método Micro-hábitos

Depois de...	Eu vou...	Para consolidar o hábito em minha mente, eu vou imediatamente:
escovar meus dentes	passar fio dental em um dente.	Vitória!
Momento Âncora	**Micro-hábito**	**Comemoração**
Um hábito já existente na sua rotina que lembra você de pôr em prática o Micro-hábito (seu novo hábito).	O novo hábito que você quer adotar, mas reduzido, para ficar bem simples — bem fácil de fazer.	Algo que você faz para criar um sentimento positivo (o sentimento é chamado de Brilho).

Naquela época, eu não sabia por que minha pequena comemoração funcionava, mas percebi uma mudança importante. Comecei a usar minha proclamação da vitória com outros novos hábitos, e notei que eles pareciam se consolidar mais rapidamente do que aqueles em que eu não comemorava. Então comecei a testar diferentes maneiras de comemorar, fazendo um sinal de positivo para mim mesmo ou cerrando o punho e dizendo: "Isso aí!"

Também descobri formas de comemorar em silêncio: eu conseguia criar um sentimento de sucesso simplesmente ao sorrir e pensar "*Oba!*" comigo mesmo.

Quando comecei a compartilhar meu método com outras pessoas, em 2011, incluí a comemoração no programa. Não expliquei por que eu queria que os Praticantes comemorassem. Apenas disse: "Depois que você colocar em prática seu novo hábito, comemore."

Mais tarde, enquanto treinava e certificava coaches para ensinar o método Micro-hábitos, aprendi que a comemoração não é natural para todo mundo e até deixa algumas pessoas desconfortáveis. (Abordaremos isso mais adiante; não se preocupe.)

Apesar de tê-los instruído sobre como comemorar, alguns Praticantes deixavam a comemoração pra lá, achando que ela era opcional, ou que era muito cafona e nem valia a pena tentar. Até mesmo os profissionais que estavam aprendendo meu método a fundo às vezes não levavam a sério a comemoração. Comecei a enfatizar cada vez mais essa técnica porque estava convencido de que a maneira mais poderosa de criar hábitos era o fato de me sentir bem. Eu sabia que as pessoas que abraçavam as comemorações eram as mais bem-sucedidas em adotar hábitos mais rapidamente. Além disso, as pessoas que comemoravam me diziam o quão surpresas estavam por aquela pequena mudança fazer tamanha diferença. Diziam que tinha começado a ansiar por colocar seus novos hábitos em prática apenas para poderem comemorar. Alguns me perguntavam: "Isso é loucura?" (Não. Na verdade, é um ótimo sinal.)

Etapas do Design de Comportamento

Etapa 1: Defina aspiração com clareza

Etapa 2: Explore suas Opções de Comportamento

Etapa 3: Ajuste-se a Comportamentos Específicos

Etapa 4: Comece micro

Etapa 5: Encontre um bom prompt

Etapa 6: Comemore o sucesso

Por que eu sou tão inflexível quanto à comemoração? Para responder a isso, permita-me voltar aos primeiros dias de Micro-hábitos.

Alguns meses depois de compartilhar o método Micro-hábitos, tive uma experiência da qual nunca vou me esquecer. Eu estava lendo um e-mail de uma mulher chamada Rhonda. Ela escrevia para me agradecer. Explicou que a minha técnica de comemoração teve um grande impacto em sua vida. Para sua surpresa, ela se sentia otimista por finalmente ter descoberto seu potencial. Depois que começou a praticar o método Micro-hábitos, ela percebeu que havia passado "a vida inteira fazendo pouco caso de si mesma".

Esse insight de Rhonda me encheu de ânimo. Ele me deixou ainda mais determinado a compartilhar o método Micro-hábitos e a poderosa técnica de comemoração. Graças a Rhonda, mudei de rumo: o projeto que chamava de Micro-hábitos precisava ser mais do que uma pesquisa. Precisava ser uma intervenção global.

Para ser eficaz em minha busca, decidi aprender mais. Eu queria descobrir por que dizer uma palavrinha como "vitória" poderia fazer uma diferença tão grande. Por que a comemoração se encaixou em meu próprio hábito de usar fio dental tão rapidamente?

Para encontrar a resposta, continuei ensinando milhares de Praticantes a comemorar e medi o impacto disso semana a semana. No dia a dia, também observei como algumas pessoas, incluindo atletas de renome internacional, comemoravam naturalmente seus êxitos. E vasculhei a literatura científica. Descobri que ninguém havia estudado esse fenômeno, mas encontrei conceitos relacionados aqui e ali. Depois de alguns anos reunindo-os, eu tinha uma resposta.

Quando comemora de maneira eficaz, você se vale do circuito de recompensa do seu cérebro. Ao se sentir bem no momento certo, você faz com que seu cérebro identifique e codifique a sequência de comportamentos que acabou de executar. Em outras palavras, você pode hackear seu cérebro para criar um hábito, comemorando e reforçando esse comportamento. Em minha pesquisa, descobri que essa técnica nunca havia sido nomeada, descrita nem estudada. Percebi que, estudando e ensinando a comemoração, eu estava abrindo novos caminhos para ajudar as pessoas a mudarem para melhor.

Está na hora de dizer "oi" para as boas sensações.

Experiências positivas reforçam hábitos

Todo pai e mãe se lembra da alegria pura e irrestrita de ver os primeiros passos de seu filho ou filha. Ainda que o cenário mude, o roteiro é o mesmo. Trêmulo, mas determinado, o bebê se apoia na mesinha de centro e desliza junto a ela por alguns segundos, antes de observar a mãe ajoelhada a alguns metros de distância. Talvez o pai esteja no sofá filmando o momento para a posteridade. Os pais estão incentivando isso há algum tempo, mas pode ser que o dia seja hoje. Por fim, o bebê reúne coragem e tira a mão da mesinha. A mãe estende os braços e diz: "Vamos, querido, você consegue!"

O bebê dá um passo, depois outro, depois mais um, até cair nos braços da mãe.

"Oba! Bom trabalho, garotão! Olha só, você andou!"

O pai provavelmente vai desligar o telefone e pegar o bebê para um abraço. Talvez até rodopie com ele no ar enquanto ele sorri e dá risadinhas.

Andar é um comportamento que se repete diversas vezes até que se torna natural. E os pais aplaudem e torcem por seus bebês. Essa é uma reação natural de pais e mães no mundo todo, e serve a um propósito: Comemorar no momento certo *ajuda os bebês a aprenderem mais rapidamente*.

Por aprender, não me refiro a decorar a tabuada. Em psicologia, aprendizagem é o processo pelo qual seu cérebro permite que haja uma mudança de comportamento em resposta ao ambiente. O objetivo dessas mudanças em termos evolutivos é aumentar a probabilidade de o indivíduo sobreviver, prosperar e se reproduzir. Uma série de experiências positivas pode reforçar um novo comportamento, o que leva a uma resposta habitual. Por exemplo, qualquer coisa que lhe dê prazer instantâneo pode reforçar um comportamento e aumentar a probabilidade de ele se repetir no futuro. Comida pode ser uma ferramenta poderosa nesse momento. Quer você esteja tentando ensinar seu cachorro a sentar ou fazer com que seus alunos cheguem na hora oferecendo um lanche no início dos primeiros períodos de aula, guloseimas podem motivar o comportamento e reforçar um hábito.

No meu laboratório em Stanford, alguns anos atrás, queríamos descobrir se o humor era uma ferramenta eficaz para estimular a reciclagem. Colocamos um dispositivo em uma lixeira, de modo que as pessoas ouvissem um áudio engraçado de *Os Simpsons* toda vez que colocassem algo dentro dela. Quando alguém jogava uma lata de refrigerante vazia, a lixeira reproduzia o áudio "Marge, a correspondência chegou!" na voz distinta do Homer. Instalamos a lixeira discretamente em um evento comercial em San Jose, Califórnia, e ficamos assistindo às reações. Quando as pessoas usavam essa lixeira, ficavam surpresas e achavam engraçado. Algumas procuravam pedaços de papel perdidos pelo chão para colocar na lixeira e ouvir mais áudios engraçados. Outras tiravam coisas de dentro da própria lixeira para colocar de volta. Uma lixeira como aquela criaria o hábito de reciclar? Talvez. De qualquer forma, estávamos no caminho certo. Um sentimento positivo de humor pode reforçar um comportamento.

Obter alívio do desconforto físico, emocional ou psicológico também é uma experiência positiva. São três da manhã e você está tendo outro episódio de insônia. Você se sente inquieto e pensa no trabalho. Há um prazo importante a cumprir no dia seguinte, e todos estão correndo para finalizar o projeto. Você é o gerente, então precisa manter as engrenagens girando. E, enquanto você está ali acordado, está preocupado com um possível gargalo de produtividade em sua caixa de entrada de manhã. Essa possibilidade o deixa ansioso. Então você vira, pega o telefone na mesa de cabeceira e abre seu e-mail. Uau, nada urgente. Nada que precise ser respondido. Você se sente aliviado. Essa é uma experiência positiva que você vai procurar repetir na próxima vez em que acordar no meio da noite. Você verifica sua caixa de entrada e mais uma vez sente alívio. E, em seguida, verificar seu e-mail de madrugada se tornará um hábito. Durante alguns dos meus eventos de palestras corporativas, perguntei ao público se isso soa familiar. Às vezes, mais de 30% das pessoas levantam a mão e admitem ter esse hábito. Mal sabiam elas que o alívio era, na verdade, a causa.

As primeiras fases de alguns videogames fazem com que seja fácil experimentar uma sensação de sucesso. Eles são projetados para isso. Fazem você ficar animado para continuar jogando. O *Candy Crush* foi baixado mais de dois bilhões de vezes. É um jogo simples (e gratuito) para celulares. A primeira fase é ridiculamente fácil. Para ajudar a indicar que você foi bem-sucedido, os desenvolvedores criaram todo tipo de experiências sensoriais divertidas. Há barulhinhos e sugestões visuais agradáveis. A palavra *sweet* ("doce") aparece depois que você atinge determinada pontuação. O resultado? Você se sente bem-sucedido muito rápido e continua a abrir o *Candy Crush* sempre que tem um ou dois minutos livres. Por quê? Porque você é bom nesse jogo — e daí? E daí que isso é ótimo.

Embora essas experiências sejam diferentes caminhos em direção ao mundo dos hábitos, todas elas têm algo em comum. O que acontece no seu cérebro quando você experimenta um reforço positivo não é mágica — é neuroquímica. Sentimentos bons estimulam a produção de um neurotransmissor (um mensageiro químico no cérebro) chamado dopamina, que controla o "sistema de recompensa" do cérebro e nos ajuda a lembrar qual comportamento nos fez sentir bem, para repetirmos esse comportamento. Com a ajuda da dopamina, o cérebro codifica a relação de causa e efeito, e isso cria expectativas para o futuro.

Você pode hackear esse sistema de recompensa criando um evento em seu cérebro que os neurocientistas chamam de "erro de previsão de recompensa". Eis como ele funciona: Seu cérebro está constantemente avaliando e reavaliando experiências, visões, sons, cheiros e movimentos no ambiente ao seu redor. Com base em experiências anteriores, seu cérebro construiu previsões sobre o que você vai experimentar em uma determinada situação. Seu cérebro prevê o que vai acontecer se você deixar o telefone cair no chão de cimento (ah, não!), e seu cérebro prevê o sabor da caldeirada de frutos do mar do seu restaurante favorito (hmmm). Quando uma experiência se desvia do padrão que seu cérebro espera (ah, meu telefone não quebrou, afinal) ocorre um "erro de previsão de recompensa", e os neurônios do seu cérebro ajustam a liberação de dopamina para codificar uma expectativa atualizada.

Imagine que você tem o hábito de escrever todos os dias no seu diário. Uma manhã, você pega uma caneta nova, com tinta roxa. Ao começar a escrever, percebe como a caneta flui suavemente sobre o papel; é fácil, como se você tivesse superpoderes. Então percebe que a sua caligrafia está muito melhor. Você se sente extraordinariamente bem-sucedido ao escrever com a caneta roxa, o que é uma surpresa para o seu cérebro — um erro de previsão de recompensa. As emoções naquele momento fazem com que seus neurônios liberem dopamina, que logo codifica esse novo comportamento como algo que você deveria repetir. O mesmo acontece quando um dos pais berra de alegria quando o bebê aprende a andar. O cérebro do bebê libera dopamina e codifica "andar" como algo bom, algo que ele sem dúvida deveria fazer de novo.

Emoções criam hábitos

Existe uma conexão direta entre o que você sente quando executa um comportamento e a probabilidade de repeti-lo no futuro. Quando descobri essa conexão entre emoções e hábitos em minha pesquisa sobre o método Micro-hábitos, fiquei surpreso por não ter percebido isso antes. Como a resposta de uma charada, de repente me pareceu muito óbvio. Eu me perguntei por que esse insight ainda não era amplamente conhecido.

Por muito tempo, as pessoas acreditaram no velho mito de que a repetição cria hábitos, concentrando-se no número de dias necessário. Alguns dos blogueiros de hábitos mais populares ainda falam sobre repetição ou frequência como a chave. Esteja ciente disso: eles estão reciclando velhos conceitos. Não fizeram nenhuma pesquisa inovadora.

Na minha pesquisa, descobri que hábitos podem se formar muito rapidamente, em geral em apenas alguns dias, desde que haja uma forte emoção positiva associada ao comportamento. De fato, alguns hábitos parecem se consolidar de imediato: você executa aquele comportamento uma vez, e nunca mais pensa em fazer diferente. Você criou um hábito instantaneamente. Por exemplo, se você der um celular à sua filha adolescente, a resposta emocional dela ao usar o aparelho vai consolidar um hábito com muita rapidez. Não há necessidade de repetição.

Nas minhas lições sobre comportamento humano, resumo isso em três palavras para que fique o mais claro possível: **Emoções criam hábitos.** Não a repetição. Não a frequência. Não o pó de pirlimpimpim. São as emoções.

Quando você está projetando a formação de hábitos — seja para você ou para outra pessoa —, na verdade está projetando emoções.

Pense em como o Instagram, para o bem ou para o mal, explora essa dinâmica. Depois de tirar uma foto, o aplicativo facilita a aplicação de filtros. Ao experimentar diferentes opções, você vê sua foto se transformar diante de seus olhos num passe de mágica, e ela deixa de ser apenas uma foto. Você sente que está compartilhando uma criação artística singular. Talvez você até se surpreenda ou se impressione com a própria habilidade. Quando isso acontece, seu cérebro libera dopamina, e você procura oportunidades para usar o Instagram outras vezes, porque a sensação é boa.

Quando se trata de comportamento, decisão e hábito estão em lados opostos. Decisões exigem deliberação; hábitos, não. Você provavelmente decide o que vai vestir para ir para o trabalho todo dia de manhã, mas a maioria das pessoas não decide se vai pegar o celular ao sair de casa. Elas apenas pegam, sem deliberações. Funciona no piloto automático.

Eu criei um modelo simples para explicar a diferença entre decisões e hábitos. Chamo de Espectro de Automaticidade.

Quão automático é o comportamento?

Ao lado esquerdo do espectro estão os comportamentos que não são automáticos. São decisões ou escolhas deliberadas. À direita do espectro estão os hábitos fortes — comportamentos que você executa sem pensar, como segurar um lápis ou amarrar os sapatos. O círculo no meio do espectro representa um comportamento em que há algum nível de decisão, por isso não é completamente automático. Se você executa esse comportamento no meio do espectro e tem uma reação emocional a ele — um sentimento positivo enquanto põe o comportamento em prática ou imediatamente depois —, esse comportamento anda para a direita no espectro e se torna mais automático.

Emoções tornam o comportamento mais automático

Vejamos um exemplo: pedir um Uber *versus* pegar um táxi. Na primeira vez que você opta pelo Uber, provavelmente analisa os prós e os contras dessa ação em vez de fazer sinal para um táxi. Então decide. Digamos que você escolha o Uber e tenha uma ótima experiência. Afinal, eles tornaram tudo tão *fácil* que sente que está levando alguma vantagem. A primeira vez em que usei o Uber, fiquei encantado. Apertei alguns botões e parecia que um tapete mágico havia sido surgido para me levar com todo o conforto. Uau. Superou minhas expectativas, sem dúvida.

Na próxima vez em que precisei de uma corrida, mal pensei em como chegaria ao meu destino. Nem sequer cogitei pegar um táxi. Não foi necessária nenhuma decisão. Apenas abri o aplicativo do Uber e apertei alguns botões. Sim, o hábito se formou muito rápido: bastou uma vez e pronto. A maioria dos comportamentos leva mais tempo do que isso para se transformar em hábito após a tomada de decisão, mas espero que você entenda o que estou querendo dizer.

O fato de as emoções criarem hábitos é ao mesmo tempo uma boa e uma má notícia. Vou começar pelo lado sombrio.

O processo geral de formação de hábitos é exatamente o mesmo para hábitos "bons" e para os considerados "maus". Seu cérebro não está nem aí se a sociedade declarou que comer bolo às duas da manhã é um comportamento nada saudável. Ele continua querendo sentir o prazer que vem de comer aquele bolo. Existem inúmeros comportamentos bons (oi, videogame!), mas que se transformam em hábitos que preferíamos não ter. O ponto é que o sistema de recompensa do seu cérebro é influenciado diretamente pelas emoções e menos pelo que a sociedade rotula como "bom" e "mau". Como seres humanos, estamos profundamente ligados às emoções, e é por isso que a maioria de nós é como uma "salada" de hábitos — com alguns que queremos ter e muitos que não.

A boa notícia é que não estamos desamparados no que diz respeito à química cerebral. Usando o que sabemos sobre o funcionamento do cérebro, podemos ajudá-lo a nos ajudar.

Como?

Criando de forma intencional sentimentos para consolidar os hábitos que realmente queremos ter. Quando hackeamos as velhas rotas em nossos cérebros que regem os comportamentos, temos acesso ao incrível potencial humano de aprendizado e mudança. Temos a oportunidade de usar o mecanismo cerebral que já existe para nos sentirmos bem *e* mudar comportamentos.

Você pode usar muitos tipos de reforço positivo para consolidar um hábito, mas, nas minhas pesquisas e nas minhas aulas, descobri que o melhor reforço de todos é criar uma sensação de sucesso.

Por que a comemoração funciona melhor para criar hábitos

A comemoração é a melhor maneira de criar um sentimento positivo que ajuda a consolidar seus novos hábitos. É grátis, é rápido, e pode ser usado por pessoas de todas as cores, formas, tamanhos, classes sociais e personalidades. Além disso, a comemoração nos ensina a sermos gentis com nós mesmos — uma habilidade que rende os maiores dividendos de todos.

Mas, antes de começar a acrescentar a técnica da comemoração a tudo o que você já ouviu falar sobre recompensas, vamos dar um passo atrás.

Vamos falar um pouco sobre *recompensas*. Quer dizer, talvez seja reclamar um pouco.

Muitos dos chamados especialistas em hábitos insistiram na tese de motivar a criação de um novo hábito usando uma recompensa. Eles estão se aproximando da resposta certa aqui, porque, sim, um estímulo recompensador é o que ativa o circuito de recompensa, mas, como muitas palavras que migraram da academia para a ciência pop, o significado de "recompensa" ficou distorcido a ponto de se tornar inútil em alguns casos, e equivocado em outros.

Digamos que você se comprometeu a correr todos os dias por duas semanas e, no final dessas duas semanas, você se "recompensa" com uma massagem. Eu diria: "Muito bom!", porque todos iríamos nos sentir melhor se recebêssemos mais massagens. Mas eu também diria que a sua massagem não foi uma recompensa. Foi um *incentivo*.

A definição de recompensa na ciência do comportamento é uma experiência *diretamente ligada* a um comportamento, que aumenta a probabilidade de esse comportamento se repetir. O momento em que a recompensa é dada é importante. Cientistas descobriram, décadas atrás, que as recompensas precisam vir durante a execução do comportamento ou segundos depois. A dopamina é liberada e processada pelo cérebro muito rapidamente. Isso significa que você precisa despertar depressa esses bons sentimentos para formar um hábito.

Incentivos, como um bônus de vendas ou uma massagem mensal, podem motivá-lo, mas não consolidam nada em seu cérebro. Os incentivos chegam tarde demais para que possam lhe oferecer a tão importante dose de dopamina que codifica o novo hábito. Fazer três agachamentos pela manhã e se recompensar assistindo a um filme naquela noite não vai funcionar. Os agachamentos e os bons sentimentos que você recebe do filme estão muito distantes um do outro para que a dopamina forme uma ponte entre os dois.

A reação neuroquímica que você está tentando hackear não depende apenas do tempo, mas é também extremamente individual. O que faz uma pessoa se sentir bem pode não funcionar para todos. Sua chefe pode amar o cheiro de café. Quando ela entra em uma cafeteria e sente aquele cheiro, ela se sente bem, e o sentimento imediato dela cria o hábito de ir a cafeterias. Mas seu colega de trabalho pode não gostar do cheiro do café. O cérebro dele não vai reagir da mesma maneira.

Uma verdadeira recompensa — algo que realmente criará um hábito — é um alvo muito menor a ser atingido do que pensa a maioria das pessoas.

Valorizo a precisão em minhas pesquisas e em minhas aulas. Procuro usar palavras com significados específicos e claros. Pelo fato de a palavra "recompensa" ter sido tão distorcida em nosso linguajar cotidiano, não uso essa palavra sem defini-la com cuidado. Pode ficar muito ambígua e, em última instância, se tornar inútil.

Apesar do quebra-molas vernacular que descrevi, não quero que você perca o fio da meada: seu cérebro possui um sistema interno para codificar novos hábitos e, ao comemorar, você tem a oportunidade de hackear esse sistema.

Quando você encontra uma comemoração que funciona para você e faz isso imediatamente após colocar em prática um novo comportamento, seu cérebro se reprograma para fazer com que esse comportamento seja mais automático no futuro. Contudo, depois que você cria um hábito, a comemoração se torna opcional. *Você não precisa continuar comemorando o mesmo hábito eternamente.* Dito isso, algumas pessoas continuam a comemorar seus hábitos, porque se sentem bem e porque os efeitos positivos são inúmeros.

Outra coisa importante a se lembrar é que a comemoração é o *fertilizante do hábito*. Cada comemoração em si fortalece as raízes de um hábito específico, mas o acúmulo de comemorações ao longo do tempo é o que fertiliza o jardim de hábitos inteiro. Ao cultivar sentimentos de sucesso e de confiança, tornamos o solo mais convidativo e nutritivo para todas as outras sementes de hábitos que queremos plantar.

Segunda Máxima de Fogg

No Capítulo 2, expliquei a Primeira Máxima: *Ajude as pessoas a fazer o que elas já querem fazer.*

Descobri a importância desse princípio estudando o que muitos produtos e serviços de sucesso tinham em comum: eles ajudavam as pessoas a fazer o que elas já queriam fazer. Sem isso, o produto ou serviço fracassava.

Peguei esse insight e o apliquei aos meios pelos quais indivíduos podem mudar seus comportamentos. Casou perfeitamente: o sucesso vem quando ajudamos a nós mesmos a fazer o que já queremos fazer. Quando você segue a Primeira Máxima e se ajusta aos Comportamentos Especiais, não precisa se esforçar muito para sustentar ou manipular a motivação. Você dá tchau para o Boicote da Motivação e cria mudanças duradouras.

Chegou a hora de compartilhar a Segunda Máxima. Ela é tão importante quanto a primeira.

Segunda Máxima de Fogg: Ajude as pessoas a se sentirem bem-sucedidas.

Pode parecer pouco, mas é muito importante.

Note que a máxima não diz: "Ajude as pessoas a *serem* bem-sucedidas." Em vez disso, ela trata do *sentimento* de sucesso.

Todo produto ou serviço que está crescendo e prosperando hoje em dia faz isso muito bem. Eles nos ajudam a nos sentirmos bem-sucedidos. Observe os produtos e serviços que você adora, desde fazer compras pela internet, passando pelas roupas que veste, até os aplicativos que usa todos os dias para dirigir, falar com as pessoas ou se divertir. Você vai perceber que experimenta uma sensação de sucesso ao usá-los.

Quando, lá atrás, o Instagram estava disputando com seus muitos concorrentes, meu ex-aluno Mikey e seu sócio venceram a disputa porque criaram a melhor e mais simples maneira de ajudar as pessoas a se sentirem bem-sucedidas.

Se você experimenta um produto e ele faz com que você se sinta desajeitado, burro ou fracassado, provavelmente o deixará de lado. Mas, quando algo faz você se sentir bem-sucedido, você quer mais. Você se envolve. Você transforma isso em parte da sua vida. Isso também se aplica à forma como projetamos mudanças em nossas próprias vidas.

Ajudar a si mesmo a sentir-se bem-sucedido é o ponto crucial do método Micro-hábitos.

Como comemorar ao estilo Micro-hábitos

Aqui vai uma técnica para ajudar um hábito a criar raízes de maneira rápida e fácil em seu cérebro: (1) Execute a sequência de comportamentos (Comportamento Âncora ⟶ Microcomportamento) que você deseja transformar num hábito e (2) Comemore imediatamente.

Bastante simples! Não é?

Mas a comemoração é algo simples e sofisticado ao mesmo tempo. Então, vamos falar um pouco mais sobre as nuances dessa técnica.

Antes de mais nada, quando digo que você precisa comemorar imediatamente após o comportamento, quero dizer *imediatamente* mesmo. O imediatismo é uma peça fundamental para dar velocidade à formação de hábitos.

A outra peça é a *intensidade* da emoção que você sente quando comemora. Portanto, duas coisas são necessárias para um resultado específico: você precisa comemorar logo após o comportamento (imediatismo) e precisa que a sua comemoração seja verdadeira (intensidade). Quando comecei a fazer minhas flexões depois do xixi, dei dois socos no ar e disse: "Isso aí!" Para mim, essa foi uma boa comemoração, porque criou uma sensação positiva imediatamente. No entanto, algumas pessoas podem achar minha comemoração boba ou até mesmo constrangedora. Tudo bem. Basta registrar que a comemoração do BJ Fogg não é a opção certa para você.

Não é preciso uma comemoração de grande expressão física. Dar um simples sorriso ou fazer uma afirmação silenciosa em sua cabeça pode funcionar.

Comece a exploração agora mesmo: Pense em comemorações que pareçam autênticas para *você*. Se você se sentir constrangido ou não tiver naturalidade ao comemorar, suas tentativas serão um tiro pela culatra. Seu cérebro não quer se sentir esquisito — ele quer se sentir bem. Comemorações são pessoais. O que faz com que eu me sinta bem (e não bobo) é provavelmente diferente do que faz você se sentir bem (e não bobo).

A primeira peça da ação dupla das comemorações — o imediatismo — geralmente é fácil de ser adotada, mas encontrar uma comemoração que genuinamente gere um sentimento bom é mais desafiador. A solução pode depender do tipo de personalidade e da cultura. Algumas pessoas são naturalmente mais inclinadas a comemorar seus sucessos. Se você é uma pessoa animada e otimista, talvez ache fácil — e até divertido — comemorar. De fato, talvez você já esteja até comemorando; apenas não deu um nome para isso. No entanto, se você tende a se autocriticar ou tem uma perspectiva pessimista, a comemoração pode não vir tão naturalmente.

Também descobri que algumas culturas (olá a todos os meus amigos britânicos e japoneses!) se sentem mais à vontade sendo autodepreciativas ou modestas, qualidades que não se prestam tão bem à comemoração.

Independentemente de onde você venha ou de quem seja, *existe* uma comemoração natural que o ajudará a consolidar hábitos mais rapidamente. Você só precisa descobrir o que funciona para você.

Meu tio Brent, por exemplo. Ele é um ex-advogado durão já na casa dos 70 anos. Ele se sente mais à vontade discutindo com pessoas e falando verdades na cara delas do que comemorando qualquer coisa. Alguns anos atrás, eu estava ensinando o método Micro-hábitos e explicando o conceito de comemoração durante uma festa de família. Tio Brent me interrompeu bruscamente, dizendo que *ele* não fazia comemoração nenhuma, e que, portanto, isso não se aplicava a *todo mundo*, obrigado, BJ, um abraço. Perguntei ao tio Brent o que ele fazia quando percebia que havia encontrado os argumentos certos de que precisava. Com um sorriso, tio Brent levantou o dedo e disse: "Bingo!"

Todo mundo riu, porque era uma coisa bem típica do tio Brent, mas eu disse: "Aí está! Dizer 'bingo' é a sua comemoração natural."

Então, leitor, estou aqui para dizer que, se até o velhaco ranzinza do meu tio tem a comemoração dele, você também pode ter a sua. Só precisa encontrá-la.

Sua comemoração não precisa ser algo que você diz em voz alta ou mesmo expressado fisicamente. A única regra é que deve ser algo dito ou feito (interna ou externamente) que faça com que se sinta bem e crie uma sensação de sucesso.

O que pode surpreendê-lo é o seguinte: em inglês, não existe uma palavra exata para descrever o sentimento positivo que experimentamos ao obter sucesso. Li pilhas e pilhas de literatura científica sobre tópicos relacionados a isso, fiz minha própria pesquisa nessa área, e estou convencido de que não existe uma boa palavra. (A expressão mais próxima é *authentic pride*, algo como *orgulho autêntico*, mas não é uma correspondência precisa.) Portanto, com o incentivo de três especialistas internacionais em emoções humanas, decidi cunhar um termo para esse sentimento de sucesso.

Preparado?

Eu chamo esse sentimento de Brilho.

Você já conhece: você sente o Brilho quando tira dez numa prova. Você sente o Brilho quando faz uma ótima apresentação e as pessoas aplaudem ao final. Você sente o Brilho quando sente o aroma de algo delicioso que cozinhou pela primeira vez.

Acredito que minha técnica de comemoração é uma revolução na formação de hábitos. Espero que você possa entender o porquê. Ao comemorar com propriedade, você cria um sentimento de Brilho, que por sua vez faz com que seu cérebro codifique o novo hábito.

Se eu pudesse ensinar o método Micro-hábitos pessoalmente a você, começaria o treinamento me concentrando nas comemorações. Eu o ajudaria a encontrar comemorações naturais e eficazes para você. Nós praticaríamos juntos essas comemorações, e seria incrível. Eu ensinaria as comemorações antes de ensinar o Modelo de Comportamento de Fogg, ou o poder da simplicidade, ou as Âncoras, ou as receitas de Micro-hábitos. A comemoração viria em primeiro lugar — porque é a habilidade mais importante para criar hábitos.

Como não posso ir até a sua casa e lhe ensinar pessoalmente a comemorar, aqui vão alguns exercícios para ajudá-lo a encontrar o que funciona melhor para você.

ENCONTRE SUA COMEMORAÇÃO NATURAL

Uma comemoração natural e profunda lhe dará superpoderes para criar hábitos.

Se você se deparou com uma que pode funcionar para você, imagine-se nos seguintes cenários e observe como você reage. Isso lhe dará uma pista sobre suas maneiras naturais de comemorar. Use essa reação natural para sentir o Brilho e consolidar seus novos hábitos.

(Ao ler esses cenários, não pense nem analise demais. Apenas permita-se reagir.)

CENÁRIO DO EMPREGO DOS SONHOS

Você decide se candidatar ao emprego dos seus sonhos numa empresa que ama. Você passa por todo o processo até chegar à entrevista final. O gerente de contratação diz: "Vamos comunicar nossa decisão por e-mail." Na manhã seguinte, a mensagem do gerente está esperando por você. Você abre, e a primeira palavra que lê é: "Parabéns!"

O que você faz nessa hora?

CENÁRIO DO ESCRITÓRIO

Imagine-se sentado em seu escritório. Você tem um pedaço de papel para reciclagem, e a lixeira fica no canto mais distante da sala. Você decide fazer uma bolinha e arremessá-la na lixeira. Você não sabe se vai acertar. Mira com cuidado e lança a bolinha de papel. A trajetória forma um arco, e começa a descida. A bolinha cai dentro da lixeira. Um arremesso perfeito.

O que você faz nessa hora?

CENÁRIO DO CAMPEONATO

Seu time está na final do campeonato. O jogo está empatado. Faltando pouco tempo para acabar, o seu time passa à frente no placar e ganha o campeonato.

O que você faz nessa hora?

Você descobriu um jeito de comemorar que lhe deu a sensação de Brilho? Se não, é hora de testar outras comemorações.

Aqui vão algumas que você pode experimentar. A lista inclui tanto as que você pode fazer no meio de uma multidão quanto na privacidade de seu lar.

- Diga: "Uhul!" ou "Oba!"
- Dê um soco no ar
- Dê um grande sorriso
- Imagine seu filho ou filha batendo palmas para você
- Cante uma música animada que você adora (talvez o tema de *Rocky, um lutador*)
- Faça uma dancinha
- Bata palmas
- Faça que sim com a cabeça
- Faça um sinal de positivo para si mesmo
- Imagine o rugido de uma multidão
- Pense consigo mesmo: *Muito bem!*
- Respire fundo
- Estale os dedos
- Imagine que está vendo fogos de artifício
- Olhe para o alto e erga os braços
- Sorria e diga a si mesmo: *Eu consegui!*

Se você quiser ter mais opções de comemorações, consulte a lista "Cem maneiras de comemorar e sentir o Brilho" ao final do livro.

Comemoração em diferentes contextos

Quero incentivá-lo a cultivar uma série de comemorações que possam ser feitas tanto em público quanto em particular. Uma das minhas comemorações particulares favoritas veio de um Praticante chamado Mike. Um diretor de criação bem-sucedido em uma empresa de marketing, Mike estava tentando voltar à forma e queria começar com um pouco de alongamento e de exercícios rápidos pela manhã. Ao criar seu novo hábito de praticar ioga, ele se concentrou em uma Etapa Inicial. Depois de colocar a água do café para ferver, ele estendia o tapete de ioga na sala de estar. E só. Bastava estender o tapete. Para manter esse hábito, Mike criou uma comemoração única. Fingindo que o tapete de ioga era um ringue de boxe, ele gingava de um lado para o outro cantando "Eye of the Tiger" com os braços levantados, como o Rocky. Certa manhã, quando estava cantando a plenos pulmões enquanto erguia suas luvas de boxe imaginárias, ele viu pela janela da sala o carteiro passar. O carteiro viu Mike comemorando todo animado sua Etapa Inicial. Mike tem bastante senso de humor em relação a si mesmo, por isso não se sentiu muito envergonhado, mas esse é um exemplo de como *algumas* comemorações devem ser feitas com as cortinas fechadas.

Para os hábitos que você faz no trabalho, desenhar uma carinha sorridente ao riscar seu hábito da lista de tarefas pode ser tudo de que você precisa para se sentir bem-sucedido — ou pensar: *Oba, arrasei!* Se você está na academia e não quer chamar a atenção, talvez possa tamborilar um pouco no guidão da bicicleta ergométrica ou cantarolar "We Are the Champions" na sua cabeça.

Às vezes você pode até convocar outras pessoas para ajudá-lo a comemorar. Jill, uma Praticante que queria incorporar uma rodada diária de agachamentos em sua rotina matinal, estava tendo dificuldades para comemorar. Como sua filha estava sempre tentando imitá-la, a garotinha tentava fazer agachamentos ao lado da mãe. Um dia, assim que elas terminaram, Jill disse "Toca aqui!" para Emma, e as duas trocaram um *high five*. Foi tão bom que Jill repetiu isso no dia seguinte, e no outro. Nascia uma comemoração, que funcionava particularmente bem para esse hábito se a pequena Emma estivesse por perto.

Não importa se a sua comemoração é um cantar um hino a plenos pulmões ou levantar discretamente o polegar. O que importa é que sua comemoração crie o sentimento de Brilho, um sentimento interior de sucesso.

COMEMORAÇÃO EXPLOSIVA

Ao criar seu leque de comemorações, sugiro incluir pelo menos uma que seja extremamente potente — que costumo chamar de Comemoração Explosiva. Você terá essa opção à mão para os hábitos que precisa consolidar com o máximo de rapidez.

Quando preciso sentir um Brilho profundo, penso na Sra. Bondietti, minha professora do quarto ano em Fresno, Califórnia, e imagino aquela incrível — e rigorosa — professora colocando a mão em meu ombro e dizendo: "Muito bem!"

Bum!

Isso mexe comigo. Isso faz com que eu me sinta incrível. Isso gera uma forte sensação de Brilho.

Eu não uso essa comemoração sempre. Guardo-a para quando preciso criar um hábito com rapidez.

QUANDO A COMEMORAÇÃO *NÃO* DÁ CERTO

Às vezes, a parte da comemoração do método Micro-hábitos pode fazer as pessoas tropeçarem. Eles não conseguem comemorar, ou já experimentaram várias comemorações, mas ainda não sentem naturalidade. Nesses casos, há um problema maior do que apenas encontrar a comemoração certa. Então, vamos observar um pouco mais a fundo.

Voltemos à Jill.

Quando fez o curso Micro-hábitos, Jill teve dificuldades com a parte da comemoração. Não porque ela não tivesse uma ótima forma de valorizar seus sucessos. Ela jogava no time de basquete no ensino médio e dava um soco no ar com vontade depois de cada cesta. (A propósito, essa comemoração provavelmente consolidou o hábito de arremessar com precisão.)

O problema foi que, quando ela tentou repetir sua comemoração testada-e-aprovada, agora se sentia boba. "É meio embaraçoso", foram as palavras que ela usou para descrevê-la para seu coach do método Micro-hábitos. Por quê? Qual era a diferença entre pôr em prática seu novo hábito de agachamento e acertar uma cesta de três? Jill finalmente percebeu que achava que não merecia a comemoração. Quando ela acertava uma cesta perfeita, sentia que tinha *conquistado* aquela comemoração. Mas limpar a bancada da cozinha? Aí, não. Qualquer um faz isso. Não requer habilidade, esforço nem talento. Não é grande coisa, certo? Para Jill, parecia bobagem comemorar um sucesso tão *pequeno*.

Você pode estar pensando a mesma coisa: *Por que devo me dar parabéns por fazer duas flexões ou por passar fio dental em um dente?*

A resposta para isso tem três partes.

É assim que o sistema de comportamento funciona

Digamos que a TV na sua sala de estar seja antiga. Às vezes, ela desliga sozinha, sem motivo. Você bate na lateral e ela liga de volta. Isso não faz sentido para você, mas sempre funciona. Um engenheiro provavelmente poderia lhe dizer o motivo, mas não importa, porque você conseguiu o que queria: terminar de assistir ao seu programa. O comportamento também é um sistema que possui componentes invisíveis, mas sabemos que a dopamina é uma parte essencial para manter hábitos. É assim que o seu cérebro funciona.

Comemorar é uma habilidade

A comemoração pode não soar natural para você, e tudo bem, mas praticar essa habilidade vai ajudá-lo a sentir-se mais confortável com ela. Quando eu estava aprendendo a tocar violino, minha professora me mostrou a forma correta de segurar o arco, mas eu resistia. Queria fazer do meu jeito. Ela insistiu que a única maneira de eu me tornar proficiente era praticar da forma correta. Não dei ouvidos, e meu progresso empacou. Eu descobri que ela estava certa.

Portanto, o durão do BJ está aqui para lhe dizer que você pode resistir a aprender a comemorar, mas lembre-se de que está optando por não ser tão bom quanto poderia na criação de hábitos. Para a maioria das pessoas, o esforço de aprender a comemorar é um pequeno preço a pagar para se tornar um Ninja do Hábito.

Você *está* fazendo algo digno de comemoração

Essa é a resposta mais importante, porque reconhecer que você está fazendo algo digno de comemoração vai mudar muitas coisas para você. Sua capacidade de ignorar a autocrítica e abraçar a sensação de *bem-estar diante dos seus sucessos* vai se espalhar por sua vida de uma forma positiva que vai muito além dos Micro-hábitos que você cria e comemora.

Como digo a todos os meus alunos, não é pouca coisa pôr em prática um novo hábito exatamente como você projetou. Para mim, fazer uma mudança é algo enorme, não importa quão pequena e discreta ela seja. Por que *não seria* algo a ser comemorado?

Se comemorar as pequenas coisas é difícil para você, a mentalidade "tudo ou nada" provavelmente está prendendo você. Liberte-se disso. É uma armadilha. Comemorar uma vitória — por menor que ela seja — logo levará a outras vitórias. Pense em todas as vezes em que você poderia ter mudado, mas não conseguiu, e aqui está você, fazendo dois agachamentos — mudando.

Encontrar o sentido mais profundo do que você está fazendo também ajuda. Os Micro-hábitos podem *parecer* irrelevantes na superfície, mas, se você se aprofundar, encontrará o verdadeiro motivo pelo qual quis adotá-los em primeiro lugar, e descobrirá que vale a pena comemorar o valor das ações. Jill queria criar o hábito de limpar a bancada depois do café da manhã, mas estava tendo dificuldades em sentir o Brilho ao comemorar, o que tornou complicado fixar esse hábito. Então, ela refletiu melhor sobre o que aquilo significava no contexto mais amplo de sua vida. Por que ela estava ativamente tentando cultivar aquele hábito? Por que ele era importante?

Sua resposta foi que aquilo era importante para o marido, que por sua vez era importante para ela. Era Colin quem cozinhava. E, quando ele chegava em casa do trabalho e encontrava uma bancada bagunçada, aquilo acabava com o ânimo dele. Ele perdia a vontade de transformar o que havia na geladeira em algo delicioso para sua família. A bagunça que Jill deixava o paralisava. Ele pediu várias vezes para que ela se esforçasse mais na limpeza, mas ela sempre esquecia ou ficava sem tempo. Era uma daquelas coisinhas que geram brigas — sabe como é, coisas que surgem quando as tensões e o estresse já estão no pico, e resultam em uma explosão muito maior do que parece esperado. Nas noites em que ela conseguia pôr em prática seu hábito, Jill descobriu que eram visivelmente mais leves. Colin chegava em casa, fazia um bom jantar e todos comiam juntos em família. Era uma coisa pequena, mas grande ao mesmo tempo. Quando Jill definiu aquilo como um hábito que ela estava praticando para criar uma família mais harmoniosa para a pequena Emma e uma forma de fortalecer seu relacionamento com o marido, ela viu que limpar aquela bancada idiota realmente *era* algo que ela deveria se sentir bem em fazer. E *essa* foi a chave que lhe deu acesso ao significado que sempre esteve lá — o significado que impulsionou sua comemoração e, por fim, a ajudou-a a fixar esse hábito.

Uma maneira rápida de se sentir bem-sucedido

Chegou a hora de alguém dizer isso: é preciso baixar suas expectativas.

Quando digo isso, as pessoas às vezes tossem. Ou dão um risinho. Ou acham que estou brincando.

Mas estou falando sério.

Sim, no nosso mundo de excesso de conquistas e empreendedorismo, estou dizendo para você segurar a onda. Não porque não quero que você conquiste coisas grandes, mas porque sei que você precisa começar pequeno para alcançá-las. E você não vai conseguir começar pequeno se torcer o nariz para isso. Por que batemos palmas para um bebê quando ela está dando seu primeiro passo? Não porque ele está fazendo aquilo com perfeição, nem porque ele "conquistou", nem porque fez aquilo maior e melhor do que o bebê ao lado. Batemos palmas porque sabemos que é o primeiro passinho que ele está dando para uma vida inteira de andar e correr — e *isso* é extremamente importante.

Aceitar esse fato, *acreditando* que é assim que conseguimos mudar, pode ser um desafio para algumas pessoas, e tudo bem. Aqui vão algumas estratégias que você pode tentar, que ajudam as pessoas a cultivarem esse sentimento de sucesso mesmo quando têm dificuldades.

- Convoque uma criança para comemorar com você (elas são muito boas nisso!). Jill descobriu que envolver a filha de três anos na comemoração ajudou-a a sentir o Brilho de forma mais genuína.
- Faça um movimento físico: sorria, dê um soco no ar ou faça a postura da Mulher Maravilha (punhos nos quadris, peito para fora). Às vezes, os movimentos físicos geram um sentimento positivo. Sintonize no sentimento de Brilho e observe se o movimento o amplifica.
- Quando você comemorar, imagine que está comemorando por alguém que você ama. O que você diria a essa pessoa? Você se sentiria genuinamente orgulhoso do que ela está fazendo? A resposta é sim. Use isso como uma forma de alcançar o sentimento de Brilho.

Uma solução surpreendente para dois problemas de hábito

Agora parece o momento ideal para responder a duas das perguntas mais frequentes que recebo de pessoas que adotam o método Micro-hábitos: "Como posso consolidar meu hábito rapidamente?" e "Eu sempre esqueço de pôr meu hábito em prática; o que posso fazer para me lembrar?"

Tenho certeza de que a minha resposta vai surpreendê-lo, mas quando você perceber que criar um hábito é uma habilidade, ela fará todo o sentido.

Preparado?

Para consolidar um hábito rapidamente ou lembrar-se dele, é necessário ensaiar a sequência de comportamento (primeiro a Âncora, depois o novo hábito) e comemorar imediatamente. Repita essa sequência de sete a dez vezes.

Ao fazer essa simulação — esse ensaio —, você vai dar uma carga extra de velocidade à formação de hábitos. Sei que isso parece loucura hoje, mas acredito que essa técnica será uma prática comum no futuro. Quando você ensaia seu hábito, você treina para o momento em que vai colocá-lo em prática na vida real, assim como ensaiaria para um recital de dança ou uma apresentação de vendas. Se você não ensaiasse para essas coisas, sua performance de dança perderia qualidade e sua apresentação de vendas poderia não dar em nada. Quando se trata de atingir o desempenho máximo, ensaiar é importante.

Quantas cestas de três pontos Stephen Curry praticou? Mais de um milhão? Ele está ensaiando para poder arremessar do meio da quadra sem nem pensar. Esse hábito está consolidado nele. *Ta-dá!*

Quando você ensaia os Micro-hábitos, está treinando a memória muscular e reprogramando seu cérebro para lembrar. E você pode simular e consolidar o hábito ainda mais rápido se tiver uma comemoração eficaz.

Digamos que sua esposa esteja com raiva porque você nunca coloca o controle remoto da TV de volta em cima da lareira, onde ela acha que é o lugar dele. Se você se esquecer disso mais uma vez, o resultado não será nada bom. Está na hora de consolidar esse hábito rapidamente usando ensaios e comemorações. A receita seria algo como: *Depois de apertar o botão de desligar à noite, vou colocar o controle remoto em cima da lareira.*

Eis como você ensaia.

Sente-se na poltrona em que você assiste à TV. Pegue o controle remoto. Desligue a TV, levante-se e coloque o controle remoto em cima da lareira. Em seguida, comemore em grande estilo, como quiser — música-tema de *Rocky*, pose da Mulher-Maravilha ou uma afirmação silenciosa —, e certifique-se de *sentir* o Brilho. Ok, uma vez já foi. Vamos repetir. Você se senta com o controle remoto. Você aperta o botão de desligar, se levanta e...

Já deu para entender.

Minha Receita — Método Micro-hábitos

Depois de...	Eu vou...	Para consolidar o hábito em minha mente, eu vou imediatamente:
apertar o botão de "desligar" à noite,	colocar o controle remoto sobre a lareira.	
Momento Âncora	**Micro-hábito**	**Comemoração**
Um hábito já existente na sua rotina que lembra você de pôr em prática o Micro-hábito (seu novo hábito).	O novo hábito que você quer adotar, mas reduzido, para ficar bem simples — bem fácil de fazer.	Algo que você faz para criar um sentimento positivo (o sentimento é chamado de Brilho).

Isso parece doideira, eu sei. Ninguém jamais defendeu que você praticasse sequências de comportamento seguidas de comemorações para consolidar um hábito em seu cérebro antes. Mas é isso que estou dizendo agora.

Confie no processo e ensaie essa sequência de sete a dez vezes. Certifique-se de que sua comemoração crie a sensação de Brilho. Agora, observe o que acontece. Eu prevejo que, quando você apertar o botão de desligar da TV na noite seguinte, seu cérebro provavelmente dirá: *Ei, não se esqueça de colocar o controle remoto sobre a lareira*. Você vai se lembrar de fazer isso no momento certo porque treinou para isso. *Ta-dá!*

Três momentos para comemorar

Por questão de simplicidade, digo às pessoas para comemorarem imediatamente *depois* de executarem um comportamento que querem transformar em um hábito. Mas a verdade é que você pode se tornar um Ninja do Hábito de maneira mais rápida e confiável comemorando em três momentos diferentes: no momento em que você se lembra de pôr o hábito em prática, quando está praticando o hábito e imediatamente após concluir a execução do hábito. Cada uma dessas comemorações tem um efeito distinto.

Imagine que você tenha uma Receita de Micro-hábito como essa: *Depois de entrar em casa vindo do trabalho, vou pendurar minhas chaves*. Ao criar esse hábito, eu o incentivo a comemorar no momento exato em que seu cérebro se lembra de executar seu novo hábito. Imagine que você chega em casa depois do trabalho e, ao pousar tirar a mochila das costas, essa ideia vem em sua cabeça: *Ah, agora é a hora em que eu disse que iria pendurar minhas chaves, para poder encontrá-las amanhã*. Você deve comemorar nesse momento. Ao sentir o Brilho, você está consolidando o hábito de se *lembrar* de pendurar as chaves, não o hábito de pendurar as chaves.

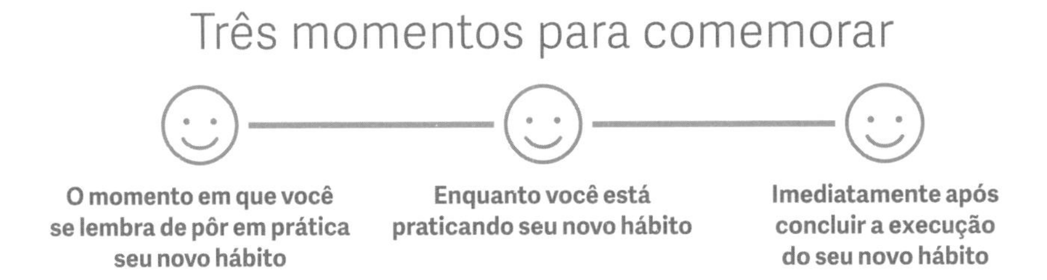

Quando você comemora a lembrança de realizar um Micro-hábito, você consolida o momento da lembrança. E isso é importante. Se você não se lembrar de um hábito, não tem como colocá-lo em prática.

Outro momento a ser comemorado é enquanto você está praticando seu novo hábito. Seu cérebro associará o comportamento ao sentimento positivo de Brilho. No caso de Jill, ela abraçou a ideia de que limpar a bancada era digno de comemoração. A etapa seguinte foi descobrir a melhor comemoração a ser usada para ajudá-la a fixar esse hábito. Depois de alguns testes, ela comemorou *enquanto* colocava o hábito em prática. O que proporcionou maior sentimento de Brilho nela foi imaginar a refeição que o marido prepararia naquela noite e ele dando um beijo nela e dizendo: "Belo trabalho, querida." Para Jill, a comemoração estava diretamente ligada à ação. A visualização que lhe permitiu conectar sua pequena ação aos sentimentos positivos de união familiar. Essa comemoração consolidou a lembrança e aumentou sua motivação para limpar a bancada mais vezes. Avançamos para os dias de hoje: Jill limpa o balcão sem nem pensar.

Mantenha fortes as raízes do hábito

Depois que um hábito se torna automático, você não precisa mais comemorar. Mas, caro leitor, pode ser que precise de umas gotinhas de comemoração aqui e ali para manter seus hábitos bem hidratados. Existem pelo menos dois cenários em que a comemoração pode ajudar a manter seu hábito firmemente enraizado.

1. Você não pratica o hábito há algum tempo, ou porque saiu de férias, ou porque mudou de casa. Ou a vida simplesmente atrapalhou.
2. Você está arrasando nesse hábito e quer aumentar sua intensidade. Talvez seu hábito inicial exija duas flexões, mas um dia você decide fazer vinte e cinco flexões para ver o que acontece.

O primeiro ponto é bastante óbvio: use a comemoração para recolocar o hábito de volta à sua rotina.

O ponto número dois é menos óbvio. Quando você aumenta a intensidade ou a duração de um hábito, está exigindo mais de você mesmo. Esse é um ótimo momento para trazer de volta a comemoração. O meu hábito fácil de fazer duas flexões, por exemplo. É tudo o que tenho que fazer. Contudo, ele cresceu naturalmente com o tempo, e hoje em dia eu costumo fazer de oito ou dez flexões por vez. Sem suar. No entanto, em certos dias decido fazer muito mais — vinte e cinco, trinta. Quando incomoda um pouco, quando sinto alguma dor, trago a comemoração de volta. Penso da seguinte forma: se eu adotar um hábito e for doloroso, incômodo ou desagradável, meu cérebro vai se reprogramar e me levar a evitar esse hábito. As emoções negativas parecem encolher as raízes da automaticidade. Por isso, mantenho meu hábito saudável e vivo comemorando com muita vontade para compensar a dor de fazer trinta flexões. E essa injeção de Brilho mantém o hábito vivo.

Comemorar sem receita

Todos os dias temos a oportunidade de tomar atitudes que repercutem e guiam a imagem que temos de nós mesmos. Sou o tipo de pessoa que devolve um carrinho de compras ou larga ele no meio do estacionamento? Sou o tipo de pessoa que deixa uma bagunça no chão para meu parceiro arrumar? Sou o tipo de pessoa que limpa a entrada da casa de um vizinho idoso? São esses pequenos momentos que determinam quem realmente somos. Às vezes fracassamos, e talvez fiquemos um pouco decepcionados. Outras vezes, fazemos um bom trabalho e por um momento nos sentimos bem com nós mesmos. Mas e se houvesse uma forma fácil de tornar mais provável termos bons comportamentos aqui e ali? E se houvesse uma forma de, aos poucos, aproveitarmos esses momentos em que somos o melhor que podemos ser, até de fato *nos tornarmos* o melhor que podemos ser? (Pelo menos na maioria dos dias.)

Vou demonstrar uma forma de fazer isso usando a comemoração sem uma Receita de Micro-hábito. Você deve comemorar ao longo do seu dia a dia. É bem simples. Mas exige prestar atenção aos momentos em que fazemos as coisas boas, e reforçar esses bons comportamentos com a comemoração.

Vou dar um exemplo.

Sarah, uma mãe que cria dois filhos sozinha, já havia usado o método Micro-hábitos para cultivar certos hábitos que a ajudaram a trabalhar com mais eficiência e a comer de forma mais saudável.

Depois que ela colocava as crianças para dormir, geralmente acontecia uma de duas coisas. Ou ela pegava no sono ao lado deles, sem trocar de roupa ou tirar a maquiagem, ou ela ia para o quarto e desabava na própria cama — ainda com a roupa do trabalho e a maquiagem completa. Às vezes, ela conseguia tirar a roupa e jogar em cima da cadeira do quarto, e às vezes até escovava os dentes e botava o pijama. Mas quase nunca lavava o rosto. Isso a incomodava — todo mundo sabe que não se deve dormir de maquiagem. As pessoas diziam a ela: "Isso vai entupir seus poros! E te dar rugas!"

Sarah sabia de tudo isso, mas tinha preocupações mais urgentes, como manter os filhos alimentados e as contas pagas. Ela nunca tinha pensado muito sobre aquilo, até uma noite em que as crianças estavam com os avós e ela teve uma onda de energia. Então, ela lavou o rosto antes de dormir. Foi uma coisinha simples, mas depois que ela secou o rosto e se olhou no espelho, sorriu. Ela teve a mesma sensação de Brilho que tinha sentido ao comemorar seus outros hábitos, por isso invocou uma narrativa interna diferente — uma que dizia: *Muito bem, Sarah. Você lavou essa carinha! Você é o tipo de mulher que se cuida.* Ela tirou um momento para se sentir bem consigo mesma, em vez de se sentir mal.

Sarah não criou uma Receita de Micro-hábito para lavar o rosto, mas mesmo assim sua comemoração a ajudou a criar o hábito de cuidar de si mesma como uma forma de encerrar o dia. Isso foi ótimo. Mas a história de Sarah continua.

Agora que ela se sentia como alguém que investe um pouco de tempo para se cuidar, Sarah passou a fazer mais do que lavar o rosto. Ela começou a guardar suas roupas à noite, em vez de só jogá-las na cadeira. Ela comemorou isso e não parou por aí, deixando que os efeitos de se sentir bem se expandissem para outras áreas de sua vida. Repare que os rituais noturnos de Sarah se consolidaram porque ela aproveitou a oportunidade de comemorar um comportamento que ela desejava incluir em sua rotina. Esse começo simples se tornou uma ferramenta poderosa para mudar o que ela sentia em relação a si mesma.

O que eu quero dizer é o seguinte: você pode usar a comemoração a qualquer momento da sua vida. Não é preciso planejar. Não é preciso escrever uma Receita de Micro-hábito. Apenas observe qualquer bom comportamento que fizer e comemore-o. Se você for capaz de sentir o Brilho, está no caminho certo para que esse bom comportamento se torne automático. Mais importante, no entanto, é o fato de você conquistar a capacidade de provocar um impacto para melhor na vida emocional, buscando oportunidades de sentir emoções positivas em vez de se concentrar nas negativas. Lembre-se de que a mudança é mais eficaz quando você *se sente bem*, não quando *se sente mal*.

A comemoração é a ponte entre micro-hábitos e grandes mudanças

A comemoração um dia estará lado a lado com a atenção e a gratidão no ranking de práticas diárias que mais contribuem para a nossa felicidade e o nosso bem-estar. Se você tiver que aprender apenas uma coisa com este livro, espero que seja: comemore seus pequenos sucessos. Essa pequena mudança na sua vida pode ter um impacto enorme, mesmo quando você tiver a sensação de que não existe nenhum caminho para melhorar nem para escapar de determinada situação. A comemoração pode ser a sua salvação.

Quando Linda começou a praticar o método Micro-hábitos, ela ignorou a parte da comemoração. Tornar as coisas menores e mais fáceis fazia sentido para seu cérebro analítico e pragmático. Mas comemorar depois de cada coisinha? Isso não fazia muito sentido. Não lhe parecia interessante nem confortável, então ela se concentrou nos hábitos que havia planejado. Ela teve alguns sucessos e alguns fracassos, mas não estava experimentando as grandes mudanças das quais as outras pessoas falavam.

Quando Linda e eu trabalhamos juntos para que o método provocasse mais transformações em sua vida, o que percebi é que ela precisava abraçar as comemorações em sua prática.

Sentir-se bem-sucedido não é uma mera habilidade que empregamos para fixar um hábito — é também um antídoto para a cultura do "tudo ou nada", e uma nova lente pela qual você pode enxergar a si mesmo.

Para superar o impasse da comemoração, Linda experimentou uma das minhas técnicas preferidas para sentir emoções positivas — a Blitz de Comemoração. Incentivo todo mundo a fazer isso quando o dia pede uma reviravolta: vá para o cômodo mais bagunçado da sua casa (ou o pior canto do seu escritório), ajuste o cronômetro para três minutos e comece a arrumar. Depois de cada papel que você jogar fora, comemore. Depois de cada pano de prato que dobrar e guardar, comemore. Depois de cada brinquedo que colocar na caixinha... Você entendeu. Diga: "Ponto pra mim!" e "Uau. Ficou muito melhor!" Dê um soco no ar. O que quer que funcione melhor para você. Comemore cada pequeno sucesso, mesmo que não o sinta de forma autêntica, porque assim que o tempo acabar quero que você pare e entre em sintonia com o que estiver sentindo.

Prevejo que seu humor vai melhorar e que você terá uma sensação notável de Brilho. Você ficará mais otimista quanto ao seu dia e às tarefas que tem pela frente. Você pode se surpreender com a rapidez com que sua perspectiva mudou. Garanto que vai olhar em volta e sentir uma sensação de sucesso. Você verá que tornou sua vida melhor em apenas três minutos. (Vale a pena repetir: *Você tornou sua vida melhor*.) Não apenas porque o cômodo está mais arrumado, mas porque você dedicou três minutos para praticar as habilidades da mudança, explorando os efeitos de pequenas comemorações feitas rapidamente.

Linda confiava o suficiente no processo para dedicar três minutos a ele. E bastou isso. Ela se tornou uma autoproclamada "convertida das comemorações". Depois de alguns meses, ela percebeu que estava comemorando por coisas que *não eram* hábitos. Ela passava por um sinal de trânsito verde em uma manhã apressada e gritava "Uhul!" sozinha em seu carro. Enquanto dobrava a última peça de roupa, dizia para si mesma: "Muito bem, Linda!" Antes, momentos como esses passavam despercebidos. O que ela *costumava* perceber eram todas as coisas irritantes — os sinais vermelhos e o caixa que fecha depois que ela já estava na fila havia cinco minutos. Mas, agora, as pequenas vitórias chamavam sua atenção. Ela começou a celebrá-las. Linda me disse que essa não era nem mesmo uma decisão consciente. Isso se deu porque seu cérebro aprendeu que comemorar era bom. Involuntariamente, ela transformou a comemoração em *hábito*.

Lembre-se de que o nosso cérebro *quer* se sentir bem. Comemorar pequenas vitórias dá a ele uma referência em torno da qual reprogramar nossa vida. Linda me disse que "treinou seu cérebro para pensar positivo, em vez do contrário". O que é o mais certo possível. Mesmo em situações difíceis, ela agora procura pequenas coisas às quais pode associar uma emoção positiva por meio da comemoração. Isso a ajuda a procurar o bem e a se concentrar nele, em vez de ficar presa às coisas negativas. Amy fez algo semelhante no capítulo anterior, quando inverteu o script da interação com o ex-marido e transformou a negatividade em prompt para fazer algo positivo. Pelo fato de Amy ter praticado comemorar diversos outros hábitos ao longo de todos aqueles meses, seu cérebro estava preparado para procurar a oportunidade de se sentir bem, mesmo em circunstâncias inusitadas.

Um pequeno alarme pode ter disparado dentro da sua cabeça. Você viu as palavras "positivo" e "negativo" e sentiu um ligeiro incômodo. Você já ouviu pessoas dizendo "Pense positivo!" ou "Olhe pelo lado bom!". E pode ter revirado os olhos ao ouvir isso, porque se fosse tão fácil assim, todo mundo acharia que o copo está metade cheio, não? Sim, acharia.

Mas vamos esclarecer uma coisa. O que Amy fez *não foi* pensamento mágico. O que Linda fez *não foi* estalar os dedos e ver o lado positivo das coisas. Ambas seguiram um processo testado e aprovado, fizeram as adaptações necessárias, e encontraram ferramentas duradouras às quais podem recorrer quando as coisas dão errado. Ao hackear o centro de recompensa do cérebro, elas mudaram o mindset. Foi um processo planejado e deliberado, que deu lindos frutos com o tempo.

Mas esse não é de forma alguma o fim da história de Linda.

No outono de 2016, Linda sentiu a depressão rondá-la mais uma vez. O Alzheimer do marido havia piorado, e ele precisava de cuidados que não havia como pagar. Ela se sentiu tão sobrecarregada que apoiava a cabeça na sua mesa de trabalho e chorava de soluçar por quinze minutos todos os dias. Ela estava apavorada por ter que cuidar das finanças além de trabalhar e cuidar dos filhos. Portanto, ela se permitia chorar (o que, a propósito, é uma coisa boa). Mas, uma hora, ela dizia: "Ok, vamos em frente." Então ela se levantava e fazia uma Blitz de Comemoração ali mesmo em seu escritório. Passava três minutos arrumando e comemorando — ou, se precisasse de um pouco mais de ânimo, fazia isso por cinco minutos. Isso a afastava do que ela chamava de "festa da autocomiseração". Depois de atravessar luto e perda suficientes para arrastar qualquer um para o buraco, Linda tinha aprendido que você precisa se permitir entrar neles algumas vezes, mas não pode ficar lá.

A Blitz de Comemoração foi a corda que ela jogou para si mesma quando precisou sair daquele estado. Linda fez isso quase todos os dias naquele outono, e todos os dias ela levantava a cabeça e seguia em frente. Fazia questão de se concentrar no fato de que estava fazendo o máximo possível por si mesma, pela família e pelas pessoas a quem ensinava todos os dias como coach do método Micro-hábitos. E ela comemorou isso — uma habilidade que ela cultivou e aperfeiçoou, e que gostaria de ter aprendido quando era mais jovem.

Ainda que história de Linda seja mais angustiante que o normal, a essência é muito familiar. Ao ensinar o método, ouvi muitas histórias em que a lição que fica é a mesma: o sentimento de sucesso é um poderoso catalisador de mudança. Sua confiança aumenta quando você comemora, não apenas porque agora você é uma máquina de criar hábitos, mas também porque está ficando cada vez melhor em *ser gentil consigo mesmo*. Você passa a procurar oportunidades para comemorar, não para se repreender. Então, sem que dê conta, alguma coisa fundamental muda. Você costumava acreditar que era um determinado tipo de pessoa. Talvez o tipo de pessoa que não consegue seguir uma rotina de exercícios, como Mike. Ou o tipo que deixa tudo bagunçado, como Jill. Ou o tipo que não consegue levantar a cabeça da mesa porque está presa ali pelas próprias lágrimas, como Linda. Você achava que não havia muitas chances de mudar. Mas, ao longo de semanas e meses, esses hábitos pequenos e simples que você incorporou à sua rotina mudaram completamente o tecido da sua vida. Você descobre que se transformou em um tipo diferente de pessoa, o tipo de pessoa que nunca pensou que poderia ser. O tipo de pessoa que se levanta antes dos filhos para se exercitar e que assusta o carteiro com sua imitação de Rocky. O tipo de pessoa que ignora as derrotas do dia a dia e que comemora ativamente as vitórias. O tipo de pessoa que sabe que pode fazer quase *qualquer tipo de mudança* que quiser.

Esse é o poder da comemoração, capaz de mudar o mundo e mudar a vida. E, de forma muito sutil e muito eficaz, mudar sua rotina. Você agora é o tipo de pessoa que pode se tornar qualquer tipo de pessoa que *quiser*.

Micro-exercícios para sentir o Brilho

Ao longo deste capítulo, descrevi exercícios para ajudar você a encontrar sua comemoração natural. Não deixe de fazê-los. Eles são importantes.

A seguir, sugiro mais formas de encontrar comemorações capazes de criar um autêntico sentimento de Brilho em você.

EXERCÍCIO 1: DIFERENTES MODOS DE COMEMORAÇÃO

Este exercício vai lhe ajudar a encontrar novas maneiras de comemorar seus microssucessos. Explore essas opções e veja o que funciona melhor para você. Se precisar de mais inspiração, consulte o apêndice ao final do livro: "Cem formas de comemorar e sentir o Brilho."

MÚSICAS QUE VOCÊ AMA

Pense em uma música que lhe faça se sentir feliz, bem-sucedido e otimista. Cante (ou cantarole) parte dessa música como forma de comemorar seus microssucessos.

MOVIMENTOS FÍSICOS

Explore movimentos físicos que ajudem você a se sentir feliz e bem-sucedido. Pode ser um soco no ar, uma dancinha ou até fazer que sim com a cabeça. Encontre um movimento físico que o ajude a sentir o Brilho e coloque-o em prática para consolidar um novo hábito.

MANIFESTAÇÕES VERBAIS

Procure frases que lhe façam se sentir feliz e bem-sucedido ao serem ditas. Algumas pessoas dizem "Uhul!", outras dizem "Isso aí!". Explore opções e descubra pelo menos uma manifestação verbal que lhe faça sentir o Brilho.

EFEITOS SONOROS

Encontre sons que o ajudem a sentir uma emoção positiva — o rugido de uma multidão, uma fanfarra de trompete ou o som de um prêmio no caça-níqueis. Escolha um efeito sonoro de que goste e coloque-o em prática para consolidar seus hábitos.

VISUALIZAÇÕES

Algumas pessoas usam a imaginação para criar um sentimento de Brilho. Isso pode ser mais difícil do que as quatro primeiras opções, mas é mais flexível (você pode fazer em qualquer lugar) e mais poderoso (causa muito Brilho).

Dedique alguns minutos para fazer uma lista de coisas nas quais você pensa que fazem com que se sinta feliz e bem-sucedido — um sorriso do seu neto, um carinho em seu cachorro, a areia da sua praia favorita. O que quer que funcione para você. Explore suas opções e descubra algo fácil de imaginar e que seja a mais poderosa imagem na criação de Brilho. Use essa visualização para comemorar seus microssucessos.

EXERCÍCIO 2: EXPERIMENTE UMA BLITZ DE COMEMORAÇÃO

Experimente este exercício pelo menos uma vez. Para ficar ainda melhor, transforme-o em parte integrante da sua rotina.

Etapa 1: Encontre o local menos arrumado da sua casa ou do seu escritório.

Etapa 2: Ajuste o cronômetro para três minutos.

Etapa 3: Depois de cada coisa que organizar, comemore.

Etapa 4: Continue arrumando e comemorando.

Etapa 5: Quando acabarem os três minutos, pare e preste atenção aos seus sentimentos. O que mudou? O que você aprendeu?

EXERCÍCIO 3: FAÇA UM LEMBRETE: A MUDANÇA É MAIS EFICAZ QUANDO VOCÊ SE SENTE BEM

Este exercício é uma repetição da introdução. Se você não fez isso lá, faça agora. Entendido? Obrigado.

Para ajudar você a se lembrar de que a mudança é mais eficaz quando você se sente bem, não quando se sente mal, eis um exercício simples.

Etapa 1: Escreva "A mudança é mais eficaz quando me sinto bem, não quando me sinto mal" em um pedaço de papel.

Etapa 2: Cole este papel em algum lugar em que você vá ler a frase com frequência, como no espelho do banheiro.

Etapa 3: Leia a frase com frequência.

Etapa 4: Observe como esse insight afeta sua vida (e a das pessoas ao seu redor).

CAPÍTULO

6

O CRESCIMENTO DO HÁBITO: DO MICRO AO TRANSFORMADOR

Quando Sukumar completou 26 anos, ele notou duas coisas: todos ao seu redor estavam se casando e sua pança estava cada vez maior. As duas coisas aconteceram do nada.

Apenas alguns meses antes, parecia que todo mundo estava solteiro e ele ainda era aquele cara magro de Chennai, na Índia. Mas agora a barriga de Sukumar transbordava das calças e, depois das festas, seus amigos voltavam para casa com as esposas enquanto ele ia embora sozinho. A mesma frase ecoava em sua cabeça: "*Que mulher vai querer se casar comigo?*"

Em dado momento, Sukumar decidiu que precisava fazer algo a respeito de seu peso. Ele começou a prestar mais atenção ao que comia e tentou se exercitar mais.

Apesar das tentativas de Sukumar de melhorar sua dieta e seu condicionamento físico, a barriga, teimosa, permanecia lá. Mas ele continuou tentando, e sua "luta contra a pança" (como ele chama) passou a ser mais uma questão de saúde do que de aparência.

Sukumar começou a sentir tanta dor nas costas e no pescoço que tinha dificuldade de ficar sentado em sua mesa por mais de trinta minutos. Como trabalhava como especialista em TI em uma empresa de tecnologia, era inevitável passar muito tempo sentado. Ele estava disposto a tolerar a dor, mas as longas horas que tinha que dedicar ao trabalho eram difíceis de suportar. Preocupado com seu desempenho profissional, ele finalmente foi a um médico. Seu médico apontou o peso extra que Sukumar carregava em torno da cintura. Aquilo, disse ele, era parte do problema.

Sukumar continuou tentando ser saudável. Exercitando-se mais. Comendo menos.

Durante anos.

Infelizmente, Sukumar ficou preso num ciclo familiar de dietas radicais acompanhadas de exercícios físicos ambiciosos. Ele ficava com fome e dolorido, mas não via resultados. A frustração e as dores de Sukumar aumentavam, e ele não parecia conseguir nenhuma mudança e nunca entrava em forma. Várias vezes, ele abandonou sua ambiciosa busca por condicionamento físico e voltou à poltrona acompanhado de um saco de batatas fritas.

Mas Sukumar se casou (ele encontrou uma mulher que achava sua barriga uma gracinha). Depois que a esposa encontrou seu próprio ritmo de atividades físicas, ela sugeriu que ele tentasse trabalhar com seu personal trainer. Esse plano correu muito bem por algumas semanas, mas Sukumar logo vacilou. Ele estava mais ocupado do que nunca no trabalho, e perder uma hora do seu dia com isso era estressante. Ele dizia a si mesmo: "*Esse é o meu problema, eu não tenho tempo.*"

Esse vaivém entre tentativas de melhorar seu condicionamento físico e desculpas por não conseguir era mais do que frustrante; também provocava ansiedade. Sukumar tinha problemas para dormir e se concentrar, e ainda assim se sentia impotente para fazer algo a respeito.

Quando Sukumar completou 43 anos, ele percebeu que estava lutando para perder peso havia *dezessete 17 anos.*

O que tinha começado como uma pequena insegurança tornara-se um ciclo doloroso que só terminou quando ele descobriu os Micro-hábitos em 2012.

Sukumar começou no método da mesma maneira que muitas pessoas — com flexões. No início, ele manteve tudo micro. Depois de escovar os dentes, ele fazia duas flexões. Ele também criou o hábito de fazer prancha durante cinco segundos. Com esses pequenos primeiros passos, Sukumar finalmente tomou o caminho do sucesso. À medida que esse hábito crescia e se multiplicava, ele finalmente perdeu cinco quilos e quase treze centímetros na cintura. Isso não foi um mero golpe de sorte de Sukumar, porque uma enorme mudança de identidade possibilitou que ele quebrasse o velho ciclo e preparasse o terreno para manter sua perda de peso e se tornar mais saudável e mais forte ao longo dos anos.

Agora, com 51 anos, Sukumar faz cinquenta flexões toda manhã no início de sua rotina de exercícios de uma hora que termina com uma prancha de cinco minutos. Ele ainda tem dores nas costas de vez em quando, mas administra quaisquer crises com treinamento de força e alongamentos.

Quando consultei Sukumar recentemente sobre compartilhar sua história, ele me disse: "BJ, eu me transformei."

Neste livro, compartilhei histórias verdadeiras de pessoas que passaram do *micro* ao *transformador*. Em cada um dos casos, analisamos um aspecto essencial da jornada do Design de Comportamento — ajuste de motivação, aumento da capacidade, design de prompts ou celebração das suas conquistas. Eu acompanhei você no processo de design de novos hábitos e introduzi algumas habilidades primordiais que podem fazer de você um verdadeiro Ninja do Hábito.

Mas como, afinal, você passa de duas a cinquenta flexões? Como você vence a luta contra a pança para sempre? Como você corre aquela maratona com a qual sonha há anos? Como você finalmente economiza dinheiro suficiente para pagar as contas em caso de emergência? Como você inicia o negócio sobre o qual fala há meses? Como você diminui seus níveis de colesterol definitivamente?

Posso responder a todas essas perguntas com boas notícias: quando você aplica o método Micro-hábitos de maneira consistente, seus hábitos *aumentam de tamanho naturalmente.*

Este capítulo vai explicar como os hábitos crescem e se multiplicam. Também apresentarei uma estrutura que o ajudará a reconhecer as habilidades de mudança que você já tem e como solucionar problemas relacionados a hábitos que se perderam. Tudo isso o ajudará a enxergar com clareza o seu próprio caminho, do pequeno ao transformador.

Vamos começar revisando a metáfora que utilizei no Capítulo 1.

Cultivar hábitos — bons ou ruins — é como cultivar um jardim.

Pense da seguinte maneira: você está de pé na varanda da sua casa, desejando que, de alguma maneira, seu quintal todo bagunçado se torne um espaço bonito. À medida que as semanas passam, as ervas daninhas começam a crescer. Você tira algumas aqui e ali, mas isso vai se tornando trabalhoso, então você desiste. Mas continua desejando que coisas bonitas cresçam ali.

Uma abordagem muito melhor é projetar o jardim (hábitos) que você deseja. Você identifica quais folhagens e flores gostaria de ter em seu jardim (motivação), escolhe plantas das quais pode facilmente cuidar (capacidade) e reflete sobre qual local no quintal é melhor para cada planta (encontrar um espaço em sua rotina).

No início, é preciso um pouco de planejamento e cuidado para plantar os pequenos e delicados brotos, mas você se certificou de que suas raízes serão fortes comemorando os pequenos sucessos. Em breve, será hora de deixar que seus hábitos enraizados façam o que é natural — cresçam.

Você ainda está lá, *fazendo* as coisas, é claro. Você está regando e capinando, mas não está se engajando em um processo diferente ou se esforçando. É a mesma coisa com seus novos hábitos. Pode ser necessário experimentação e atenção extra no início, mas depois de estabelecer novos hábitos da maneira correta, não será preciso muito além de segui-los de forma consistente para que eles floresçam.

Depois de plantar seu jardim, os girassóis crescerão brilhantes e altos, e os morangos espicharão e se espalharão.

Como as plantas, cada um de seus hábitos aumentará de tamanho de maneira diferente e em seu próprio ritmo. O hábito de fazer flexões pode aumentar de duas para cinquenta, mas o tamanho final de cada hábito varia de acordo com o tempo e as limitações humanas individuais. O hábito de comer um abacate todas as manhãs pode não crescer, mas pode se desdobrar no hábito de comer mirtilos após o jantar ou no hábito de comer aipo no almoço.

Quanto tempo leva para que os hábitos cheguem ao seu tamanho máximo? Não existe uma resposta universal. Qualquer conselho que você ouvir sobre um hábito que leva 21 ou 60 dias para se formar por completo não será totalmente preciso. Não existe uma quantidade mágica de dias.

Por quê? Porque o tempo de formação de um hábito depende de três coisas:

- Da pessoa que pratica o hábito
- Do hábito em si (a ação)
- Do contexto

Na verdade, é a *interação* entre esses elementos que determina o quão difícil (ou fácil) é criar o hábito. É por isso que ninguém pode afirmar com certeza que o hábito X leva um número Y de dias para se formar plenamente.

Mudar é um processo, assim como cultivar uma flor no jardim ou curar um corte no dedo. E, como em qualquer processo, existem coisas que podemos fazer para otimizá-lo — para acelerar as coisas e fazer ajustes ao longo do caminho. Ao entender como nossos hábitos crescem e qual é o nosso papel nesse processo, podemos projetar de maneira segura a mudança — a transformação — que queremos em nossa vida.

Vamos nos aprofundar nos detalhes.

Crescer e multiplicar

Quando se trata do processo de aumentar os hábitos, existem duas categorias gerais: hábitos que *crescem* e hábitos que *se multiplicam*.

Quando uso a palavra "crescer" nesse contexto, quero dizer que o hábito se torna maior. Você passa a meditar durante trinta minutos por dia, em vez de apenas respirar três vezes. Você começa a limpar a cozinha inteira, não apenas a bancada. A essência desses comportamentos é a mesma, mas você vai além. Os hábitos se expandem.

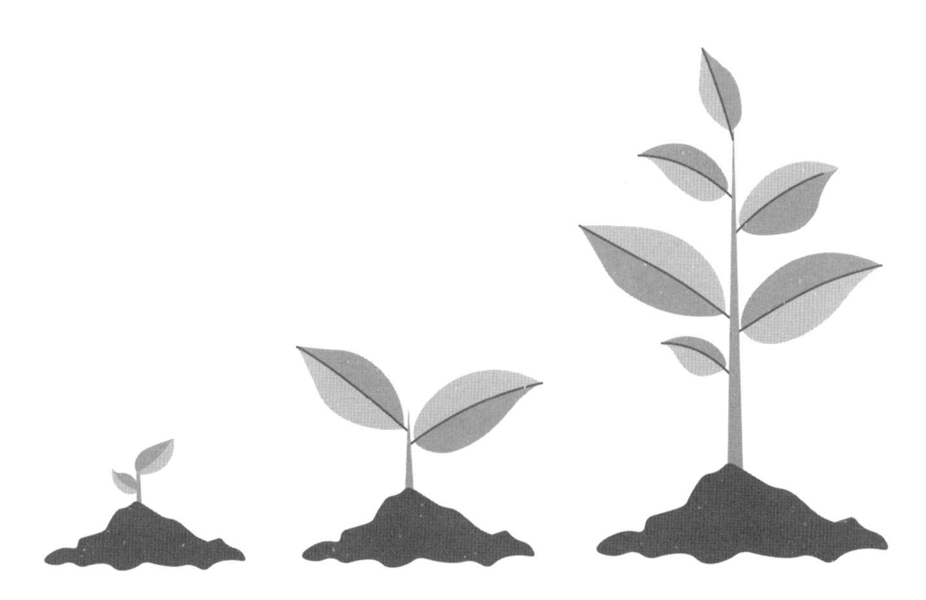

Como uma planta, os hábitos podem crescer naturalmente.

Ao observar como os hábitos crescem, você verá que cada um deles só aumenta até determinado tamanho. (O mesmo ocorre com as plantas.)

O hábito diário de Sukumar de fazer prancha chegou ao máximo de cinco minutos, o que é bem impressionante. Ele não era capaz de ir além disso sem distender a musculatura ou desanimar com esse esforço — duas coisas que acabam enfraquecendo um hábito. Sukumar encontrou o limite natural de crescimento do seu hábito de fazer prancha.

Você pode perguntar: *Nos primeiros dias, como Sukumar sabia quando fazer a prancha por mais de cinco segundos?*

Boa pergunta. Vamos nos aprofundar nisso em breve, mas, por enquanto, a resposta curta é: *ele fazia mais quando queria fazer mais.*

A segunda maneira de os hábitos crescerem é por meio da multiplicação. Isso acontece em geral quando o hábito que você cultivou é parte de um ecossistema maior de comportamentos. Se sua aspiração é tornar seus dias sempre mais produtivos, você pode optar por um clássico — o Hábito Maui. Depois de acordar e colocar os pés no chão pela manhã, você diz: "Hoje vai ser um ótimo dia." Como esse hábito tem um momento bastante específico para ser praticado, ele não cresce. No entanto, ele se multiplica e você pode esperar um efeito cascata.

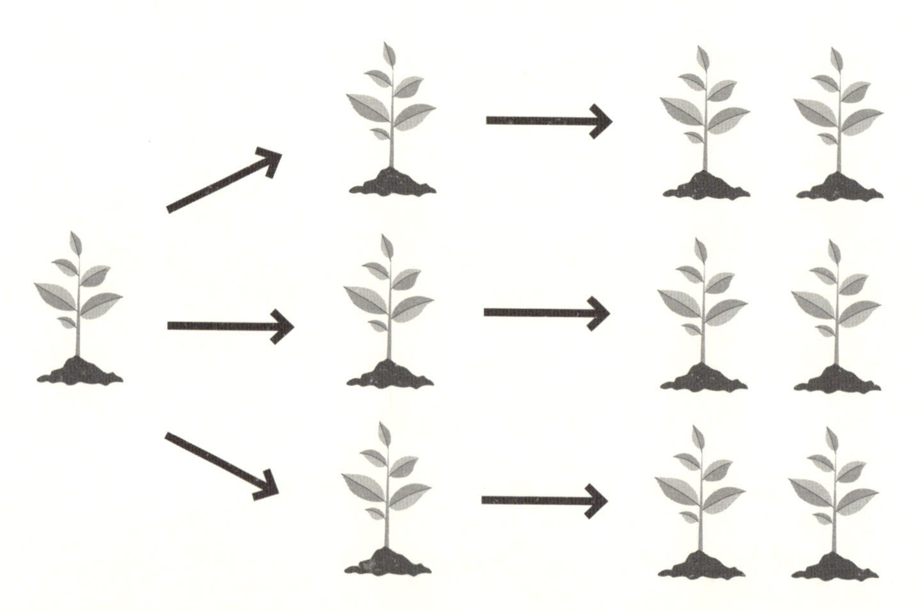

Como uma planta, um hábito pode se multiplicar.

O Hábito Maui cria um sentimento positivo que inspira muitas pessoas a acrescentarem outros bons hábitos às suas manhãs — como arrumar a cama. Ao praticar o Hábito Maui, você pode experimentar outros hábitos, como lavar a louça antes de sair de casa de manhã ou pensar em algo pelo que agradecer ao escovar os dentes.

Sou um defensor do Hábito Maui porque essa atitude muito simples ajuda você a enfrentar outros desafios ao acordar. Quando você é bem-sucedido nesse hábito, você cria uma trajetória ascendente para o seu dia que pode lhe dar mais disposição e aumentar seu desempenho no trabalho, e não só.

Como as pessoas relatam os efeitos cascata do Hábito Maui, o que fica claro é que ele não cresce na mesma proporção em que se multiplica, da mesma maneira que as sementes de uma flor são colhidas pelo vento e coisas bonitas acabam nascendo em outros lugares. O Hábito Maui, e outras pequenas mudanças como ele, podem ser fáceis de se criar, e se acumulam naturalmente até que seu dia se transforme (e você não luta mais para sair da cama).

Iniciar o processo de criação de hábitos com uma aspiração clara o levará naturalmente à sua própria mistura especial de Hábitos que Crescem e Hábitos que se Multiplicam. Se uma de suas grandes aspirações é correr uma maratona, você provavelmente criará pelo menos um hábito relacionado a caminhar ou correr — que é um Hábito que Cresce. Você acabará indo mais longe e mais rápido. Ao mesmo tempo, você provavelmente criará alguns Hábitos que se Multiplicam, como beber mais água e adicionar legumes frescos às suas refeições. Esses hábitos podem se multiplicar naturalmente e levar a outros hábitos relacionados à alimentação. Tudo isso o levará à sua aspiração de correr uma maratona.

A dinâmica do crescimento

Quando comecei a utilizar o método, vi meus hábitos crescerem e todo o cenário da minha vida mudar. Mas foi só quando comecei a compartilhar isso com outras pessoas, em 2011, que percebi que o efeito de crescimento dos Micro-hábitos era universal. Conforme observava isso mais de perto, conversava com outras pessoas e coletava dados, comecei a ver diferentes padrões de crescimento surgindo. Você também os verá.

Você já ouviu isso antes, e minha pesquisa confirma que é verdade: o sucesso leva ao sucesso. Mas eis algo que pode surpreendê-lo. O tamanho do sucesso não parece importar muito. Quando você se sente bem-sucedido em alguma coisa, mesmo que seja algo pequeno, sua confiança cresce rapidamente e sua motivação aumenta para repetir aquele hábito e ter outros comportamentos relacionados a ele. Eu chamo isso de impulso do sucesso. Surpreendentemente, isso é criado pela frequência com que você tem sucesso, não pelo tamanho deles. Então, com o método Micro-hábitos, você está em busca de um monte de pequenos sucessos, obtidos rapidamente. Não um grande sucesso que leva muito tempo para ser atingido. Os dados da minha pesquisa mostram um número surpreendente de pessoas que enfrentaram grandes comportamentos como resultado do sucesso em pequenas coisas. Essa descoberta me intrigou, a princípio. Mas, ao fazer perguntas qualitativas, acredito que tenha conseguido desenterrar o processo dinâmico que provoca efeitos cascata e catalisa os avanços do "grande salto".

Podemos recorrer ao Modelo de Comportamento para descobrir o que acontece.

Temos motivações conflitantes para muitos comportamentos na vida. Parte de nós quer agir e parte de nós não quer — queremos acordar cedo, mas também queremos ficar na cama e dormir mais.

Para explicar essa dinâmica com maior vivacidade, gostaria de falar sobre dança.

Suponha que você esteja em uma festa da empresa e uma banda muito boa está tocando uma música que você ama. Apenas algumas pessoas estão dançando, e parte de você quer dançar. Um sentimento de esperança motiva você a dançar: *vou me divertir e me sentir bem — e talvez eu seja visto como uma pessoa divertida*. Essa é a antecipação dos resultados bons. No entanto, parte de você tem medo. O medo é a antecipação dos resultados ruins. Você pode estar pensando: "*Se eu for lá dançar, posso acabar parecendo idiota e perdendo credibilidade com os meus colegas. Meu chefe vai ver como sou desajeitado e vai pensar duas vezes antes de me promover.*"

Esperança e medo são vetores que se opõem, e a soma desses dois vetores é o seu nível de motivação geral.

Se você é capaz de excluir o vetor do medo, a esperança vai predominar, e o seu nível geral de motivação aumentará, o que pode levá-lo para acima da Linha de Ação — e você colocará o comportamento em prática.

Existem algumas maneiras de enfraquecer ou remover o desmotivador medo. Uma abordagem comum para atenuar a ansiedade em situações sociais são as bebidas alcóolicas. Nesse caso, o medo normal que você tem provavelmente será reduzido — ou eliminado —, e a esperança de se divertir e parecer maneiro surgirá, colocando o comportamento de dançar em público acima da Linha de Ação.

A propósito, essa não é uma boa ideia para uma festa da empresa.

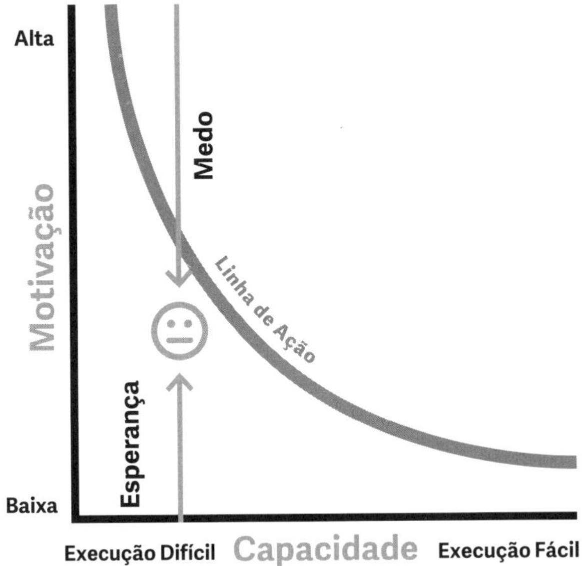

Existem outras maneiras de vencer o medo de dançar. Você pode apagar as luzes da pista de dança. Você pode começar uma coreografia em grupo com passos simples, que todos poderão acompanhar. Você pode incentivar outras pessoas a dançarem primeiro. Em uma conferência que organizei para profissionais de bem-estar, distribuí óculos escuros para fazer com que dançassem. Funcionou (e foi mais saudável e mais apropriado do que o álcool). Todas essas abordagens reduzem o medo de dançar em público e permitem que o nível geral de motivação aumente.

Outra maneira de colocar o comportamento de dançar em público acima da Linha de Ação é adicionar motivadores. Às vezes, essa é uma boa abordagem, mas muitas vezes você pode acabar adicionando estresse e tensão à vida das pessoas porque os Vetores de Motivação vão fazer pressão um contra o outro.

Suponha que ninguém esteja dançando e o seu chefe, que pagou uma grana pela música ao vivo, sobe ao palco e anuncia que, se não dançarem, ninguém receberá o bônus de final de ano. Putz. Nesse caso, você dança, mas é tenso.

Suponha que seus amigos estejam na pista de dança e você esteja sozinho ao lado da mesa de doces. De repente, seus amigos começam a entoar seu nome enquanto apontam para você, convocando-o a entrar na pista de dança. Você balança a cabeça, dizendo não. Então, todos na pista chamam seu nome. Isso certamente adicionaria motivação para o comportamento, mas não é a esperança que está motivando você, é a pressão social. Apesar do seu medo significativo, a subida do Vetor de Motivação é tão forte que você é empurrado para acima da Linha de Ação. Isso significa que você entra na pista de dança e finge se divertir porque a pressão social (um poderoso motivador) soterrou o seu medo (o desmotivador).

Essa festa da empresa mostra como motivadores conflitantes funcionam no caso de um comportamento único. A mesma dinâmica — vetores fazendo pressão uns contra os outros — se aplica a hábitos diários e a mudanças a longo prazo.

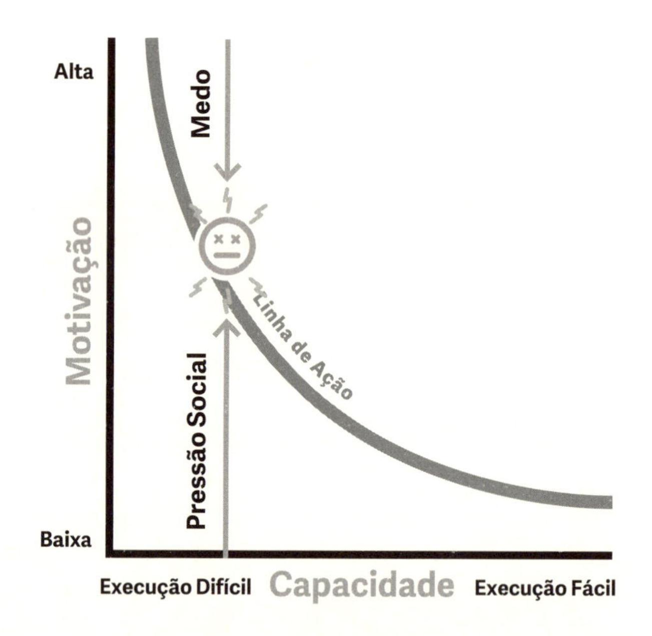

Uma chave para projetar mudanças de longo prazo é reduzir ou remover os desmotivadores. Isso permite que o motivador natural (que geralmente é a esperança) floresça, o que, por sua vez, pode sustentar o novo comportamento ao longo do tempo.

Suponha que seu chefe o convide para liderar uma reunião de equipe diária todas as manhãs. Parte de você quer fazer isso, esperando que isso impulsione sua carreira, mas parte tem medo de assumir esse compromisso.

Seu chefe sabe que você está um pouco relutante em fazer isso (e ele ainda não leu este livro), então acrescenta um incentivo: "Se você conduzir a reunião apenas uma vez, vamos todos almoçar por minha conta."

Então você conduz a reunião.

A primeira vez que as pessoas têm um comportamento é um momento crítico em termos de formação de hábitos. Se você perceber alguma falha durante a reunião, seu vetor de medo ficará mais forte, reduzindo seu nível geral de motivação e, portanto, é provável que você não queira mais coordenar reuniões no futuro.

Mas sua história é diferente. Você faz um trabalho incrível liderando a reunião. O encontro é muito produtivo e seus colegas elogiam seu estilo. É aqui que o sentimento de sucesso desempenha um papel poderoso. Se você obtiver êxito à frente da reunião, o desmotivador do medo ficará mais fraco ou talvez desapareça completamente. Seu nível de motivação geral aumentará. Agora que você está consistentemente acima da Linha de Ação, você diz sim ao seu novo hábito de coordenar reuniões.

Mas isso não é tudo.

Quando um desmotivador vai embora, você abre a porta para um comportamento maior e mais difícil. A Linha de Ação do meu Modelo de Comportamento mostra que você pode adotar comportamentos mais difíceis à medida que seus níveis de motivação aumentam. Se você vencer o medo de coordenar reuniões de equipe, é mais provável que diga sim quando seu chefe convidá-lo para estar à frente de reuniões que envolvam toda a empresa, o que é um comportamento mais difícil porque demanda mais tempo, energia e trabalho intelectual, mas agora sua esperança aumenta. Como resultado, você realiza grandes reuniões e sua carreira avança.

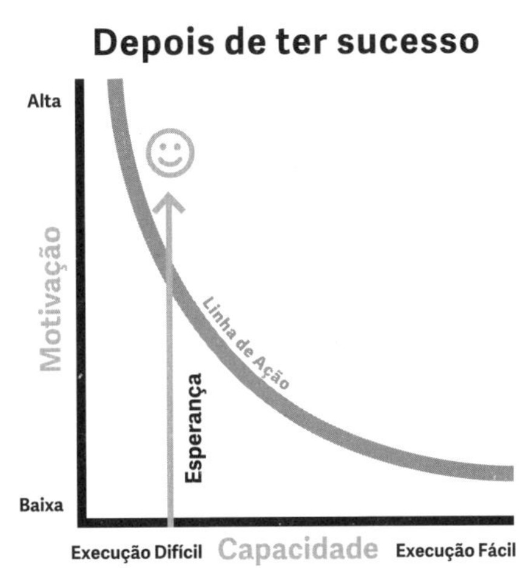

Agora eu entendo por que meus dados dos Micro-hábitos mostraram tantas descobertas. Quando as pessoas se sentem bem-sucedidas, mesmo com pequenas coisas, seu nível geral de motivação aumenta drasticamente e, com níveis mais altos de motivação, as pessoas conseguem ter comportamentos mais difíceis.

É assim que pequenos sucessos podem mudar a sua perspectiva no trabalho, em casa e até dentro de sua própria cabeça.

A grande vantagem: comece com aquilo que você *deseja* mudar. Permita-se o sentimento de sucesso. Então confie no processo.

Mas tem mais coisas que quero compartilhar para que você se torne um Ninja do Hábito — uma pessoa que entende *como* mudar. Quero que você consiga visualizar qualquer aspiração e alcançá-la de maneira regular e segura. Em vez de adivinhar ou se distrair com caminhos espalhafatosos que levam a becos sem saída, saberá exatamente o que fazer.

Para se tornar um Ninja do Hábito, você faz algo familiar: aprende novas habilidades.

As habilidades de mudança

Muitas pessoas acreditam que formar bons hábitos e transformar sua vida é um processo misterioso ou mágico. Não é. Como você já sabe, existe um sistema para mudar. E subjacente ao sistema está um conjunto de habilidades.

Descobri que a mudança é uma habilidade como qualquer outra. Isso significa que você não será perfeito no início, mas se tornará melhor com a prática. Uma vez que você adquirir essas habilidades, poderá aplicá-las a todos os tipos de situação.

Quando comecei a mapear as habilidades de mudança, descobri que elas se enquadravam em cinco categorias, então projetei o método Micro-hábitos para ensinar habilidades em cada uma. Ao aplicar o que compartilhei nos capítulos anteriores, você estava na verdade praticando e adquirindo as habilidades de mudança. Não mencionei isso na ocasião, mas agora é a hora de ser mais explícito.

Adquirir as habilidades da mudança é como dominar qualquer outro conjunto de conhecimentos. Para se tornar um pianista de alto nível, você precisa saber ler partituras, manter o ritmo, respeitar os compassos, memorizar músicas e movimentar os dedos de maneira hábil. Quanto mais você pratica da maneira correta, mais confiante, capaz e flexível você se torna.

Você não se tornará um pianista proficiente da noite para o dia, assim como não se tornará um Ninja do Hábito da noite para o dia. Mas pode começar imediatamente e verá suas habilidades aumentarem.

Pense em qualquer habilidade que tenha adquirido: dirigir, nadar, jogar cartas, falar outro idioma e até caminhar. Você não era perfeito no começo — e não esperava que fosse. O que foi difícil ou assustador de início, como pegar uma estrada movimentada, acabou se tornando fácil e corriqueiro. É assim que as habilidades funcionam. E essa é a maneira certa de pensar sobre a mudança de comportamento.

Aprender sobre as Habilidades da Mudança ajudará você a reconhecê-las e praticá-las ativamente. Você não precisa dominar todas as habilidades para ser capaz de mudar sua vida, mas quanto mais habilidades você dominar, mais fácil e rápida será a transformação de qualquer aspiração em realidade.

CONJUNTO DE HABILIDADES 1 — CONSTRUÇÃO DE COMPORTAMENTOS

Construção de Comportamentos é um nome meio estranho, mas funciona. As habilidades de Construção de Comportamentos estão relacionadas à seleção e ao ajuste dos hábitos que você deseja.

Nos capítulos anteriores, você já trabalhou a Construção de Comportamentos, embora eu não tenha usado esse termo. Você já aprendeu como:

- Identificar muitas opções de comportamento (Capítulo 2)
- Escolher os comportamentos que levarão à sua aspiração (Capítulo 2)
- Facilitar a execução do comportamento (Capítulo 3)

Espero que você consiga ver o quanto já caminhou. Agora, quero compartilhar uma nova habilidade que o ajudará a passar imediatamente de micro a transformador.

Saber quantos novos hábitos adotar ao mesmo tempo e quando adicionar outros

A analogia do piano funciona aqui também. Para melhorar no piano, você precisa praticar músicas. Como você decide quais músicas praticar e por quanto tempo praticá-las antes de acrescentar uma nova música às práticas diárias? Você pode escolher a desafiadora "Fantaisie-Impromptu" de Chopin, em dó sustenido menor, e certificar-se de que será capaz de reproduzi-la perfeitamente antes de se concentrar em uma nova peça. (Este seria um plano desastroso para a maioria das pessoas.) Ou a cada semana você pode acrescentar ao seu repertório músicas simples e divertidas como "A Dona Aranha". Ou pode chegar a um meio termo. Fazer essa seleção de maneira efetiva é uma habilidade.

Uma habilidade de seleção semelhante se aplica aos seus hábitos futuros. Saber quantos novos hábitos deve adotar de uma vez e quando acrescentar outros é uma habilidade que você desenvolve, mergulhando, tentando coisas diferentes e aprendendo o que funciona para você.

Aqui estão algumas diretrizes para a Construção de Comportamentos:

- *Concentre-se no que lhe interessa.* Algumas pessoas gostam de cultivar muitos hábitos pequenos e fáceis. Outras pessoas gostam de lidar com hábitos um pouco mais desafiadores. O que parece mais interessante para você? É isso que você deve fazer. Se você se sentir perdido, eis um padrão: comece com três hábitos superfáceis — é como a maioria dos Praticantes começa — e acrescente três novos hábitos a cada mês.

- *Abrace a variedade.* Quanto maior a variedade no início, mais rápido aprenderá essa e outras habilidades de mudança. Selecione alguns novos hábitos que começam como Etapas Iniciais — calçar os tênis de caminhada. Selecione outros hábitos que são versões reduzidas de um hábito maior — usar o fio dental em apenas um dente. Também é bom misturar diferentes temas — um hábito relacionado a atividades físicas, um hábito relacionado a comida, um hábito relacionado a produtividade. A variedade ajuda a descobrir mais rapidamente o que funciona melhor para você.

- *Mantenha-se flexível.* Se você quer criar uma lista dos hábitos que deseja adotar, não seja muito rígido. Suas preferências e necessidades mudarão. Hoje, você pode colocar em sua lista "fazer paradas de mão todas as manhãs", mas em seis semanas talvez não se importe mais com isso. Seja flexível à medida que avança e deixe espaço para coisas novas.

Acrescentando hábitos naturalmente

Quando Sarika começou a criar seus micro-hábitos, ela começou com três. Ela começou acendendo a boca do fogão (Etapa Inicial), sentando-se na almofada de meditação para três respirações e bebendo um gole de água depois de regar as plantas. Sua aspiração maior era tornar sua vida mais previsível para que pudesse controlar melhor sua condição física e começar a ter um estilo de vida mais saudável. Em algumas semanas, ela deixou de apenas ligar o fogão pela manhã e passou a preparar um café da manhã completo todos os dias e, com o tempo, a cozinhar *todas* as refeições — algo que antes parecia praticamente impossível. Para chegar a esse ponto, Sarika teve que fazer muito mais do que acender a boca do fogão.

Então, como ela chegou lá? Vamos analisar detalhadamente a habilidade de "saber quando acrescentar novos hábitos" de que falamos.

Depois que o hábito de ligar o fogão se tornou automático, Sarika acrescentou um outro hábito, colocando uma panela com água no fogo. Era um complemento natural e fácil, e outros hábitos logo se seguiram — pegar a aveia no armário da cozinha, depois o leite na geladeira e a canela na prateleira. À medida que Sarika se aprofundava no processo de preparar a comida, percebeu que era difícil fazer isso em uma cozinha desorganizada. As caixas de *delivery* e os utensílios ficavam amontoados nas bancadas — o que a atrapalhava quando ela tentava preparar o café da manhã. Aquele parecia um lugar propício para que o hábito de preparar o café da manhã se multiplicasse.

Sarika se sentiu confortável e confiante o suficiente para que seus hábitos se ramificassem. Seu próximo passo foi adicionar o hábito noturno de limpar a bancada mais próxima ao fogão para ter espaço pela manhã. Isso se consolidou com rapidez, porque ela se sentiu bem-sucedida, o que a deixou ansiosa para continuar progredindo, mesmo que isso significasse adicionar mais etapas ao processo. Então esse hábito cresceu, e ela começou a limpar todos as bancadas na noite anterior. Em seguida, ela começou a limpar a pia e a lavar a louça, porque acordar e encontrar uma cozinha limpa era muito mais agradável. O sucesso em cascata em dar conta de seus hábitos e a naturalidade de cada comportamento inspiraram Sarika a adicionar mais hábitos relacionados à sua receita inicial de Micro-hábito.

Eu a guiei em detalhes por esse processo para mostrar que a habilidade de saber quando adicionar mais hábitos não se trata de uma fórmula estrita. Pode parecer totalmente natural. Não é algo que vai lhe dar trabalho demais. Comece com uma variedade de hábitos — eu sugiro três — e observe o que acontece.

Você sabe que está fazendo a coisa certa quando se sente otimista e é capaz de enxergar o próximo passo. Sarika disse que a experiência foi como nadar com a correnteza a seu favor. Depois de anos acordando em uma cozinha bagunçada, pulando o café da manhã e começando o dia se sentindo péssima, ela não conseguia acreditar como aquele processo era fácil. Ela disse que parecia que algo a estava conduzindo e impulsionando, então tudo que ela precisava fazer era continuar fazendo o que queria.

CONJUNTO DE HABILIDADES 2 — AUTOCONHECIMENTO

A seguir, vem o entendimento em relação a suas preferências, pontos fortes e aspirações. Nos capítulos anteriores, discutimos as seguintes habilidades relacionadas ao Autoconhecimento:

- Ter clareza quanto às suas aspirações ou aos resultados desejados
- Entender sua motivação — ou seja, saber a diferença entre o que você realmente deseja e o que acha que deve fazer

Aqui está a próxima habilidade que o levará do micro ao transformador.

A habilidade de saber que novos hábitos terão significado para você

As duas últimas palavras — "para você" — são importantes porque aquilo que vai determinar que hábitos são significativos varia de uma pessoa para outra. O que você deseja é criar novos hábitos que comecem micro, mas tenham um significado poderoso.

Aqui estão algumas diretrizes para prever se um novo hábito será significativo para você.

- *O novo hábito afirma uma parte da sua identidade que você deseja cultivar.* Se quer ser uma pessoa amorosa e grata, o hábito de agradecer depois que seu marido faz o jantar é inerentemente significativo e provavelmente levará você à transformação.
- *O novo hábito ajuda você a alcançar uma aspiração importante.* Se a ligação entre seu novo hábito e sua aspiração for clara, seu hábito terá significado. O hábito de calçar seus tênis de corrida pode parecer pequeno e insignificante, mas se sua aspiração é correr 5 km, com certeza não é.
- *O novo hábito tem um grande impacto, apesar de pequeno.* O fato de Sarika acender a boca do fogão era algo pequeno, mas provocou uma cascata de mudanças.

Encontre a menor e mais fácil mudança possível que terá o maior significado para você.

Eis um exemplo particular: todas as manhãs encho uma garrafa com água filtrada e a levo comigo quando saio de casa. Na verdade, são três hábitos que acontecem em momentos diferentes: colocar água no filtro, encher uma garrafinha e levar a garrafa comigo. Tudo isso é minúsculo — e você pode considerá-los hábitos insignificantes —, mas, para mim, eles têm um significado importante.

Graças em parte aos meus alunos de Stanford, comecei a me sentir desconfortável com o fato de beber água mineral em garrafas plásticas descartáveis. Eu não queria contribuir com o desperdício de plástico. E não queria ser o tipo de pessoa que meus alunos viam como indiferente ao futuro do planeta. Minha identidade estava em jogo. Eu explorei minhas opções e esses três hábitos foram a minha solução.

Criar esses hábitos foi moleza. E, sim, eles causaram outros efeitos, outros comportamentos sustentáveis que faço sem pensar, como recolher lixo na praia. (Próximo hábito: levar um saquinho de lixo no bolso quando for fazer uma trilha.)

Você pode praticar essa habilidade, respondendo a uma pergunta: *Qual é o menor hábito que posso criar que teria um significado imenso?* Anote algumas respostas, mesmo que não pretenda criar nenhum desses hábitos no momento. Quanto mais respostas você conseguir encontrar, mais estará praticando essa habilidade.

Ser bom nessa habilidade ajuda você a identificar hábitos que pode criar e manter com facilidade. Mas tem mais. Ao adquirir essa habilidade, você será mais capaz de identificar os hábitos que não têm significado e evitará desperdiçar seu tempo.

Se está tendo problemas para criar um hábito, essa habilidade estará em primeiro plano. Lembra quando Jill estava refletindo sobre seu hábito de limpar a bancada da cozinha? No começo, era difícil para ela se lembrar de fazê-lo — afinal, é um hábito que aparenta ser bastante entediante e chato. Mas ao prestar mais atenção, ela percebeu que essa pequena atitude tinha uma conexão com sua aspiração maior — uma vida familiar mais harmoniosa e um relacionamento melhor com o marido. Depois de estabelecer essa conexão importante, ela foi capaz de gerar o significado necessário para impulsionar esse hábito. Ela estava aprimorando a habilidade de saber quais hábitos têm significado para ela.

Essa habilidade pode ser vital para hábitos cuja motivação é difícil de identificar, aqueles que oscilam precariamente entre "eu quero fazer isso" e "eu deveria fazer isso". Às vezes você pode mudar um comportamento com mais segurança para o campo do "quero fazer" descobrindo o significado. Talvez você pense "*Eu deveria cultivar o hábito de comer vegetais em todas as refeições, mas não gosto muito de legumes e não sei como cozinhá-los de um jeito saboroso*". Olá, resistência.

Depois de identificar uma aspiração profundamente vinculada à ingestão de vegetais, você terá mais sucesso na criação do hábito de comê-los. Pode haver muitos significados ocultos para serem descobertos. Talvez você seja um avô que queira estar em forma, saudável o suficiente para ver seus netos crescerem. Talvez você queira se sentir confiante em seu guarda-roupa na conferência anual da empresa. Qualquer uma dessas aspirações maiores pode ser suficiente para ajudar a reforçar sua decisão de comer mais vegetais.

Por outro lado, talvez você perceba que comer legumes não tem nenhum significado. O hábito foi ideia do seu parceiro, e você não consegue pensar em por que isso seria importante para você em nenhuma instância. Tudo bem. Deixe de lado o hábito de comer brócolis e se concentre no que é significativo para você.

Ao praticar o Autoconhecimento, você pode descobrir se vale a pena seguir um novo hábito. Se sim, ótimo — sua motivação será renovada. Caso contrário, ótimo — você vai liberar espaço para outros hábitos que são mais importantes para você. O domínio dessa habilidade direciona sua energia para mudanças mais importantes.

À medida que os dias passam, seus hábitos mudam, você muda e o mundo ao redor muda também. As habilidades de Processo estão focadas em se ajustar à natureza dinâmica da vida, a fim de fortalecer e aumentar seus hábitos.

Aqui estão as habilidades que você já aprendeu:

- Como solucionar problemas
- Como revisar sua abordagem se um hábito não está funcionando
- Como ensaiar seus hábitos

Essa nova habilidade de Processo está diretamente relacionada ao crescimento dos seus hábitos ao longo do tempo.

A habilidade de saber quando se esforçar além do micro e aumentar a dificuldade do hábito

Ao adotar um novo hábito de forma consistente, você naturalmente sairá em busca de mais. Nesse ponto, você aprenderá a compreender qual é o limite da sua zona de conforto e verá como se sente em ir um pouco além. Saber que se está na zona de conforto ajuda a criar uma versão maior de seu hábito sem sentir incômodo ou frustração, o que enfraquece o hábito.

Vamos dar uma olhada no hábito de fazer flexões de Sukumar. Como ele soube quando aumentar esse hábito para três em vez de duas? E como diabos ele chegou às cinquenta?

Para um hábito como esse, o limite do seu nível de conforto é bastante fácil de encontrar, porque os sinais são físicos: os músculos ardem e a respiração fica difícil. No caso de Sukumar, ele começou com duas flexões e se concentrou em como se sentia. Depois de uma semana fazendo duas flexões após escovar os dentes, ele percebeu que se sentia ainda melhor mesmo na última flexão. Essa percepção do progresso inspirou Sukumar a fazer mais. Então ele fez. E continuou fazendo.

Sukumar desenvolveu seu hábito de fazer flexões de maneira efetiva porque se tornou hábil em identificar o limite de sua zona de conforto. Como resultado, ele se esforçava *apenas o suficiente* para progredir. Esse processo se repetiu ao longo de dias e semanas. No entanto, se em algum momento Sukumar não quis fazer muitas flexões, ele não se forçou. Ele fez duas e se sentiu bem por manter o hábito vivo. Parte dessa habilidade é saber quando recuar e fazer apenas o básico.

Etapas do Design de Comportamento

Etapa 1: Defina com clareza a aspiração

Etapa 2: Explore suas Opções de Comportamento

Etapa 3: Ajuste-se a Comportamentos Específicos

Etapa 4: Comece micro

Etapa 5: Encontre um bom prompt

Etapa 6: Comemore o sucesso

Etapa 7: Solucione os problemas, tente de novo e avance

Agora é hora de acrescentar essa habilidade às nossas etapas do Design de Comportamento.

O limite de seu nível de conforto não segue a uma linha reta. Parece mais uma linha em um gráfico do mercado de ações que desce e sobe e desce novamente. Se você continuar praticando seu hábito ao longo do tempo, mudará permanentemente o limite do seu nível de conforto — mas não pense muito sobre isso. Concentre-se em encontrar esse ponto mais alto no momento certo para que possa fazer a melhor escolha.

Aqui estão as diretrizes para saber como ajustar a dificuldade do seu hábito:

- *Não se pressione a fazer mais do que a menor versão do seu hábito.* Se você está doente, cansado ou simplesmente de mau humor, diminua o tamanho de seu hábito. Você sempre pode aumentá-lo quando quiser fazer mais e, surpreendentemente, pode reduzi-lo quando precisar. A flexibilidade faz parte dessa habilidade.
- *Não se prive de aumentar o tamanho de seu hábito se você quiser fazer mais.* Deixe sua motivação guiá-lo em relação a quanto e a quão difícil.
- *Se você fizer muito, não se esqueça de comemorar ainda mais.* Se esforçar demais para aumentar um hábito pode causar incômodo ou frustração, o que o enfraquecerá. Se isso acontecer (e vai acontecer), você pode compensar os sentimentos negativos intensificando sua comemoração.
- *Use sinais emocionais para ajudá-lo a encontrar o limite de seu nível de conforto.* Frustração, incômodo e, principalmente, evasão são sinais de que algo está acontecendo com seu hábito — provavelmente que você aumentou muito a dificuldade, rápido demais. Por outro lado, se você ficar entediado com seu hábito, pode ser que você precise aumentar a dose.

CONJUNTO DE HABILIDADES 4 — CONTEXTO

O Contexto se refere ao que nos rodeia. (Uso "contexto" e "ambiente" como sinônimos.)

Quando se trata de hábitos, nenhum de nós vive em um vácuo. Nosso ambiente, que inclui outras pessoas, influencia nossos comportamentos habituais mais do que reconhecemos ou queremos admitir. Como nossos hábitos são o produto de nosso ambiente, em grande parte, aprimorar as habilidades de Contexto é vital para promover mudanças e fazer com que elas permaneçam.

Abordamos algumas dessas habilidades de Contexto nos capítulos anteriores, especificamente em relação a ferramentas e recursos. No Capítulo 3, conhecemos Molly, que estava tentando comer de maneira saudável, mas lutava para planejar sua alimentação, a fim de fazer boas escolhas durante a semana. Molly recrutou o marido como recurso e encontrou uma ferramenta para aumentar a probabilidade de seus hábitos serem bem-sucedidos. Ao reconhecer as oportunidades disponíveis e implementar essas estratégias contextuais, ela conseguiu ter sucesso mais rapidamente em relação a seus hábitos alimentares.

Quero me aprofundar nesta habilidade de Contexto, que descrevo da seguinte maneira:

A habilidade de modificar o design do seu ambiente para facilitar a execução de seus hábitos

Essa habilidade é vital para mudanças duradouras. Quando eu trabalhava com o Vigilantes do Peso, perguntei ao CEO se ele achava possível perder peso e não recuperá-lo sem alterar o ambiente. A resposta dele? De jeito nenhum. Concordamos que, se alguém perde peso e não muda seu ambiente ao longo do caminho, acabará engordando de novo. Nós dois sabíamos que o contexto é poderoso.

Há duas perguntas que o guiarão na mudança de seu ambiente e na redução de atrito entre o mundo ao seu redor e seus bons hábitos. A primeira é: *Como facilitar a execução desse novo hábito?*

Isso é um pouco diferente do que discutimos no Capítulo 3 — aqui quero que você se concentre no que rodeia o seu hábito, em vez de modificar o hábito para facilitar sua execução.

Quando decidi levar a sério o uso do fio dental, olhei em volta em meu banheiro. Eu em geral mantinha o fio escondido em um armário atrás do espelho. Eu me perguntei: *como posso facilitar a execução desse hábito?* A resposta foi bem clara. Tirei o fio dental do armário e coloquei ao lado da minha escova de dentes, na pia. Esse seria seu novo lar. Essa ação única foi imprescindível para tornar o uso do fio dental um hábito sólido.

Digamos que você esteja praticando há uma semana seu novo hábito de comer pepinos fatiados assim que chega em casa do trabalho. Você costumava ir direto para os salgadinhos, então sua esperança é que comer pepino fatiado engane seu estômago até a hora do jantar. Nos primeiros dias, esse hábito funciona, mas você começa a pular um pepino aqui e ali, e a pegar os salgadinhos que vivem no armário da cozinha. Está bem, chegou a hora de solucionar um problema e fazer a próxima pergunta: *O que está dificultando a execução desse novo hábito?*

Então você se dá conta de que pulou um dia porque não conseguia encontrar os pepinos na geladeira. Você fuçou por uns quinze ou vinte segundos, resmungando baixinho sobre como ninguém além de você limpa a geladeira. Os pepinos tinham acabado — foi a desculpa de que precisava para pegar os salgadinhos. Num outro dia, você encontrou os pepinos com bastante facilidade, mas eles não estavam prontos para comer. Você estava cansado e sem paciência para lavá-los e cortá-los. Então comeu os salgadinhos de novo. Agora você tem algumas pistas importantes sobre o que seria refazer o design de um hábito.

- Crie um novo hábito de lavar e cortar os pepinos na noite anterior (hábito contínuo)
- Peça que todos deixem seus pepinos em paz (ação única)
- Verifique se a geladeira está suficientemente arrumada para que você possa encontrar seus pepinos imediatamente (hábito realizado uma vez por semana)

Ao estratificar seu hábito refazendo o design do ambiente, você reduzirá o atrito e deixará seu hábito livre para que ele se mova para acima da Linha de Ação. Salve o poderoso pepino pré-lavado e pré-cortado.

Ao refazer o design do ambiente, algumas dessas mudanças são únicas — dizer à sua família para ficar longe dos pepinos e colocar o fio dental na pia do banheiro.

Ao tentar criar um hábito, você pode ser inspirado a criar outros que lidam com o seu ambiente. Lembra da Sarika? Quando ela percebeu que a bancada desarrumada estava atrapalhando seu hábito de preparar o café da manhã, ela reconheceu essa falha de design e a tratou com outro hábito — limpar a bancada na noite anterior.

Você ficará cada vez melhor ao encontrar maneiras de refazer o design de seu ambiente para dar apoio aos seus bons hábitos. Depois de começar a olhar o mundo dessa maneira, você verá como obstáculos minúsculos podem atrapalhar a prática de seus bons hábitos.

Quando você faz o design de seu ambiente com consciência e cuidado para acomodar novos hábitos, você facilita toda a sua vida.

Aqui estão algumas diretrizes adicionais para refazer o design de seu ambiente:

- Ao projetar novos hábitos, invista tempo em refazer o design de seu ambiente para que eles sejam mais fáceis de executar.
- Ao começar a prática do seu novo hábito, faça os ajustes ao ambiente à medida que avança, refazendo o design conforme necessário para facilitar a execução de seu hábito.
- Questione a tradição. Quem disse que você deve manter suas vitaminas na cozinha ou usar o fio dental no banheiro? Talvez suas vitaminas precisem estar próximas ao seu computador. Ou talvez o uso do fio dental funcione melhor se ele estiver ao lado do controle remoto da TV. Você é um Ninja do Hábito, não um conformista. Encontre o que funciona melhor para você.
- Invista no equipamento de que você precisa. Suponha que você queira pedalar sua bicicleta por mais de dez quilômetros até a escola, mesmo quando está chovendo e frio. Projete seu hábito levando em consideração esses possíveis desmotivadores, comprando o que você precisa para tornar o ciclismo na chuva e no frio menos doloroso.

Até agora, eu me concentrei em sistemas e princípios. Neste livro, estou compartilhando um processo, não prescrevendo hábitos específicos para resultados específicos. No entanto, quero agora mudar a abordagem e compartilhar uma técnica para ajudá-lo a comer alimentos mais saudáveis.

Levando em consideração minha suspeita de que algumas pessoas que leem este livro querem perder peso e mantê-lo — ou têm um ente querido nessa situação —, quero compartilhar minha melhor solução para perda de peso dos últimos dez anos.

Eu chamo de Supergeladeira.

A perda de peso ocorre principalmente por meio da mudança de como comemos. Embora exercícios físicos sejam benéficos de várias maneiras, não são a chave para a perda de peso. Concentrar seu tempo e energia na alimentação faz toda a diferença, mas comer melhor se baseando na força de vontade é uma péssima abordagem — já sabemos o porquê: muitos Vetores de Motivação conflitantes tornam quase impossível manter algo em curso ao longo do tempo. Infelizmente, o ambiente alimentar no mundo de hoje trabalha contra nossas aspirações de comer melhor. Temos pouquíssimas boas opções boas no trabalho, quando viajamos e quando jantamos fora. Muitos fatores atuam contra. Essa é a realidade.

Agora, vou dar a minha opinião: uma maneira prática de mudar a maneira como você come é refazendo o design de seu ambiente alimentar, principalmente a geladeira de casa.

Denny e eu mudamos muitos hábitos juntos, mas a Supergeladeira talvez seja nossa melhor transformação doméstica até agora. Graças em parte ao novo design da geladeira, nós perdemos mais de 15% do peso corporal cada e conseguimos manter o peso ideal por anos. E todo o processo — mesmo manter o peso — pareceu fácil.

Eis como é viver com a Supergeladeira.

Quando abro a geladeira, há um monte de recipientes de vidro cheios de comida pronta para comer. O brócolis está em um recipiente, já lavado e cortado. O mesmo acontece com a couve-flor, o aipo, o pimentão e a cebola. Há um recipiente com quinoa cozida. Há frutas frescas e ovos cozidos prontos para um lanche rápido. Temos iogurte natural puro, várias conservas e condimentos como mostarda. Você entendeu a ideia.

A paisagem dentro da nossa Supergeladeira é linda, mas esse não é o ponto. Nós a projetamos para que possamos ter acesso rápido a várias opções de alimentação saudável. Podemos comer o quanto quisermos de qualquer coisa na geladeira a qualquer momento. E não colocamos nada na geladeira que entre em conflito com o nosso plano alimentar.

A cada semana investimos tempo para comprar e preparar de modo que nossa Supergeladeira possa fazer seu trabalho. Quando terminamos de atualizar a Supergeladeira todos os domingos, eu passo um minuto admirando-a, porque parece uma página de uma revista. Linda!

O próximo passo pode ser um pouco mais difícil, porque você não quer estragar toda essa beleza. Mas essa parte é fundamental: durante a semana, você precisa mergulhar nela e comer toda a comida maravilhosa que preparou. Não deixe que nada seja desperdiçado. Esvazie todos os recipientes, se puder.

Embora a atualização da Supergeladeira a cada semana exija tempo e esforço, o investimento compensa rapidamente. Se eu precisar de um almoço rápido, retiro algumas coisas e pronto. O preparo do jantar leva apenas alguns minutos. Quando quero um lanche a qualquer momento do dia (mesmo no meio da noite), abro a Supergeladeira e pego o que quiser. Ainda com fome? Volto à Supergeladeira e encontro outra coisa para comer. Tudo comida boa. Sem privações. E nenhuma necessidade de utilizar força de vontade.

A Supergeladeira resultou em perda de peso, sono melhor e mais energia. Não éramos perfeitos no início de nossa missão com a Supergeladeira. Nem um pouco. Mas aprendemos a fazer da geladeira nossa melhor amiga e aliada na busca por uma alimentação saudável.

Refazer o design de seu ambiente pode ser divertido, e os benefícios surgem imediatamente. Com o tempo, você se utilizará dessa habilidade sem pensar muito nisso. Eventualmente, você entrará em um quarto de hotel e, se ele não estiver preparado para permitir a manutenção de seus bons hábitos, você levará apenas alguns minutos para ajustá-lo — e, *voilà*, estará personalizado para lhe oferecer alimentação, sono e higiene melhores, e maiores possibilidades de alcançar suas aspirações.

CONJUNTO DE HABILIDADES 5 — MINDSET

A quinta e última categoria se concentra no que chamo de habilidades de mindset. Trata-se da sua abordagem e da sua atitude para mudar, bem como da percepção e da interpretação do mundo ao seu redor.

Como sabemos, você já aprendeu algumas habilidades de mindset valiosas.

- Abordar a mudança com uma atitude aberta, flexível e curiosa
- Ser capaz de diminuir suas expectativas
- Sentir-se bem com seus sucessos — não importa quão pequenos — e comemorar
- Ser paciente e confiar no processo de mudança

Embora a comemoração seja a habilidade de mindset mais importante, a próxima é a que mais se destaca.

A habilidade de adotar uma nova identidade

Quando você deixa de lado velhas identidades e adota outras novas, você aumenta a sua capacidade de passar do micro ao transformador.

Quando as pessoas começam o Micro-hábitos, eu sempre as ouço dizer: "Eu sou desse jeito"; "Eu não sou o tipo de pessoa que muda facilmente"; "Nada nunca funciona para mim". Mas muitas dessas mesmas pessoas mudaram de atitude em pouco menos de cinco dias de programa e me disseram: "BJ, eu não acredito, mas estava equivocado. Eu sou o tipo de pessoa que é capaz de mudar" e "Eu aprendi que sou o tipo de pessoa que pode realizar coisas".

Essa frase — *"Eu sou o tipo de pessoa que..."* — sempre aparecia, então decidi inseri-la no processo de avaliação do Micro-hábitos, pedindo que as pessoas, ao final do meu programa gratuito de cinco dias, concluíssem esta frase: "Depois de seguir o método, agora me vejo como o tipo de pessoa que..."

Depois que comecei a coletar esses dados, vi como os conceitos que as pessoas tinham de si mesmas mudavam à medida que se tornavam mais hábeis na criação de hábitos. Elas começavam o programa pensando que eram um tipo de pessoa e, ao final de cinco dias, estavam começando a assumir uma nova identidade. Muitas dessas identidades se concentravam em ter o potencial de mudar, mas outras mudanças estavam ligadas aos tipos de hábitos e mudanças que as pessoas estavam fazendo.

Se você perguntar a Sukumar, o rei da flexão de Chennai, a identidade era a parte principal de seu quebra-cabeça. Antes de começar, ele pensava: "*Eu não sou um cara de exercícios. Não gosto de comer comidas saudáveis. Eu sou o tipo de pessoa que tem problemas para dormir.*" Para ele, esses eram traços de personalidade imutáveis — eram simplesmente quem ele era. Mas, ao se abaixar e fazer suas duas primeiras flexões, ele deu o primeiro passo para hackear a psicologia do eu.

Todos os seres humanos têm um impulso fortemente enraizado de agir de maneira consistente de acordo com sua identidade. Quando um grupo enfrenta ameaças, qualquer membro do grupo que seja imprevisível cria riscos para todos. Essa pessoa é evitada. Há uma boa razão evolutiva para isso — quando comida, abrigo e outros recursos dependem da unidade e da colaboração do grupo, é essencial prever com segurança o que uma pessoa fará. Sua vida pode depender disso. Como seres sociais, todos agimos em grande parte de acordo com certas identidades, mesmo que não percebamos isso.

Quando Sukumar começou a fazer flexões, ele aumentou sua força física e resistência mental. Isso fez com que se sentisse bem-sucedido em se exercitar — começou a não se sentir um impostor na academia. Experimentar diferentes equipamentos de ginástica já havia feito com que ele se sentisse desconfortável antes, e Sukumar ficava constantemente se questionando. Ele era forte o suficiente para usar a máquina de supino? Ele ficaria constrangido se só conseguisse fazer algumas repetições?

Depois de experimentar pranchas e flexões e ver resultados, a identidade de Sukumar mudou. Ele agora entendia como o aumento da força funcionava e sabia que era capaz de fazê-lo. Ele passou a ir mais à academia e se sentiu melhor em relação a isso. Ele até se inscreveu para sessões quinzenais com o personal trainer de sua esposa. As aulas de ginástica em grupo eram surpreendentemente divertidas (em outros momentos ele já havia se sentido intimidado demais para experimentá-las), e até fez alguns amigos na aula de spinning.

Então, o que aconteceu? Crescimento, é claro. Mas o que impulsionou toda essa mudança foi sua capacidade de adotar uma nova identidade. Ele abandonou a ideia de que ele era o tipo de pessoa que era ruim em exercícios físicos. Graças a se sentir bem-sucedido com o Micro-hábitos, ele passou a se enxergar de uma nova maneira.

As mudanças de identidade impulsionam a mudança porque nos ajudam a cultivar constelações de comportamento — não apenas um ou dois hábitos aqui e ali. Isso é importante porque a maioria das aspirações requer mais de um tipo de mudança de hábito. É um conjunto de novos hábitos que levam você aonde você quer estar, em especial nas áreas de condicionamento físico, sono e estresse.

O tipo de pessoa que frequenta o McDonald's e o tipo que faz compras na feira exibem diferentes comportamentos alimentares em geral. Se você começa a comer como uma pessoa que vai à feira, seu cérebro começa a guiá-lo na direção de uma identidade coerente, e adicionar sementes de abóbora à sua salada não soa mais como uma loucura; parece natural. A mudança de identidade o ajuda a considerar outros novos hábitos que talvez você não tivesse pensado em adotar e que o aproximam de sua aspiração.

A adoção bem-sucedida de uma mudança de identidade em uma área em geral promove mudanças em outras áreas. O sucesso inicial de Sukumar com exercícios físicos o encorajou a desafiar a ideia de que ele não era capaz de comer bem, e ele começou a criar hábitos alimentares mais alinhados com a pessoa saudável de modo geral que estava se tornando. Ele reduziu o tamanho das porções em cada refeição e fez pequenas mudanças em sua dieta, como mudar do arroz branco para o integral. Essa também foi uma identidade que mudou — quanto mais saudável ele comia, mais saudável queria comer. Se fosse antes, ele teria dito que tinha uma queda por doces, mas após meses em sua jornada dos Micro-hábitos, isso não era mais verdade. A parte surpreendente disso tudo é que ele não tentou atacar o açúcar diretamente. Parar de comer doces foi um dos efeitos provenientes da cascata de outras mudanças que ele promoveu intencionalmente. Sukumar atacou seu inimigo açúcar pelas costas.

Ele também costumava pensar que se vestia mal, mas depois percebeu que fazer compras sem aquela pança se tornou uma experiência muito mais agradável e inspiradora. Quando ele se olha no espelho agora, se sente em forma.

Sukumar passou a questionar as noções negativas que tinha de si mesmo e que antes pareciam tão sólidas — identidades que lhe causavam incômodo e frustração. Se ele pôde mudar *aquelas* partes de si mesmo, as que pareciam imutáveis, concluiu que poderia mudar o que quisesse. Esse senso de empoderamento e otimismo foi a verdadeira transformação para Sukumar. Ele ficou mais confiante em todas as partes de sua vida e saiu da empresa onde trabalhava havia dezenove anos para iniciar seu próprio negócio, que usa o Micro-hábitos como um componente-chave para permitir que grandes organizações passem por transformações.

Certo, vamos ao cerne da questão para construir essas habilidades que nos auxiliam a adotar uma identidade e que são tão importantes.

- Termine a frase "Eu sou o tipo de pessoa que..." com a identidade (ou as identidades) que você gostaria de adotar.
- Vá a eventos que reúnem pessoas, produtos e serviços relacionados à sua identidade emergente. Quando decidi que queria passar a consumir alimentos fermentados, fui ao Festival de Fermentação local. Conheci entusiastas com mais experiência do que eu. Aprendi sobre

novos produtos. Participei de um workshop em que um especialista nos mostrou como fazer chucrute. Comprei equipamentos para fermentar alimentos. Voltei para casa com uma identidade muito mais forte sobre o tipo de pessoa que come — e até produz — alimentos fermentados.

- Aprenda a linguagem. Saiba quem são os especialistas. Assista a filmes relacionados à área de mudança de seu interesse. Quando queria aprender a surfar, pesquisei as palavras que descreviam as ondas e comecei a usá-las. Fiquei por dentro dos grandes eventos de surf e assisti a vídeos das pessoas de maior destaque no esporte. Aprendi a entender as mudanças da maré e a identificar pontos de referência locais que mostravam se a maré estava alta ou baixa. Há uma formação vulcânica no oceano ao longo de Maui que os locais chamam de "dragão". Você pode dizer o que está acontecendo com a maré olhando para o dragão. Se o pescoço dele estiver exposto, a maré está baixa. Se apenas a cabeça dele aparecer, a maré está alta.
- Roupas são uma maneira comum de declarar sua identidade. A Nike fabrica camisetas que fazem menção à corrida. Uso camisetas com pranchas de surf ou que exibem cenas de surf. Como eu surfo mais de cem vezes por ano, não me sinto um impostor; vestir essa identidade me parece natural.
- Atualize sua página nas mídias sociais. Coloque uma nova foto de perfil que transmita sua identidade emergente. (E veja como as pessoas reagem.) Revise sua biografia. Poste itens relacionados à sua nova identidade.
- Ensine outras pessoas ou seja um modelo para galvanizar sua nova identidade. Ter um papel social é algo poderoso.

Não basta ler este livro — pratique as habilidades de mudança

Não se preocupe, você não precisa aprender todas as habilidades de mudança de uma vez só para dar grandes passos. Tampouco precisa adotar todas elas (embora eu espere que você faça isso). Porém, quanto mais aprender, mais confiante, eficiente e flexível você será ao fazer avanços e transformações em sua vida. Também é útil saber que um coach ou um professor pode dar conta de algumas dessas habilidades por você. Mas você precisa de alguém bom. E, eventualmente, você pode acabar aprendendo essas habilidades e se utilizando delas por conta própria. Mas, em algumas situações, ter um bom coach faz diferença porque (entre outras coisas) diminui a quantidade de habilidades que você precisa dominar no início do processo.

Ler histórias e orientações sobre como mudar é uma coisa boa, mas não pare por aí. Você não aprende a dançar lendo sobre isso; não aprende a dirigir estudando um manual. Fico feliz que esteja lendo meu livro, mas, por favor, também ponha em prática minhas ideias em sua vida cotidiana. Você pode praticar a mudança como outras habilidades que aprendeu. Vai cometer erros, e não faz mal.

Eu compreendo que essa é uma nova maneira de pensar a respeito dos hábitos — o fato de a mudança de comportamento ser uma habilidade —, mas isso deveria fazê-lo confiar que você pode mudar aprendendo habilidades da mesma maneira que aprendeu a andar de bicicleta, nadar ou usar um computador. Pode ser que tenha um pouco de dificuldade no começo, mas se insistir, chegará lá.

Algumas de suas pequenas mudanças crescerão; outras se multiplicarão. Ao longo do caminho, à medida que você se sentir bem-sucedido, sua identidade mudará. E é assim que você vai do micro ao transformador.

Minha previsão: você terá sucesso mais rápido do que esperada.

Habilidades de mudança

EXERCÍCIO 1: APRENDA COM AS HABILIDADES QUE VOCÊ JÁ DOMINA

Neste exercício, quero que você pense sobre como aprendeu outras habilidades para aprender as habilidades de mudança.

Etapa 1: Liste pelo menos cinco habilidades que aprendeu, como dirigir, falar francês ou usar o Photoshop.

Etapa 2: Anote o que você fez para aprender essas habilidades — ou seja, contratar um professor, começar com coisas fáceis ou praticar todos os dias. (Sugiro que você gaste pelo menos cinco minutos pensando sobre isso e fazendo anotações.)

Etapa 3: Examine suas anotações e pense em como usar essas mesmas técnicas para aprender as habilidades de mudança.

EXERCÍCIO 2: PRATIQUE UMA HABILIDADE DE CONSTRUÇÃO DE COMPORTAMENTOS

Uma habilidade da Construção de Comportamentos é saber quantos hábitos você deve seguir ao mesmo tempo. É isso que você vai explorar neste exercício. Você tentará criar seis hábitos ao mesmo tempo, como uma maneira de descobrir sua capacidade de criar vários hábitos por vez.

Etapa 1: Crie seis receitas para novos hábitos usando o que você aprendeu até agora neste livro. Você também pode obter inspiração no apêndice "Trezentas receitas de Micro-hábitos".

Etapa 2: Escreva cada receita em uma ficha ou use o meu modelo, que você pode encontrar em inglês no TinyHabits.com/recipecards.

Etapa 3: Para cada receita, verifique se o comportamento é micro. Se não for pequeno o suficiente, reduza-o.

Etapa 4: Para cada receita, verifique se a Âncora é específica. Bônus: identifique a Borda de Fuga de cada Âncora.

Etapa 5: Pratique esses seis novos hábitos durante uma semana, revisando e ensaiando conforme necessário. (Se você não gostar de um novo hábito, descarte-o e adicione outra coisa.)

Etapa 6: Depois de uma semana, reflita a respeito do que aprendeu sobre si mesmo e sobre o método Micro-hábitos. À medida que avançar, mantenha os novos hábitos de que mais gostou e deixe os outros para lá.

Para se sair bem neste exercício, você precisará refazer o design de seu ambiente e ensaiar, que são o foco dos próximos dois exercícios.

EXERCÍCIO 3: PRATIQUE UMA HABILIDADE DE CONTEXTO

Neste exercício, você vai praticar a Habilidade de Contexto de refazer o design de seu ambiente para dar apoio à mudança que deseja promover em sua vida.

Etapa 1: Analise cada nova receita de hábito do exercício de Construção de Comportamentos.

Etapa 2: Para cada hábito, encontre maneiras de refazer o design de seu ambiente para facilitar a execução deles.

EXERCÍCIO 4: PRATIQUE UMA HABILIDADE DE PROCESSO

Uma habilidade de processo importante é ensaiar seus novos hábitos e celebrar todas as vezes. Aqui está um exercício para fazer isso.

Etapa 1: Observe as seis receitas que você criou para Micro-hábitos.

Etapa 2: Para cada uma, adote o comportamento Âncora e o novo hábito.

Etapa 3: Comemore sempre que agir conforme o novo hábito ou imediatamente depois.

Etapa 4: Repita essa sequência de comportamento de sete a dez vezes.

Etapa 5: Tente não ficar com vergonha ao ensaiar seu novo hábito. Lembre-se de como os melhores desempenhos nos esportes, em apresentações de negócios e muito mais advêm da prática. E é assim que você obtém o melhor desempenho na mudança de comportamento.

EXERCÍCIO 5: PRATIQUE UMA HABILIDADE DE MINDSET

Uma importante habilidade de mindset é estar bem com o fato de praticar apenas o microcomportamento. Está tudo bem em usar o fio dental em apenas um dente ou fazer apenas duas flexões. Eis aqui um exercício que o ajudará a se sentir confortável com essa ideia.

Etapa 1: Escolha qualquer novo hábito que esteja praticando com regularidade. (Se você não tiver um, escolha usar o fio dental.)

Etapa 2: Quando você praticar o novo hábito da próxima vez, faça apenas sua menor versão de propósito. Resista à tentação de fazer mais.

Etapa 3: Parabenize-se por mantê-lo deliberadamente micro e sentir-se bem com isso.

Etapa 4: Repita isso durante pelo menos três dias para desenvolver um mindset de que mesmo as menores mudanças são boas. (O objetivo é sentir-se bem em praticar seu hábito, ainda que em escala reduzida, porque é assim que você se supera de maneira consistente na prática de hábitos.)

EXERCÍCIO 6: PRATIQUE UMA HABILIDADE DE AUTOCONHECIMENTO

Uma habilidade de autoconhecimento importante é descobrir as pequenas mudanças em sua vida que terão um imenso significado. Acredito que esse exercício seja o mais difícil entre os que sugeri, e foi por isso que o deixei por último.

Etapa 1: Liste uma área da vida que realmente importa para você, como ser uma boa mãe ou demonstrar compaixão.

Etapa 2: Passe três minutos pensando sobre os comportamentos únicos mais simples que você poderia ter e que causariam um grande impacto nessa área. Faça uma lista.

Etapa 3: Repita a Etapa 2, mas desta vez imagine quais seriam os menores novos hábitos que teriam maior significado para você nessa área. Faça uma lista.

Bônus: Decida quais itens das Etapas 2 e 3 você deseja colocar em prática.

CAPÍTULO

7

DESENROLANDO HÁBITOS RUINS: UMA SOLUÇÃO SISTEMÁTICA

Em uma viagem de trabalho a Gana, Juni (conhecida por ser "a louca dos doces") saiu para procurar um lugar para comprar sorvete às sete da manhã. Depois de lembrá-la de que ela estava na África Ocidental, seus colegas perguntaram por que diabos ela queria sorvete no café da manhã.

"Porque sou uma mulher adulta e posso comer o que eu quiser", foi sua resposta.

Quando Juni conta essa história hoje em dia, ela balança a cabeça em descrença. Como demorou tanto tempo para reconhecer o que realmente estava acontecendo? Não era só o sorvete no café da manhã, era um Caramelo Macchiato duplo no almoço, um salgadinho sabor cebola durante o trabalho e mais sorvete no jantar — comportamentos separados que faziam parte de algo complexo no seu dia a dia e que representavam um grande problema para sua saúde e felicidade.

A negação de Juni sobre a extensão de seu hábito de consumir açúcar é surpreendente quando ela olha para trás, mas na época ela estava focada em outras coisas e era incrivelmente disciplinada em quase todas as outras áreas de sua vida. Além de ser uma apresentadora de rádio de sucesso, era uma corredora ávida. Na verdade, se inscreveu no Micro-

-hábitos porque seu objetivo era correr a Maratona de Chicago. Durante suas primeiras sessões, Juni criou vários novos hábitos para ajudar a fortalecer suas bases com o intuito de melhorar seu tempo de corrida. Esses novos micro-hábitos fluíram tão bem que ela começou a criar outros hábitos relacionados à produtividade no trabalho e até adotou algumas medidas para se alimentar de forma saudável, que diminuíam seu desejo por doces.

Aí sua mãe faleceu em 2015.

Uma mulher focada e proativa — assim como a filha —, June morreu de complicações relacionadas à diabetes. Juni pegou um avião para o Alabama a fim de ajudar a irmã mais velha a tomar todas as providências necessárias. Seus seis irmãos — o mais novo tinha apenas 19 anos — estavam arrasados e se apoiaram fortemente em Juni. Apesar de estressada e muito triste, Juni tentou ser forte por eles, mas isso teve um preço. Então, quando o marido perguntou do que ela precisava quando chegou em casa, Juni não hesitou: "Eu preciso de sorvete de chiclete da Baskin-Robbins."

Dois anos depois, e quase sete quilos mais pesada, Juni percebeu que seu sofrimento não resolvido estava aumentando. Depois do enterro da mãe, Juni retomou sua vida agitada. Dois filhos, um emprego, um casamento. As necessidades do filho autista de 11 anos pareciam crescer junto com seus níveis de estresse. Olhando para trás, Juni percebe que a perda da mãe sempre esteve em segundo plano, enquanto ela ia em frente e atravessava todos os dias a qualquer custo. Em vez de enfrentar sua tristeza, Juni alimentou o sofrimento com sorvete de cookie e bolo, o que só tornava sua inevitável queda de energia duas vezes mais dolorosa.

O açúcar uma hora começou a atrapalhar sua vida de maneiras que ela não podia mais negar. Carregar o peso extra tornava a corrida mais difícil, e ela se sentia nervosa e confusa no trabalho. Como uma personalidade de um programa de entrevistas no rádio, tinha que ser capaz de responder a perguntas e a ligações surpresa de pessoas que tinham algo excêntrico para dizer. Por conta do nível alto de açúcar, ela se sentia energizada, mas também dispersa e incapaz de se concentrar.

Juni se juntou ao meu Centro de Treinamento de Design de Comportamento com a esperança de ter novas ideias para compartilhar com sua equipe de trabalho, mas saiu com a certeza de que poderia aplicar todas as técnicas ao seu próprio bem-estar. Revigorada, Juni cobriu as paredes de seu escritório de casa com papel e pegou várias canetas. Ela identificou uma aspiração para cada área de sua vida, depois construiu uma Nuvem de Comportamentos, e fez um Mapa de Foco de tudo isso. No último espaço em branco, Juni escreveu "parar de comer açúcar" e circulou. Ela deu um passo para trás e respirou fundo.

Era isso.

Aquele era o comportamento transformador mais importante que ela poderia ter. Mas era algo que ela teria que projetar para sua vida. Juni sentiu um arrepio na nuca e soube que aquela era a corrida mais difícil na qual já havia se inscrito.

O único problema em seu plano era que o Campo de Treinamento e o método Micro-hábitos não haviam se concentrado em acabar com um hábito ruim; ela tinha aprendido apenas a criar novos hábitos. Mas como Juni era muito disciplinada, inteligente e ousada, ela imaginou que poderia usar o Modelo de Comportamento para se utilizar de uma engenharia reversa para eliminar esses comportamentos de sua vida.

Então foi isso que fez.

Ela colocou hábitos específicos de consumir açúcar — "Eu tomo sorvete todas as noites no jantar" — no Modelo de Comportamento e descobriu a mecânica da motivação, da capacidade e do prompt que a estavam fazendo avançar na Linha de Ação. Ela percebeu que o cansaço e a tristeza estavam fazendo com que comesse açúcar. Juni também estava usando os doces para ajudá-la a se manter focada. Ademais, ela sentia falta da mãe, o que sempre servia como prompt para ela se entupir de comida.

Para enfrentar o monstro do açúcar, Juni tentou livrar sua casa dos doces. Tentou ignorar o cansaço ou substituir o sorvete por pretzels, e entupiu o carro com um estoque de emergência de doces sem açúcar. Quando ficava triste por conta da mãe, Juni jogava Pokémon Go em vez de comer.

No final, o que funcionou foi Juni lidar com o prompt de seu sofrimento pela raiz. Ela primeiro criou diversos hábitos positivos — escrever um diário e fazer contato com os amigos por meio de mídias sociais —, o que a ajudou a lamentar a morte da mãe de maneira a processar o sofrimento, em vez de suprimi-lo. Quanto mais ela lidava com a dor de maneira saudável, melhor ela se sentia e sua motivação para adotar hábitos positivos se tornava mais forte. Quando Juni começou a aumentar o tempo entre as vezes que consumia açúcar, viu oportunidades para comemorar esses pequenos sucessos. No começo, ela conseguia passar uma refeição sem comer açúcar. Depois, era capaz de passar algumas horas. Isso pode não parecer muito, mas Juni sabia que tinha que diminuir suas expectativas. E esses momentos pareciam vitórias para ela.

Sabendo a importância de aproveitar a sensação de sucesso, Juni comemorava quando passava um dia sem açúcar. Um marco muito importante. Mesmo não sendo perfeita sempre, ela continuou nesse caminho até completar uma semana inteira sem comer doces.

Juni sabia a importância de ser flexível e persistente, então experimentou dezenas de novos hábitos. Ela foi desafiada em ocasiões especiais em que havia açúcar por todos os lados e, se às vezes sucumbia ao chamado do sorvete de cookie, não era muito dura consigo mesma — considerava aquilo um desafio a ser estudado e hackeado. Ela apresentou soluções para momentos de vulnerabilidade e, com tentativas e erros, descobriu o que funcionava e o que não funcionava enquanto mantinha a compaixão consigo mesma e comemorava suas vitórias.

Essas vitórias aumentaram rapidamente, e a abordagem multifacetada de Juni começou a valer a pena e fazendo-a sentir como se fosse capaz de optar por comer açúcar ou não. Ela havia sido refém de seu vício, mas agora sabia que podia mudar isso. Juni completou o Treinamento de Design de Comportamento em março. No final de maio, ela me enviou um e-mail dizendo que tinha conseguido.

Juni havia vencido o açúcar.

Quando Juni me disse que havia abandonado o hábito de ingerir açúcar usando as habilidades aprendidas a partir do Design de Comportamentos e os micro-hábitos, fiquei tão orgulhoso dela que isso me inspirou a compartilhar meus métodos para abandonar hábitos ruins de maneira mais ampla. Eu havia sido bem-sucedido ao abandonar meus próprios hábitos ruins ao longo dos anos, mas mantive o foco em ajudar as pessoas a criar novos hábitos positivos. Eu também hesitava em entrar profundamente no território dos hábitos ruins, porque não sou especialista em vícios, e as conversas sobre hábitos ruins, em regra, se voltam imediatamente para abuso de substâncias e comportamentos compulsivos. Eu não queria assumir o papel de terapeuta ou médico. Eu sei que o método dos micro--hábitos não é a resposta para vícios graves. Mas, para pessoas com hábitos ruins que não são vícios sérios, eu tenho boas notícias: os micro-hábitos podem mudar a sua vida.

Uma maneira útil de pensar sobre hábitos é colocá-los em três categorias. Estou falando de todos os hábitos aqui — bons e ruins. Hábitos Ascendentes são aqueles cuja manutenção exige atenção constante, mas são fáceis de abandonar — sair da cama quando o alarme dispara, ir à academia ou meditar diariamente.

Os Hábitos Descendentes são fáceis de serem mantidos, mas difíceis de parar — pressionar o botão "soneca", reclamar, assistir ao YouTube.

Hábitos em Queda Livre são hábitos semelhantes ao abuso de determinadas substâncias, e podem ser extremamente difíceis de abandonar, a menos que você conte com o apoio de profissionais.

Para ajudar você a se livrar de seus Hábitos Descendentes, eu criei um novo sistema chamado Plano Principal de Mudança de Comportamento. Esse sistema fornece uma abordagem abrangente a ser seguida passo a passo, para que você não precise adivinhar as soluções.

Meu plano é construído — é claro — a partir do Modelo de Comportamento. Co = MCP é a base para projetar novos hábitos e dizer adeus aos hábitos que impedem você de avançar. Nos capítulos anteriores, focamos em como facilitar as coisas. Agora, vamos falar sobre como dificultá-las (capacidade decrescente). Em vez de criar prompts eficazes, você vai procurar maneiras de removê-los. Em vez de tentar aumentar sua motivação, quando se tratar de um hábito indesejado, você deve pensar em formas de reduzi-la.

Antes de entrarmos no Plano Principal de Mudança de Comportamento, vamos voltar um pouco e desconstruir a maneira como fomos ensinados a enxergar os hábitos ruins. Afinal, essa é uma parte importante do problema.

Da mesma forma como ocorre com os hábitos positivos, existem hábitos ruins que são fáceis de mudar e outros que são difíceis. Repare na linguagem que costuma ser utilizada quando se chega ao extremo "difícil" do espectro — acabar com os hábitos ruins e lutar contra os vícios. É como se o comportamento indesejado fosse um vilão nefasto que precisa ser derrotado de maneira agressiva. Mas esse tipo de linguagem (e as abordagens que surgem a partir dela) enquadra esses desafios de uma maneira que não é útil nem eficaz. Espero especificamente que paremos de usar a expressão: "acabar com um hábito ruim". Essa expressão ilude as pessoas. A palavra "acabar" define uma expectativa equivocada de como você se livra de um mau hábito. Essa palavra dá a entender que, se você fizer muito esforço, em um determinado momento, o hábito desaparecerá. No entanto, isso raramente funciona, porque geralmente você não consegue se livrar de um hábito indesejado fazendo força uma única vez.

Em vez de "acabar", sugiro uma palavra e uma analogia diferentes. Imagine uma corda emaranhada, cheia de nós. É assim que você deve imaginar os hábitos indesejados, como estresse, muito tempo de tela e procrastinação. Não dá para você desatar esses nós todos de uma só vez. Puxar a corda provavelmente só vai piorar as coisas a longo prazo. Você tem que desembaraçar a corda por etapas. E não dá para se concentrar na parte mais difícil primeiro. Por quê? Porque o emaranhado mais difícil está bem dentro do nó.

Você precisa fazer uma abordagem sistemática e encontrar o nó mais fácil de desatar.

Juni primeiro listou todos os emaranhados em seu grande nó que envolvia o hábito de ingerir açúcar. Então, ela se direcionou ao mais acessível — não comer sobremesa depois do jantar apenas uma vez por semana, depois duas. Em seguida, ela se livrou do estoque de sorvete no freezer do trabalho. Em dado momento, ela conseguiu se livrar também do sorvete no freezer de casa. O processo de desfazer os emaranhados logo ganhou impulso. O que antes parecia tão assustador — lidar com o sofrimento sem consumir açúcar — começou a lhe causar menos pânico. O sucesso de passar uma noite sem sobremesa lhe mostrou algo importante — que ela era mais forte do que pensava. Outra constatação igualmente importante: ela começou a ver como todos os emaranhados estavam conectados. Foi aí que as coisas começaram a se transformar rapidamente. Se ela tivesse seguido a sabedoria popular e tentado acabar com os hábitos ruins — trocando um donut por um talo de aipo —, ela provavelmente teria desistido em pouco tempo, porque fazer algo apenas pela força de vontade é difícil, e coisas difíceis muitas vezes são impossíveis de serem mantidas. Além disso, se você não quer ter um comportamento (se ela realmente não quisesse comer aipo), o hábito bom não se consolida. E então ela teria se sentido péssima por ter desistido, e isso teria reforçado um ciclo de fracassos.

A incapacidade de abandonar um hábito ruim pode provocar sentimentos intensos de vergonha e culpa. Por quê? Em muitas culturas, há muito peso na responsabilidade pessoal — a ideia de que, se você não consegue fazer a coisa certa é porque talvez apresente alguma fraqueza de caráter. Isso é reducionista e inútil no campo da mudança de comportamento, mas a verdade é que está profundamente enraizado em nossa psique.

A primeira coisa a se lembrar é: se você seguiu alguns conselhos equivocados para acabar com seus hábitos e fracassou, estou aqui para dizer que não é culpa sua. Você herdou uma maneira falha de pensar e abordar o problema que levou a um ciclo disfuncional de frustração.

A segunda coisa de que você precisa se lembrar é que você pode projetar a mudança que deseja de uma maneira melhor e mais inteligente.

E é por isso que estou escrevendo este capítulo para você.

Chegou a hora de esclarecer as coisas e reconhecer que os hábitos ruins não são fundamentalmente diferentes dos bons quando se trata de componentes básicos. Comportamento é comportamento; é sempre o resultado de motivação, capacidade e prompt convergindo o mesmo momento.

O Plano Principal de Mudança de Comportamento

Meu Plano Principal tem três fases para você interromper a prática de hábitos indesejados.

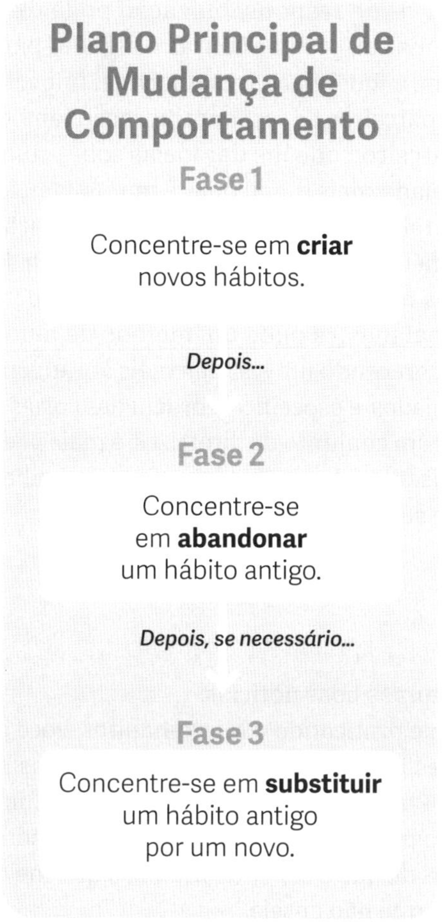

Plano Principal de Mudança de Comportamento

Fase 1

Concentre-se em **criar** novos hábitos.

Depois...

Fase 2

Concentre-se em **abandonar** um hábito antigo.

Depois, se necessário...

Fase 3

Concentre-se em **substituir** um hábito antigo por um novo.

Você cria novos hábitos positivos primeiro. Então se concentra em parar de ter comportamentos específicos relacionados ao antigo hábito. Se isso não funcionar, passe para a fase três, que consiste em trocar o antigo hábito por um novo.

Há mais etapas em cada uma dessas fases, que eu mapeei em fluxogramas nos apêndices. (Eles eram muito detalhados para incluir aqui.)

Os métodos de mudança tradicionais (aqueles que funcionam, ao menos) também se encaixam no meu plano principal. Considere passar por uma entrevista motivacional, um método de aconselhamento que ajuda os clientes a definir com clareza suas motivações. Essa é uma das poucas abordagens tradicionais que acho valiosas. Pessoas que passam por entrevistas motivacionais são capazes de entender melhor seus motivos para ter ou não determinado comportamento.

O uso de parceiros de responsabilização pode desempenhar várias funções. Aparentemente, prestar contas a alguém parece ter tudo a ver com motivação. Sim, a motivação tem um papel importante, mas, quando bem feito, o uso de parceiros de responsabilização também pode afetar sua capacidade. Um parceiro pode lhe dar ideias sobre como tornar seu comportamento indesejado mais difícil ou até impossível. Se estiver tentando reduzir o tempo de tela, um parceiro de responsabilização pode sugerir que você instale um timer que desligue seu modem às 20h. Isso vai dificultar a navegação na web à noite. (Obrigado, parceiro de responsabilização.)

O Plano Principal mostra onde um método de mudança comprovado pode se encaixar, oferecendo um sistema mais abrangente para desenrolar seus hábitos indesejados, e especifica a ordem das coisas. Não é apenas uma lista de técnicas ou um conjunto de diretrizes; é mais poderoso que isso: um algoritmo para causar mudanças em sua vida, desembolando hábitos que estão lhe causando sofrimento.

Pronto?

FASE 1 — CONCENTRE-SE EM CRIAR NOVOS HÁBITOS

Primeiramente, algumas boas notícias.

Lendo este livro e praticando o Micro-hábitos, você já está no caminho para interromper os hábitos indesejados. Criar novos hábitos positivos é a primeira fase do Plano Principal de Mudança de Comportamento, e, ao se concentrar nisso primeiro, você aprende as Habilidades de Mudança e consegue ter provas de que é capaz de mudar, o que lhe dá mais poder para eliminar os hábitos que não deseja.

Habilidades de Mudança

Você lembra quantos dos novos hábitos de Juni se concentravam diretamente no seu vício em açúcar?

Nenhum deles.

Juni se "treinou" praticando hábitos que não carregavam bagagem emocional. Os novos hábitos eram seguros e nada ameaçadores. Isso lhe permitiu aprender as Habilidades de Mudança sem qualquer distração emocional.

Vamos supor que há anos você lute com o seu peso. Talvez você tenha sido ridicularizado por estar acima do peso. Talvez até o seu médico faça você se sentir mal a cada visita. Então pode ser que você pense que a perda de peso deveria ser seu primeiro foco.

Eu defendo uma abordagem diferente na Fase 1. Não se concentre primeiro na perda de peso ou no que está causando sofrimento. Crie hábitos relacionados a algum outro setor da sua vida — organização, relacionamentos, criatividade ou qualquer coisa que não tenha qualquer relação com isso.

É muito melhor que você antes desenvolva suas habilidades e domine o processo de mudança em si. Na Fase 1, você deve criar hábitos que tenham como base os seus pontos fortes. É assim que você obtém sucesso rapidamente, e é assim que você aprende melhor as Habilidades de Mudança — ganhando habilidades e insights importantes para o caminho à frente. Mas tem mais.

Mudança de identidade

Ao criar uma série de mudanças positivas, você se aproxima da pessoa que deseja se tornar. Se você se sentir bem-sucedido com essas mudanças, naturalmente vai se enxergar com outros olhos e começará a adotar uma nova identidade. No capítulo anterior, falamos sobre como isso leva a hábitos mais positivos. Mas isso também provoca o efeito colateral de eliminar os comportamentos que você não deseja, os que não estão mais alinhados com a identidade que você está adotando e com a pessoa que está se tornando. À medida que Sukumar aumentava a quantidade de comportamentos relacionados a exercícios, certos hábitos ruins acabaram sendo eliminados. Ele passou a utilizar as escadas em vez de pegar o elevador, porque se considerava o tipo de pessoa que faria isso. Assistir à TV à noite deixou de ser um hábito e se transformou em uma indulgência ocasional, já que ele passava a noite jogando raquetebol com amigos ou passeando com a esposa e o cachorro. Sukumar não planejava exatamente abandonar esses hábitos ruins. Mas, ao adquirir vários hábitos positivos que o ajudaram a adotar uma nova identidade, ele mudou o cenário de sua vida tão drasticamente que muitos hábitos ruins não se encaixavam mais.

Se adicionar hábitos bons à sua vida resolvesse todos os seus comportamentos indesejados, poderíamos parar por aqui. Mas ervas daninhas surgem até no jardim mais bem cuidado, então vamos continuar.

É importante olhar para a primeira fase como um momento de preparação. Eu sei que a palavra "preparação" soa chata e entediante. Mas essa fase pode ser divertida se você escolher como novos hábitos coisas das quais você gosta e comemorar seus sucessos. Seus novos hábitos, novas habilidades e nova identidade serão importantes à medida que você passar para a fase dois. É aí que você encara de frente esse gigantesco nó e projeta sua estratégia.

FASE 2 — O DESIGN PARA ABANDONAR UM HÁBITO

Os capítulos anteriores explicaram como projetar a criação de um hábito, mas você também pode projetar o abandono de um hábito, e o Modelo de Comportamento será a sua base novamente.

Você pode deixar de ter um comportamento alterando qualquer um dos três componentes do Modelo de Comportamento. Você pode diminuir a motivação ou a capacidade, ou remover o prompt.

Promover uma dessas mudanças a longo prazo fará você abandonar o hábito. Parece fácil?

Bem, sim e não.

A maioria das pessoas poderia facilmente abandonar seus Hábitos Ascendentes de praticar atividades físicas diariamente ou se levantar às cinco da manhã. Mas você não está lendo este livro porque deseja abandonar esse tipo de hábito. Você deseja interromper os Hábitos Descendentes que o fazem sentir menos saudável e feliz.

Seja específico para abandonar um hábito

Quando se trata de abandonar um mau hábito, um erro comum é tentar se motivar para pôr em prática algo abstrato, como "parar de se estressar no trabalho" ou "parar de comer *junk food*". Ambas as propostas parecem específicas, mas não são. São rótulos abstratos para um emaranhado de hábitos, o que chamo de Hábito Geral. Se você se concentrar apenas no Hábito Geral, provavelmente não vai progredir muito, assim como se você se concentrar no nó inteiro ao mesmo tempo, não será capaz de desatá-lo. Você precisa se concentrar em emaranhados específicos para conseguir progredir. Isso significa encontrar hábitos específicos nos quais focar. O modelo da Nuvem de Comportamentos lhe ajudará a fazer isso.

Escreva o Hábito Geral que você deseja abandonar dentro da nuvem.

Eu quero abandonar o hábito de...

Em seguida, liste hábitos específicos que contribuem para o geral nas caixas que cercam a nuvem. Para mostrar como fazer isso, preenchi a próxima ilustração com o Hábito Geral de comer *junk food*.

A importância dos passos

Se você se concentrar apenas no seu Hábito Geral, provavelmente se sentirá frustrado ou intimidado, e isso pode fazer com que comece a evitar a questão: "Não tenho tempo para isso agora" ou "Vou resolver isso mais tarde".

No entanto, depois de listar hábitos específicos relacionados ao seu hábito geral, desenrolar esse hábito grande e ruim se tornará algo mais alcançável.

Quando usei esse processo pela primeira vez para abandonar um hábito indesejado, fiquei surpreso ao ser capaz de listar mais de quinze coisas específicas que contribuíam para o meu hábito geral de deixar as coisas fora do lugar em casa. Vou contar uma coisa: depois de listar tantos hábitos específicos que me levavam a deixar a casa desarrumada, eu me senti meio mal comigo mesmo. Fiquei um pouco surpreso ao perceber como o meu hábito de ser desorganizado era extenso. Sério? Eu era tão desleixado assim? Sim, aparentemente era.

Não quero que esse sentimento desagradável e temporário pegue você de surpresa quando for aplicar esse método. Ele em geral é sentido pela maioria das pessoas que seguem esse processo, porque estão enfrentando o fato de terem um hábito ruim. No entanto, esse sentimento desagradável pode mudar logo. Ao examinar meus hábitos específicos de desorganização, descobri alguns que eu podia desembaraçar de maneira rápida e fácil: sim, eu podia parar de largar os suéteres em cima da cômoda e podia parar de empilhar livros na bancada da cozinha. Isso fez aquele sentimento desagradável desaparecer.

Com esse plano, eu me senti no controle. De fato, comecei a me sentir bastante otimista. E você pode esperar isso também. Diante de seus sucessos iniciais (chega de suéteres em cima da cômoda), você será capaz de enfrentar alguns emaranhados mais difíceis.

O que estou dizendo é o seguinte: quando você se deparar com vários hábitos específicos para desembaraçar, não pare por aí. Não se sinta sobrecarregado. Siga em frente. Escolha um emaranhado e projete-o para fora da sua vida. Mas quais hábitos específicos você deve enfrentar primeiro?

A resposta é tão importante que vou dizer três vezes de maneiras diferentes: escolha o *mais fácil*. Escolha o que você tem mais certeza de que é capaz de resolver. Escolha aquele que não pareça ser grande coisa.

As pessoas costumam escolher o hábito mais difícil e persistente de desenrolar, mas isso é um erro. É como tentar desfazer o emaranhado mais apertado dentro de um grande nó. Em vez disso, comece com o hábito específico mais fácil de ser abandonado.

Não há problema em pegar mais de um hábito específico para desenrolar. A escolha é sua, mas seja lá o que você decidir, não se sobrecarregue. Lembre-se de que você está praticando as Habilidades de Mudança e aprendendo ao longo do caminho. Guarde as coisas difíceis para quando você tiver mais habilidades e impulso. Você descobrirá que os emaranhados subsequentes serão mais facilmente desembaraçados à medida que você ganhar conhecimento e confiança. E pode ser que você não precise dar conta de todos os seus hábitos específicos, porque alguns deles vão desaparecer por conta própria.

As etapas aqui refletem o processo de Design do Comportamento que expliquei anteriormente neste livro. Só que agora, para abandonar um comportamento, estamos invertendo as coisas. Estamos fazendo uma engenharia reversa do hábito. Isso significa que mapeamos o que já existe para desembaraçá-lo. Em ambas as situações — seja criando ou abandonando hábitos —, é essencial projetar comportamentos específicos (em vez de abstrações). Quando você tiver selecionado o hábito específico que deseja abandonar (o Co em Co = MCP), passe para a próxima etapa. Lembre-se de que, se você remover a motivação, a capacidade ou o prompt, poderá interromper o hábito específico, e minha pesquisa mostra que há uma ordem ideal a ser seguida nesse processo. Comece com o prompt. Esse é o nosso próximo passo no Plano Principal de Mudança de Comportamento.

Concentre-se no prompt para abandonar um hábito

Às vezes, tudo que você precisa fazer é lidar com o prompt, nada mais, e há três maneiras de fazer isso: remover, evitar ou ignorar o prompt.

Remova o prompt

A remoção do prompt é a opção mais simples para interromper um hábito indesejado, e a melhor maneira de remover um prompt é refazendo o design de seu ambiente.

Digamos que você queira parar de verificar as redes sociais enquanto estiver no trabalho. Você pode desligar o telefone, colocá-lo no modo avião ou desativar as notificações dos aplicativos. Qualquer uma dessas opções removerá prompts contextuais. E isso já pode solucionar o hábito.

Uma Receita de Micro-hábito para isso seria: "Depois de me sentar para trabalhar, eu vou desativar as notificações dos meus aplicativos de redes sociais."

Você também pode excluir os aplicativos das redes sociais do seu telefone. Esse é um comportamento único, o que geralmente é mais eficaz do que uma ação diária, porque é realizado apenas uma vez e não há necessidade de se consolidar como um hábito.

Quando o objetivo principal do design é desfazer o prompt, pode-se usar tanto o método Micro-hábitos para removê-lo regularmente ou pode-se colocar em prática um comportamento único que remova o prompt para sempre. Quando se trata do uso de mídias sociais, a abordagem do Micro-hábitos pode ser melhor, pois o uso de mídias sociais durante seu trajeto de trem para casa, pode ser relaxante às vezes, portanto, excluir o aplicativo por completo pode não ser a melhor solução.

Minha Receita — Método Micro-hábitos

Depois de...	Eu vou...	Para consolidar o hábito em minha mente, eu vou imediatamente:
me sentar para trabalhar,	desativar as notificações dos meus aplicativos de redes sociais.	☺
Momento Âncora	**Micro-hábito**	**Comemoração**
Um hábito já existente na sua rotina que lembra você de pôr em prática o Micro-hábito (seu novo hábito).	O novo hábito que você quer adotar, mas reduzido, para ficar bem simples — bem fácil de fazer.	Algo que você faz para criar um sentimento positivo (o sentimento é chamado de Brilho).

Evite o prompt

Se você não conseguir remover o prompt do seu hábito ruim, tente evitá-lo. Se você quiser deixar de lado o hábito de comer cupcakes no café da manhã, pare de ir à cafeteria e prepare sua refeição em casa, onde não há tentações o tempo todo.

Formas de evitar prompts incluem:

- Evite lugares onde você terá que se deparar com os prompts
- Não conviva com pessoas que trarão prompts a você
- Não deixe as pessoas espalharem prompts ao seu redor
- Evite mídias que o exponham a prompts

Você se lembra de como uma das minhas Receitas de Micro-hábitos me ajuda a evitar comer muito pão nos restaurantes? Quando o garçom se aproxima, eu digo: “Não quero pão, obrigado.” Dessa forma, assumo o controle do meu contexto e consigo evitar o prompt que seria uma cesta de pão na mesa.

No entanto, talvez você não consiga evitar todas as situações em que é exposto a um prompt. E se você trabalha em uma cafeteria que vende cupcakes, ou a pessoa que o expõe ao prompt é seu chefe e você não tem como evitá-la?

Ignore o prompt

Sua última opção é ignorar o prompt, mas isso depende de força de vontade, o que pode ser problemático, porque você precisa fazer um esforço extra para ignorar um prompt relacionado a um hábito que está acima da Linha de Ação (ou seja, quando tem motivação e capacidade suficientes).

Mas você já fez isso antes. Apesar de ser exposto a um prompt que o faria se entregar, você resistiu e recuou. Entretanto, há uma quantidade limitada de vezes que você será capaz de dizer não ao prompt antes de sua força de vontade ceder. Você pode dizer não a uma bebida durante uma festa uma ou duas vezes. Mas se as pessoas oferecem as bebidas constantemente (e você quiser beber), vai acabar cedendo. Isso ocorre porque a cada vez que você resiste a uma "pergunta", você depende da força de vontade.

Isso ocorre sobretudo quando você está ansioso. Esqueceu seu café da manhã saudável em casa um dia e não vai conseguir passar pelas reuniões que tem agendadas sem comer alguma coisa; então, acaba pegando aquele cupcake de mirtilo na cafeteria. Ou você se sente ansioso e seu desejo de se distrair nas redes sociais dispara.

Ignorar um prompt talvez não seja a melhor solução a longo prazo. No entanto, se você se sentir determinado e disposto a cumprir essa tarefa, lembre-se de comemorar sua conquista ao ignorar com êxito o prompt e renunciar ao hábito indesejado.

Aí está. Você pode lidar com os prompts de três maneiras: removê-los, evitá-los ou ignorá-los.

Se qualquer uma dessas opções funcionar para você, ótimo. Você encontrou a solução mais simples para refazer o design de um hábito específico da sua vida.

Depois de solucionar de maneira bem-sucedida um hábito específico, volte à sua Nuvem de Comportamentos e selecione outro para enfrentar. Se você abandonou o hábito de comprar café da manhã no posto de gasolina, pode acabar parando de comer os doces disponíveis na recepção do escritório.

Mas e se você não conseguir remover, evitar ou ignorar o prompt? Bem, isso acontece.

Quando você não conseguir projetar um prompt a partir da sua rotina, passe para o próximo componente no Modelo de Comportamento.

Refazer o Design da Capacidade a fim de abandonar um hábito

O próximo passo no Plano Principal de Mudança de Comportamento é centrado em dificultar a execução de um hábito.

No Capítulo 3, expliquei os cinco fatores do meu modelo de Cadeia de Capacidades: tempo, dinheiro, esforço físico, esforço mental e rotina. Usamos essa cadeia para nos ajudar a facilitar a execução de um novo hábito, mas agora vamos enfraquecer ou romper essa cadeia para dificultar a execução de seu hábito. Vamos avaliar cada um desses cinco elos e como você pode refazer o design deles.

1. AUMENTE O TEMPO NECESSÁRIO

Você pode diminuir a probabilidade de um hábito acontecer se mudar o ambiente, de modo que seu hábito ruim lhe exija mais tempo. Digamos que o hábito geral que deseja abandonar seja comer doces. Você elaborou uma Nuvem de Comportamentos e descobriu um hábito específico para abandonar: "Tomar sorvete enquanto assiste à TV à noite."

Você não pode remover o prompt porque ele é interno. Algo dentro de você lhe diz: "Ei, seria ótimo tomar um sorvete agora." E você não pode ignorar esse tipo de prompt, porque seu desejo de comer doces sempre vence a força de vontade. Então, o que fazer?

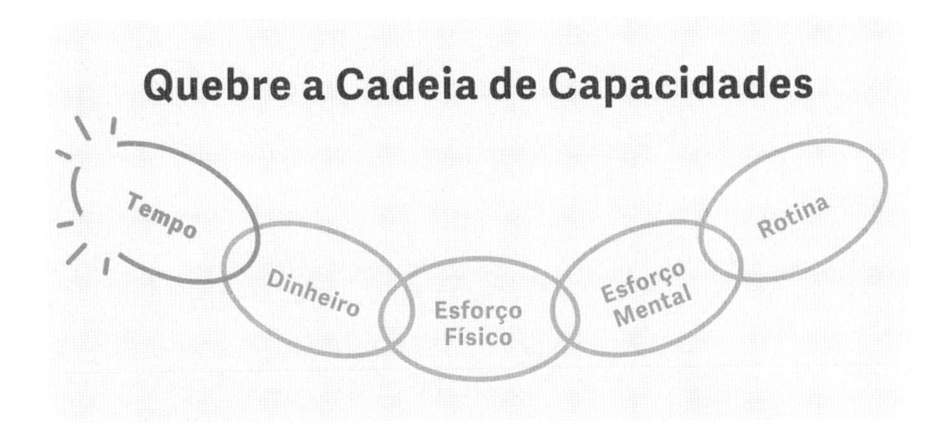

Uma opção é refazer o design de seu ambiente para não tomar sorvete em casa. Cerca de quinze anos atrás, Denny e eu criamos uma política que diz: *não temos sorvete no freezer — nunca*. Talvez você também possa fazer disso uma política em casa. O que significa que, na próxima vez em que você começar a assistir a uma nova série da Netflix e aquela voz interior surgir, você não poderá ir até a cozinha e voltar com o pote inteiro de sorvete e uma colher. Você teria que calçar os sapatos, entrar no carro, dirigir até a loja, encontrar o sorvete, comprá-lo e voltar para casa. Tudo isso leva muito tempo. Num cenário ideal, o tempo extra pode ser suficiente para fazer você dizer: "Ah não, isso é demais. Eu só quero assistir a reprises de *Modern Family*." Essa mudança no design pode reduzir — ou eliminar — seu hábito de tomar sorvete todas as noites.

2. AUMENTE A QUANTIDADE DE DINHEIRO NECESSÁRIA

O próximo fator na Cadeia de Capacidades é o dinheiro, e a pergunta se torna: "Como posso encarecer a execução desse hábito?"

Isso é um pouco complicado se você estiver projetando hábitos a partir da sua rotina. Você provavelmente não vai cobrar dez dólares de si mesmo por tomar um pote de sorvete. Mesmo assim, pense em como pode encarecer a execução de um hábito e, em seguida, passe para outros elos da cadeia de habilidades, se isso não funcionar.

Se estiver projetando uma mudança de hábito para outras pessoas, o dinheiro pode ser uma opção viável. Suponha que você não queira que seus filhos joguem tanto videogame; você pode cobrar deles cinco dólares por hora de jogo. Se você não quer que seus funcionários bebam tanto refrigerante, aumente o preço nas máquinas automáticas. Se você não deseja que os funcionários da universidade dirijam até o trabalho, aumente o preço do estacionamento no campus.

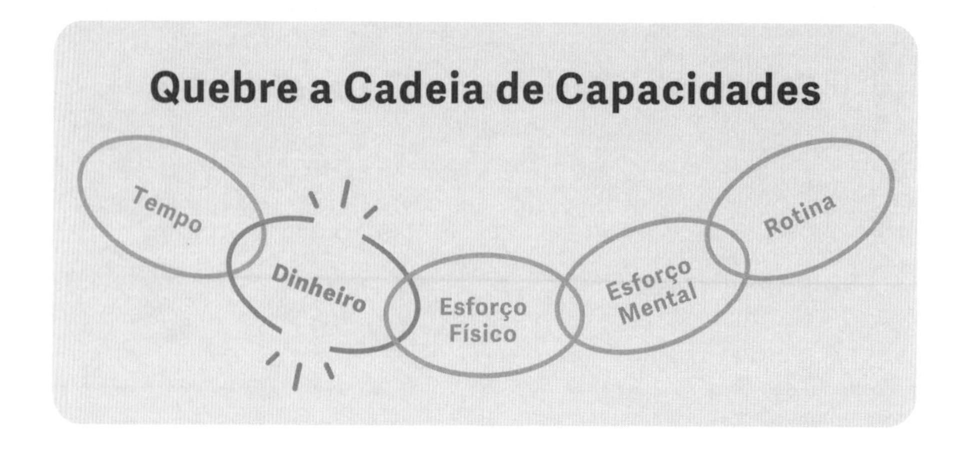

Essa abordagem deve ser familiar para você, pois há impostos que incidem sobre cigarros e refrigerantes. Quando o preço desses produtos sobe, as pessoas compram menos e o consumo geral diminui. Isso funciona porque cobrar mais diminui a capacidade de algumas pessoas de manterem seus hábitos ruins.

3. AUMENTE O ESFORÇO FÍSICO NECESSÁRIO

Para dificultar a execução de um hábito, você pode alterar o nível de esforço físico necessário. O exemplo do sorvete exigia mais tempo, mas também algum esforço físico. Esse duplo empecilho é um dos motivos pelos quais a política de "não ter sorvete no freezer" funciona tão bem em nossa casa.

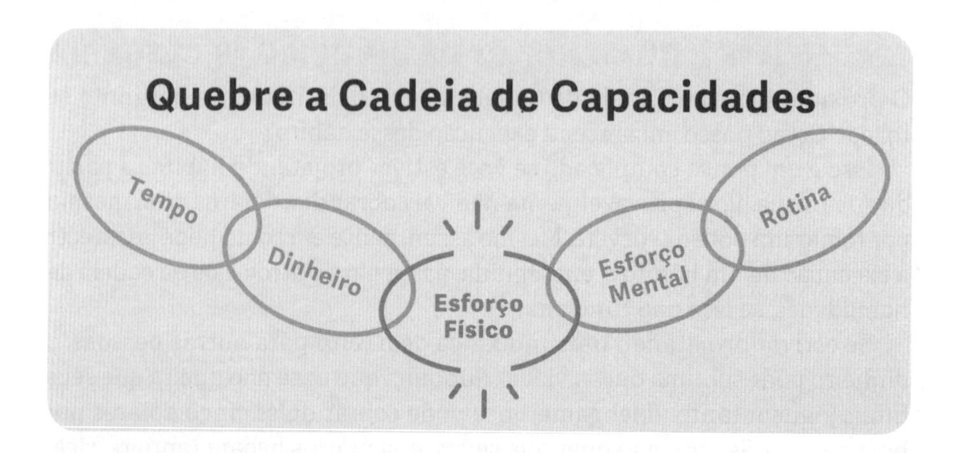

Não tenho cadeiras no escritório da minha casa na Califórnia. Eu fiz isso de propósito, para que o fato de passar o dia inteiro sentado se tornasse algo mais difícil de ser feito. Sim, eu posso me sentar no meu escritório — não é proibido. Mas eu teria que ir até outro cômodo e trazer uma cadeira para o meu escritório. Muito trabalho. Na maioria das vezes, eu fico de pé.

Em nossa casa em Maui, não temos uma TV facilmente acessível. Temos uma, mas fica guardada. E isso é por design. Para assistir à TV, tenho que tirá-la do lugar onde a mantemos, carregá-la fisicamente para um local na sala de estar e conectar os cabos. Tornar isso difícil de ser feito significa que nunca ligamos a TV sem motivo. Assistimos à TV apenas quando achamos que vale a pena todo esse trabalho.

Se você quiser levar esse conceito ao limite, poderá fazer o que eu fiz quando tinha 20 e poucos anos. Quando eu estava estudando para o mestrado, minha irmã mais nova foi morar comigo. Eu não tinha TV, mas Kim trouxe uma. Eu não queria que nenhum de nós passasse muito tempo assistindo à TV, e não conseguia me imaginar tentando estudar com o aparelho ligada ao fundo, então bolei um plano. Comprei uma bicicleta ergométrica velha e contratei um estudante de engenharia a fim de modificar a fiação da TV, para que ela ligasse apenas se os pedais da bicicleta estivessem em movimento. Depois de gastar 65 dólares, chegamos à nossa solução: a Bike-TV. Se quiséssemos assistir, alguém tinha que subir na bicicleta. Se os pedais parassem, a TV desligava. A Bike-TV funcionou muito melhor do que eu esperava. Não apenas assistimos menos TV, como também ficamos em forma.

De todos os fatores da Cadeia de Habilidades, o esforço físico é o meu favorito para alavancar o abandono de um hábito ruim. Você pode refazer o design no momento em que sua motivação estiver alta e que você não estiver tentado a praticar aquele hábito. Então, quando seu humor mudar e você quiser sorvete, TV ou vinho, você percebe que a execução de seu hábito está mais difícil e talvez nem valha a pena todo o esforço.

4. AUMENTAR O ESFORÇO MENTAL NECESSÁRIO

Para alguns hábitos, a melhor solução é exigir mais esforço mental. Esse fator explora nossa tendência humana de sermos preguiçosos, o que é uma maneira grosseira de dizer que evoluímos de modo a conservar nossas energias sempre que possível.

Pense em como isso pode funcionar para as redes sociais. Se você redefinir sua senha para algo complicado como G0st0def1c4rde5c0nect4d0 e não autorizar que seu sistema a salve, você precisará inserir essa sequência maluca de caracteres toda vez que quiser acessar seu *feed* ou postar alguma coisa. Como os verdadeiros hábitos são comportamentos que temos sem pensar, exigir que você se concentre pode ser uma boa maneira de abandonar um hábito ou reduzir sua frequência.

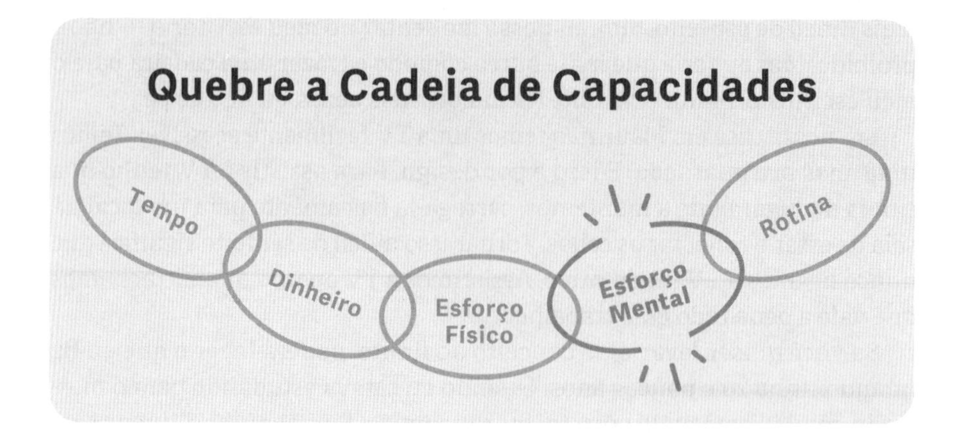

Quando as pessoas contam calorias ou pontos, como nos Vigilantes do Peso, elas comem menos em parte porque acrescentaram uma etapa extra que exige reflexão naquela atividade.

Isso sempre funciona? Não. Mas o registro de calorias requer mais esforço mental do que comer sem pensar? Sim. E essa é uma razão pela qual pode funcionar.

5. PROVOCAR O CONFLITO ENTRE HÁBITOS RUINS E ROTINAS IMPORTANTES

O fator final na cadeia de habilidades é a rotina. É o mais sutil do grupo e um dos mais difíceis de aplicar. Mas vale a pena levar em consideração. Procure maneiras de fazer seu hábito indesejado entrar em conflito com um hábito importante, uma rotina que você valoriza mais do que o hábito que deseja abandonar.

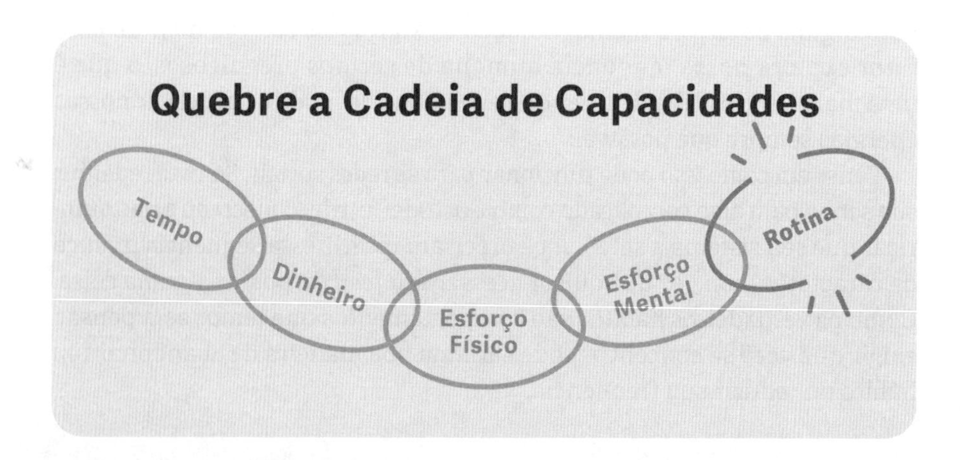

Surfar ao amanhecer se tornou um hábito importante para mim e agora faz parte da minha identidade. Minha nova rotina de surf dificultou a execução de alguns dos meus velhos hábitos noturnos, porque eu tinha que estar alerta e pronto para enfrentar as ondas de manhã cedo. Comecei a jantar mais cedo. Evitava a luz azul das telas e ia dormir cedo. Todas essas foram boas mudanças que surgiram ao criar uma rotina matinal que entrava em conflito com os hábitos nocivos que eu tinha à noite.

Até agora, nos concentramos em alterar o prompt e na capacidade de interromper hábitos indesejados específicos. Mas se você está preso a um hábito no qual refazer o design do prompt e mudar a capacidade não são o suficiente, há mais coisas que você pode fazer.

A seguir, no Plano Principal: ajustando a motivação.

Ajuste a motivação para abandonar um hábito

Muitas pessoas começam tentando influenciar a motivação quando querem abandonar um hábito. Na maioria dos casos, isso é um erro. Por quê? Porque ajustar os níveis de motivação para Hábitos Descendentes pode ser difícil (e quase impossível para Hábitos em Queda Livre).

É por isso que é melhor você não se meter com a motivação, se puder resolver o problema se concentrando no prompt e na capacidade. Você tenta ajustar a motivação apenas se as etapas anteriores não deram um jeito no seu hábito ruim.

Considere este exemplo: se você pode reduzir o desejo de fumar, então talvez seja capaz de parar de fumar definitivamente. Digamos que você compre um adesivo de nicotina, ou convença todos os seus amigos a pararem ao mesmo tempo, ou talvez até encontre sucesso na hipnose. Vale a pena o esforço de se fazer tentativas como essas e, às vezes, elas funcionam.

OPÇÃO A: REDUZA A MOTIVAÇÃO PARA ABANDONAR UM HÁBITO

Outro exemplo: digamos que você bebe demais à noite porque está estressado com o trabalho. Nesse caso, você pode alterar o que acontece durante o dia para não ter uma motivação tão forte para beber à noite. Você pode meditar antes de sair do trabalho, para recuperar o equilíbrio emocional. Ou talvez ouvir músicas relaxantes no caminho de volta para casa, para reduzir o estresse, para não ficar motivado a beber tanto vinho mais tarde.

Aqui vão alguns exemplos que mostram como um comportamento pode reduzir a motivação de um hábito.

- Ir para a cama mais cedo pode reduzir sua motivação para apertar o botão "soneca"
- Usar um adesivo de nicotina pode reduzir sua motivação para fumar
- Comer alimentos saudáveis antes de ir para uma festa pode reduzir o seu desejo de comer salgadinhos
- Fazer acupuntura uma vez por semana pode reduzir sua motivação para usar analgésicos

Um exemplo intrigante de redução da motivação veio do meu ex-aluno Tristan Harris, que pediu às pessoas que parassem de usar a tecnologia de maneira impensada. Uma forma de fazer isso, ele diz, é mudar a tela do telefone para mostrar apenas escala de cinza. Quando você não vê cores vivas na tela, segundo a tese dele, os memes e as postagens nas redes sociais se tornam muito menos emocionantes e interessantes para o seu cérebro.

OPÇÃO B: USE UM DESMOTIVADOR PARA ABANDONAR UM HÁBITO

A segunda abordagem é adicionar um desmotivador, mas eu não defendo o uso desse caminho. Ele pode funcionar em alguns casos, mas acho que em geral faz mais mal do que bem.

Aqui vão alguns exemplos de comportamentos que podem diminuir seu nível geral de motivação ao adicionar um desmotivador:

- Prometa no Facebook que você nunca mais voltará a beber
- Comprometa-se a doar uma boa grana a um político em que não acredita se você fumar novamente
- Visualize como sua vida será infeliz se você continuar jogando videogame todas as noites

Repare como essas ações não abordam a raiz do seu comportamento. Você está apenas adicionando uma motivação conflitante que pode fazer com que você pare de colocar seu hábito em prática.

Motivação *versus* desmotivação é uma batalha, e essa tensão cria estresse e leva ao fracasso com frequência, fazendo com que você fique mal diante dos seus amigos, desperdice dinheiro ou marque dolorosamente em seu cérebro suas perspectivas deprimentes de futuro.

Além disso, desmotivadores podem nos levar à autocrítica excessiva. Se você quer diminuir as calorias, colocar um papel na geladeira escrito PARE! VOCÊ ESTÁ ACIMA DO PESO! sem dúvida seria um desmotivador, mas também é desmoralizante. A mudança mais eficaz acontece quando estamos nos sentindo bem, não quando estamos nos sentindo mal, portanto, certifique-se de que suas tentativas de desmotivar o comportamento não se transformem em autoflagelação.

Criar desmotivadores é fácil. Talvez seja por isso que essa técnica seja tão popular. Mas, se fosse uma estratégia vencedora, pouquíssimas pessoas teriam hábitos ruins. Na maioria dos casos, se punir ou ameaçar é uma maneira ruim de abandonar um hábito, porque os estilhaços das armas usadas não valem o risco, principalmente quando há outras opções disponíveis. Vamos falar mais sobre isso no capítulo seguinte, quando examinarmos a ética de ajudar os outros a mudar.

Reduzindo a mudança

Se as abordagens que apresentamos até agora não fizeram você abandonar seu hábito específico, não desista. Você tem outras opções. O passo seguinte no plano principal é reduzir suas ambições, e você pode fazer isso das maneiras abaixo:

- Defina um período mais curto para abandonar o hábito (ficar sem fumar por três dias, em vez de para sempre)
- Determine um período mais curto para o hábito indesejado (assistir à TV por trinta minutos, em vez das quatro horas atuais)
- Repita menos vezes o hábito indesejado (verificar as mídias sociais uma vez por dia, em vez das atuais)
- Reduza a intensidade do hábito indesejado (beba mais devagar, em vez de beber menos doses)

Por que essa redução funciona?

As pessoas muitas vezes estão em conflito interno quanto a abandonar um hábito. Uma parte delas quer parar, outra parte, não. Ao empregar a redução, você não vai levar à loucura a parte de si que deseja manter o hábito. Digamos que você queira parar de usar o Facebook, mas está com medo de perder oportunidades de se conectar com seus amigos. Administre essa tensão reduzindo o hábito.

Diga a si mesmo que vai ficar sem usar o Facebook por apenas três dias. Seu hábito específico agora é uma variação: você pode acabar descobrindo que abster-se por tempo limitado é mais fácil do que parar para sempre. Com isso, você começa a ter sucesso e se torna aberto a mudanças maiores. Durante os três dias que passou sem entrar no Facebook, você pode perceber que não foi tão difícil quanto você temia e que essa mudança fez você se sentir bem. Ou pode descobrir que parar de usar o Facebook não fez tanta diferença na sua vida, de modo que abandonar esse hábito não é mais uma prioridade. De uma forma ou de outra, você está adquirindo habilidades e conhecimentos para tornar outras mudanças mais fáceis.

Se os métodos acima não estiverem funcionando, passe para a fase seguinte do Plano Principal: trocar um velho hábito por um novo.

FASE 3 — O DESIGN PARA SUBSTITUIR UM COMPORTAMENTO

Trocar um comportamento ruim por um bom é uma abordagem comum, e muitos dos chamados especialistas dirão para você começar por aqui. Mas não é inteiramente verdade que a única maneira de abandonar um hábito é substituí-lo. Muitos hábitos podem ser *abandonados* usando as etapas que acabamos de apresentar. Mas, para alguns casos, a troca pode realmente desfazer o nó diante do qual você se encontra. Se já explorou as fases iniciais do plano principal e nada funcionou — então seja bem-vindo ao planeta substituição. Você chegou aqui sistematicamente, o que significa que está se concentrando na coisa certa e que o tempo e o esforço que você investir têm muito mais chances de serem recompensados.

Para substituir um hábito, seja específico

Assim como na fase dois, você precisa ser específico quanto ao hábito que deseja abandonar e quanto ao novo hábito que ficará no lugar dele, e é vital que escolha o novo hábito com sabedoria. Caso contrário, a substituição não vai funcionar. Se você escolher algo novo apenas porque acha que é "bom para você", é bem provável que a substituição não dê certo. Se deseja abandonar o hábito de ler notícias sobre política no escritório, você *poderia* tentar usar esse tempo para fazer trabalho burocrático, mas isso provavelmente não vai funcionar. Por quê? Porque o novo hábito de fazer trabalho burocrático é muito menos motivador do que ler notícias e mais difícil de executar, tanto física quanto mentalmente. Com menos motivação e capacidade para o hábito de lidar com burocracias do que o de ler notícias, a substituição está condenada desde o início. Ao substituir comportamentos, você precisa levar em consideração suas habilidades de criação de hábitos, a fim de encontrar um novo hábito que seja mais fácil de ser feito e tenha mais motivação do que o antigo.

Nesse ponto do plano principal, você se ajusta a um novo hábito usando os métodos do Capítulo 2: crie uma Nuvem de Comportamentos e, a seguir, faça um Mapa Focal com os resultados para encontrar um Comportamento Especial.

Digamos que eu tenha seguido essas etapas para substituir meu hábito de ler notícias; o que seria, então, ter sucesso? Para mim, em vez de ler notícias que fazem subir minha pressão arterial, eu poderia assistir a vídeos de surf. Eu ficaria motivado a fazer isso porque adoro surfar e quero aumentar minha habilidade. E assistir a vídeos é mais fácil do que ler. Logo, encontrei um novo hábito que substituirá o antigo. Sucesso!

Aqui vai um breve lembrete do Capítulo 2 sobre os três critérios para escolher um Comportamento Especial.

- Impacto: o comportamento é eficaz
- Motivação: você *quer* ter o comportamento
- Capacidade: você *pode* fazer o comportamento

Agora que você escolheu um Comportamento Especial, o que vem depois? Os prompts.

Remapear os prompts para substituir um hábito

Remapear o prompt significa colocar o novo hábito em prática, em vez do antigo, quando o prompt surge. Digamos que você queira parar de criticar sua filha adolescente. Esse é o velho hábito. O prompt é a sua irritação sempre que ela age com desleixo. Na próxima vez que isso acontecer, você substituirá a crítica por um novo hábito, o de dizer algo verdadeiramente positivo.

Por exemplo, ela pega um iogurte e esquece de fechar a porta da geladeira. Você sente aquela onda familiar de irritação, mas isso agora é o prompt para o *novo* comportamento. Em vez de gritar "Pela milionésima vez, fecha a porta!", você pode dizer: "Fico feliz por você estar comendo algo saudável."

Ao colocar esse novo hábito em prática, não se esqueça de comemorar e sentir o Brilho intenso. Esse é um novo hábito que você está criando, então é preciso consolidá-lo. Depois de elogiar a escolha dela, você precisa sentir que acabou de fazer algo bom por sua filha. Parabenize-se por apoiá-la e ser o tipo de mãe ou pai que deseja ser. Se ela olhar para você completamente chocada e der um sorriso, e depois fechar a porta da geladeira... isso é uma vitória, também. (Embora talvez esse não seja o objetivo!)

Diretriz para Solução de Problemas: Se você se esquecer de adotar o novo hábito, ensaie (na prática ou mentalmente) a substituição várias vezes e comemore, para associar o prompt antigo ao novo hábito.

Se você não conseguir remapear o prompt antigo para o novo hábito, seu novo comportamento escolhido pode não ter sido tão "especial", no fim das contas. Tudo bem. A gente nem sempre acerta de primeira. Talvez o hábito que você está tentando substituir seja um Hábito Descendente extremamente íngreme. Pode ser que você não consiga fazer com que o velho hábito fique mais difícil ou seja menos motivador. Se for esse o caso, um bom passo seguinte é voltar e escolher outro novo hábito para ficar no lugar dele.

Se ainda assim você estiver tendo problemas, passe para a próxima etapa.

Ajustando a capacidade e a motivação para substituir um hábito

Se o remapeamento do prompt não fizer você abandonar seu velho hábito, vamos chegar a essa etapa. Nesse ponto, pode ter certeza de que seu velho hábito é mais motivador ou mais fácil de fazer do que o novo — ou ambos. Mapear o hábito antigo e o novo de acordo com o Modelo de Comportamento ajuda a visualizar o que está havendo. O velho hábito está bem mais alto em relação à Linha de Ação, o que significa que ele é mais atraente para você, e que você continuará fazendo aquilo.

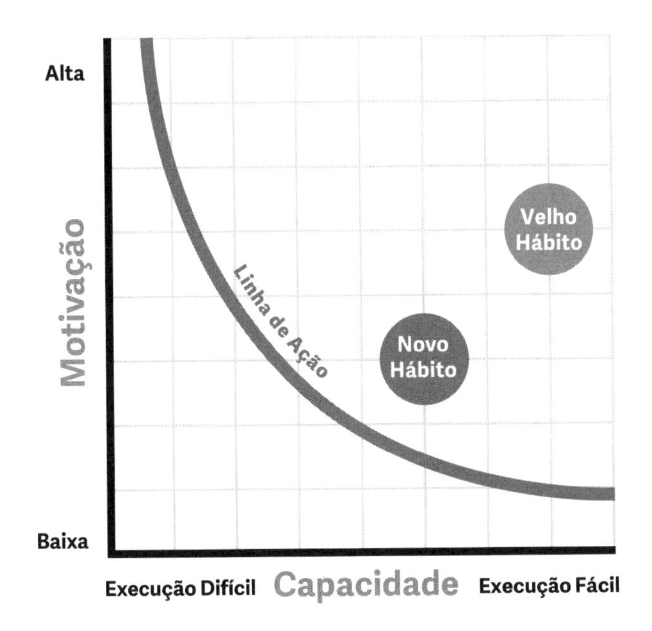

Para mudar isso temos quatro opções, como mostrado no gráfico a seguir:

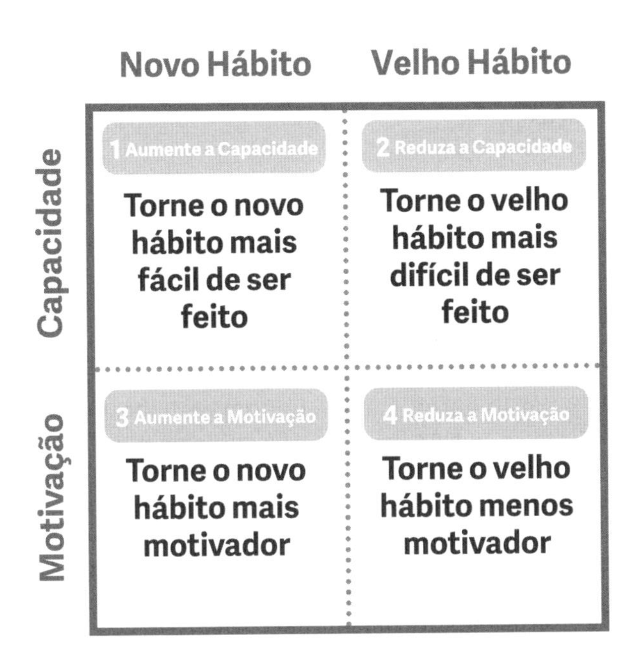

Concentrar suas energias em qualquer um dos quadrantes vai ajudá-lo a fazer a substituição, mas você terá ainda mais sucesso se puser todos os quatro ajustes em prática. O gráfico a seguir mostra o cenário ideal.

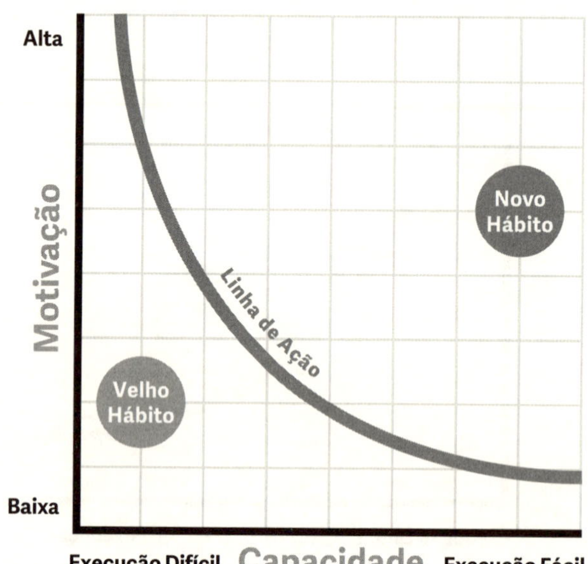

Entretanto, nem todos os ajustes darão resultado. Talvez você não consiga reduzir a motivação de seu velho hábito. Tudo bem. Contanto que consiga tornar o velho hábito mais difícil de ser feito e o novo hábito, mais fácil e mais motivador, são grandes as chances de você conseguir fazer a substituição.

Se nada até aqui funcionou...

Não se desespere. Você ainda tem opções. O importante nesse processo é encontrar o que funciona para você. É como comprar sapatos. O primeiro par que você experimentou parecia lindo na vitrine, mas, quando calçou, eles não vestiram bem. Não force, não se culpe nem desista. Procure outro par de sapatos para experimentar.

Aqui vão mais algumas opções:

- *Opção A*: Encontre um novo hábito melhor para fazer a substituição e repita as etapas.

- *Opção B*: Experimente a substituição de maneira limitada. Veja como as coisas funcionam por três dias, e decida o que fazer a seguir.
- *Opção C*: Retorne à fase 1 do Plano Principal e pratique outros novos hábitos para desenvolver sua habilidade e sua confiança e mudar sua identidade. Aborde esse hábito ruim e persistente em outro momento.

Esse processo é uma habilidade

Não existe uma técnica única que sirva para todos os hábitos. Mas, agora, você tem um processo e já pode começar a usar meu Plano Principal de Design de Comportamento imediatamente. Com a prática, você vai melhorar. Vai se tornar mais experiente em identificar questões cruciais e em solucionar problemas.

Você pode ter o mau hábito de se atrasar com frequência. Ou talvez tenha o mau hábito de procrastinar. Esses são casos especiais, porque esses hábitos ruins são criados por comportamentos que você não está praticando. Quando lidamos com hábitos de omissão ou evasão, é necessário que os comportamentos aconteçam, não que sejam abandonados. Para esse tipo de hábito, o Praticante esperto vai se concentrar na fase 1 e repetir todas as etapas para criar novos hábitos até que o problema esteja solucionado.

Esse processo é uma habilidade. Quando você descobrir o que funciona para você, os desafios futuros ficarão mais fáceis de serem enfrentados. Portanto, não desista.

A cada resultado bem-sucedido, revise o diagrama da Nuvem de Comportamentos para encontrar outro hábito específico a ser desvelado. É assim que você descobre o hábito geral indesejado de forma previsível e confiável, todas as vezes.

Você vai encontrar padrões, como aconteceu comigo ao descobrir que, para mim, muitas vezes é mais eficaz criar dificuldades na esfera física para o hábito indesejado. E vai identificar situações que tornam um hábito ruim mais fácil e aprenderá a evitá-las.

Você também encontrará pessoas em sua vida que tornarão hábitos ruins mais fáceis de serem executados. Em algumas abordagens à mudança de comportamento, essas pessoas são chamadas de facilitadores. Elas não devem ser subestimadas! Nunca esquecerei uma mulher, que vou chamar de Martha, que conheci quando fazia Vigilantes do Peso alguns anos atrás (em parte porque estava treinando a equipe de produtos, em parte porque queria perder peso). Martha frequentava o Vigilantes do Peso havia muitos anos, com sucessos e fracassos. Ela perdia alguns quilos aqui, ganhava alguns quilos acolá, mas, no geral, parecia não conseguir pegar ritmo. Um dia, durante a reunião de grupo, alguém abordou o tema das tentações alimentares criadas por outras pessoas. Quase todo mundo tinha uma história sobre bolos de aniversário na copa do trabalho ou uma colega que sempre oferecia um pacote de biscoitos, e Martha contou uma história sobre sua rotina. Durante o campeonato de futebol, todo domingo sua família se reunia para assistir aos jogos na TV, a cunhada fazia molho de queijo, e o marido pedia uma pizza. Aquele era um grande obstáculo para Martha.

Ela explicou que havia feito uma grande refeição saudável antes do jogo do domingo anterior, para não se sentir tentada. Ela estava sentada alegre no sofá com o filho, torcendo pelo time deles. A pizza chegou na hora do intervalo, e o marido se serviu de uma enorme fatia. Enquanto passava por ela, ele acenou com a cabeça e disse: "Hmmm, Martha, o cheiro não está maravilhoso?" Todos riram. Todos, menos Martha, claro. Ela adorava as piadas dele, mas dessa vez ficou brava. Não era a primeira vez que ele a provocava, pressionando-a a comer o que ele estivesse comendo. Às vezes ela cedia, às vezes não. Ela achava que o incidente da pizza parecia diferente, porque a constrangeu na frente do resto da família. Ela nos disse que seu marido tinha dormido no sofá por alguns dias — mas, o mais importante, isso a fez perceber que ele estava prejudicando o sucesso dela no Vigilantes do Peso, ao ser um facilitador de seus hábitos ruins.

Nem sempre podemos reprojetar cada aspecto de nossas vidas. Não dá para reprojetar uma sala de cinema para que ela não venda refrigerante, nem um bar para que não ofereça bebidas mais baratas durante o happy hour. E provavelmente não dá para reprojetar seu marido ou seus colegas para que parem de oferecer docinhos. (Quer dizer. Talvez dê. Mas isso é outro capítulo.) Mas com a abordagem do Design de Comportamento, há várias maneiras de desfazer cada nó. Embora cada hábito ruim seja único, a abordagem para desatá-los é a mesma — um conjunto concreto de etapas e técnicas adaptáveis a cada situação específica. Não é preciso ter uma bola de cristal — só um pouco de curiosidade e Brilho de sobra.

A beleza das mudanças

No capítulo anterior, falamos sobre a alegria de testemunhar o crescimento e os efeitos dos hábitos positivos que você cria. Eu prometo que você vai ficar igualmente feliz quando vir os hábitos ruins que arrancou da sua vida serem jogados na pilha de compostagem. E, embora isso seja maravilhoso, o que é ainda mais inspirador (para mim, pelo menos) é o que surge nos novos espaços que você criou em sua vida. Quando você se livra de hábitos indesejados, o que surge para preencher esse espaço pode ser mais tempo para se dedicar a um projeto que você ama, maior produtividade no trabalho, um relacionamento mais profundo ou a expansão de uma nova identidade. Parte do que preencherá esse espaço será escolhido por você, parte virá daqueles ao seu redor.

Eis aqui um belo exemplo.

Um mês depois que Juni desatou seu hábito de consumir doces, uma bela tarde ela ouviu um som vindo do lado de fora, pela janela. Quando foi ver o que era, encontrou seu filho de onze anos, Elijah, sentado ao sol cantando uma música que ele tinha acabado de inventar sobre golfinhos. Sendo autista e muito calado, ele nunca tinha cantado antes, pelo menos não que ela tivesse ouvido. Quando ele olhou para ela na porta de casa, deu um sorriso. Juni teve que conter as lágrimas enquanto se aproximava. Ela percebeu que, se aquilo tivesse ocorrido seis meses antes, ela estaria dormindo no sofá depois de passar o dia se entupindo de doces. Teria perdido a bela voz de seu filho cantando.

Agora ela podia se sentar ao lado dele e incentivá-lo a cantar mais, fazendo perguntas e falando sobre como ela gostava de cantar também.

Quando ela contou ao marido como estava surpresa com a mudança no filho, ele apontou que todos haviam mudado nos meses recentes. Não era por acaso que o filho tinha começado a cantar ou que o marido havia abandonado o hábito de uma vida inteira bebendo refrigerante. Eles viram o quanto ela estava mudando, o quanto estava feliz, e foram inspirados a mudar junto com ela. Elijah floresceu graças a mais estrutura e atenção, e idolatrava a mãe. Juni foi de comemorar por fazer uma refeição sem açúcar a cruzar a linha de chegada de sua segunda maratona em Austin, Texas. Todos na vida dela, desde seus colegas de trabalho até sua família e amigos, foram impactados, em pequena ou grande medida, pelas mudanças que ela fizera.

Aquilo era um presente e um efeito de todo o trabalho árduo de Juni — algo que ela nunca tinha imaginado receber.

O Design de Comportamento não é uma missão solitária. Cada comportamento que projetamos, cada mudança que fazemos, é uma gota que repercute no lago inteiro. Moldamos nossas famílias, comunidades e sociedades por meio de nossas ações, e elas nos moldam de volta. Os hábitos que criamos e perpetuamos são de extrema importância. Este livro se concentrou principalmente em como nossos comportamentos são importantes individualmente, mas isso é apenas parte da história. Não se trata apenas de perder cinco quilos ou desligar o celular durante o jantar. O Design de Comportamento tem a ver com criar mudanças e se aventurar em busca de uma versão melhor de nós mesmos. Sim, fazemos por nós, mas é também pelas pessoas que amamos e pelo mundo que sonhamos em construir.

É por isso que o capítulo seguinte pode ser o mais importante de todos. Nele, aprenderemos o que realmente significa mudar em *conjunto*.

Micro-exercícios para praticar o abandono e a substituição

Você pode fazer os exercícios abaixo em qualquer ordem.

EXERCÍCIO 1: TREINE FAZER UMA NUVEM DE COMPORTAMENTO PARA ABANDONAR UM HÁBITO RUIM

Pense em um hábito ruim que você não tem. Por quê? Porque assim o exercício será menos assustador e você provavelmente vai aprender mais.

Etapa 1: Finja que você é uma outra pessoa e pense em um hábito ruim.

Etapa 2: Desenhe uma Nuvem de Comportamentos ou faça o download do modelo em TinyHabits.com/resources.

Etapa 3: Escreva o hábito ruim dessa pessoa dentro da nuvem.

Etapa 4: Liste pelo menos dez hábitos específicos em torno da nuvem. Isso vai exigir alguma imaginação.

Etapa 5: Examine sua Nuvem de Comportamentos e escolha dois ou três dos hábitos específicos mais fáceis de resolver.

Nota: Ao criar uma Nuvem de Comportamentos imaginária, você vai desenvolver suas habilidades. Então, quando aplicar essa abordagem a um desafio real em sua vida, estará mais confiante, menos receoso e mais eficiente.

EXERCÍCIO 2: TREINE REMOVER UM PROMPT POR UM DIA

Etapa 1: Escolha um aplicativo de mídia social ou de esportes que você use com frequência.

Etapa 2: Entre nas configurações do aplicativo e desative as notificações.

Etapa 3: Veja o que acontece (e o que não acontece) ao longo de vinte e quatro horas.

Nota: Se você achar que sua vida ficou melhor sem as notificações, deixe-as desativadas. Se ficou pior, ative-as novamente. De um jeito ou de outro, você terá aprendido alguma coisa.

EXERCÍCIO 3: TREINE SUBSTITUIR UM HÁBITO E COMEMORAR PARA CONSOLIDAR

Etapa 1: Encontre um recipiente que possa servir temporariamente como lixeira.

Etapa 2: Coloque essa nova lixeira em seu espaço de trabalho, em um local diferente da lixeira que você usa normalmente.

Etapa 3: Diga a si mesmo para usar a nova lixeira em vez da lixeira anterior.

Etapa 4: Quando for jogar algo fora ou separar para a reciclagem, use a lixeira nova, não a antiga. No começo, você provavelmente não vai mudar por completo e passar a usar a nova lixeira. Para acelerar a mudança, veja a etapa 5.

Etapa 5: Ensaie usar a lixeira nova cerca de sete a dez vezes e comemore todas as vezes. Sinta o Brilho.

Etapa 6: Quando retomar o trabalho, observe o que aconteceu com seu novo hábito. Reparar na forma como o seu hábito muda — ou seja, como é a substituição de um hábito — é o objetivo deste exercício.

Nota: Se você se esquecer de usar a lixeira nova, repita os ensaios do novo hábito com as comemorações. (Depois de alguns dias praticando essa substituição de hábito, volte ao seu antigo hábito, se desejar.)

CAPÍTULO

COMO MUDAR EM CONJUNTO

Mike e Carla se sentiam encurralados.

O filho deles tinha 21 anos, morava com os pais, e tinha dificuldade para dar conta até mesmo das menores demandas da vida adulta. Depois que Chris foi reprovado na universidade, aos dezoito, eles acharam que ele arrumaria um emprego, ou voltaria a se dedicar melhor aos estudos. Mas não. Apesar de todo o apoio financeiro e emocional dos pais, Chris parecia nunca conseguir cuidar de si mesmo. Embora tivesse um emprego de meio período, sua incapacidade de fazer tarefas básicas, como arrumar suas coisas, pagar contas e conviver com seu o irmão mais novo criava uma tensão que era sufocante para todo mundo na casa.

Quanto mais tempo Chris passava em casa, pior ficava o relacionamento dele com o pai. Chris estava distante e alheio nos melhores momentos, e nos piores tinha acessos de raiva. Tentar convencer Chris a arrumar a casa ou lavar a louça dava início a uma sequência de reclamações e acessos de raiva ao mesmo tempo previsíveis e irritantes. Mike começava com um simples pedido para que Chris arrumasse o próprio quarto, o que era ignorado por dias. Ele pedia novamente, um pouco mais firme. Seu filho dizia algo como "*Tá, tá, tá, vou arrumar*". Mas nunca fazia isso.

Infelizmente, o cômodo da casa que Mike usava como escritório ficava bem ao lado do quarto de Chris, então ele via o caos total no quarto do filho com regularidade e pensava: "*Meu filho não me escuta; ele não respeita o espaço em que vive, nem aprecia o que eu faço por ele. Ele não está nem aí.*" Então Mike dava um sermão em Chris e exigia que ele obedecesse às regras da casa, procurasse um emprego melhor, demonstrasse respeito pelos bens comuns da família e pagasse suas contas em dia, para que eles não tivessem que pedir empréstimos cada vez maiores para pagar as contas atrasadas. Depois disso, Chris surtava e decididamente *não* arrumava o quarto (nem fazia qualquer outra coisa que fosse pedida). Ele botava os fones de ouvido e ficava jogando videogame com pessoas do outro lado do mundo.

Mike e Chris não trocavam mais do que algumas palavras por dias, às vezes semanas. Um clima de hostilidade e decepção permeava cada interação. E Mike começou a desejar não trabalhar em casa. E, quando Mike pedia ao outro filho para arrumar o quarto, o garoto respondia: "Por quê? O Chris não arruma o dele."

Em geral, era nessa hora que Mike colocava o tênis de corrida, saía porta afora a toda velocidade e sonhava em nunca mais voltar.

Quando eles conseguiam fazer Chris se juntar à família para jantar, Mike olhava para o filho do outro lado da mesa e sentia uma tristeza profunda. E uma culpa imensa. Chris nasceu quando Mike e Carla estavam no primeiro ano da universidade. Eles não tinham a menor ideia do que estavam fazendo, e o menino cresceu junto com eles. Chris sempre tinha sido um garoto especial. Entendia tudo como um adulto e participava das conversas deles. Acompanhou Mike e Carla em aulas, jantares e viagens. Eles se achavam sortudos por ter um filho tão brilhante. No entanto, ele tinha aqueles rompantes de raiva que os deixavam perplexos, e sempre se comportava mal, incapaz de se conter.

Como era previsível, Chris se saia bem na escola. Tudo o que ele precisava fazer era ir às aulas, o que acabou por se virar contra ele em outras áreas. Porque o que Chris acabou não aprendendo foi um conjunto de habilidades tão necessárias quanto matemática e inglês. Mike tentou explicar a Chris que a vida era mais do que tirar notas boas, que tinha a ver com interagir com os outros, ter uma ética de trabalho, ser uma pessoa confiável e responsável — todas as coisas que ele tinha muitas dificuldades em fazer.

A capacidade intelectual de Chris sempre superou sua capacidade emocional. Mike levou vários anos de terapia familiar para perceber que Chris sentia as coisas com muita intensidade e que não dispunha de ferramentas certas para lidar com elas. Embora Mike soubesse que a frieza e a distância de Chris eram mecanismos de defesa, elas mesmo assim machucavam — em parte porque Mike queria estar perto de seu filho, em parte porque achava que tinha fracassado como pai ao não ajudar Chris a lidar melhor com as próprias emoções.

E, agora, olha só onde eles tinham ido parar.

As alternativas tinham se esgotado.

Eles mantinham uma distância fria um do outro, num sofrido estado de tensão.

O casamento de Mike e Carla estava ficando cada vez mais tenso. No começo, eles estavam em sintonia. Fizeram terapia, experimentaram usar incentivos e desenvolveram um plano elaborado com base nos livros que tinham lido, mas nada funcionou. Agora, estavam em conflito quanto ao que fazer. Deviam expulsá-lo de casa? Carla hesitava, mas Mike continuou lembrando a ela o que havia acontecido no ensino médio, quando eles recuaram — Chris começou a trabalhar para a máfia. Literalmente. Sua escola particular só para meninos tinha um número muito alto de filhos de mafiosos; portanto, quando Chris se tornou "mensageiro" do pai de um amigo, Mike sabia exatamente o que estava acontecendo. Ele e Carla tiraram Chris da escola, mas agora estavam com medo de que Chris voltasse àquela atividade fácil (e lucrativa). Foi isso que fez com que Mike e Carla se sentissem encurralados — não dá para deixar uma pessoa de 21 anos de castigo; a única alternativa é expulsá-la — e, se você não quiser fazer isso, o que resta a fazer? Como você faz seu filho adulto ajudar a si mesmo? Mudar? Chris era um bom garoto, divertido e esperto, e Mike sabia que o filho poderia fazer algo especial na vida. Ele também sabia que Chris *não queria* morar com os pais. Ele queria ter seu próprio lugar, sua própria vida, mas simplesmente não sabia como conquistar isso.

Mike quebrou a cabeça, e o fato de não encontrar uma solução o deixava maluco. Ele era uma pessoa capaz, afinal de contas. Não importava o quanto estivesse errando em casa, Mike estava prosperando na vida profissional. Ele era um estrategista de sucesso que havia transformado sua pequena empresa de nutrição em uma líder do setor. Tinha se especializado em solucionar grandes desafios de maneiras inovadoras e estava sempre procurando melhorar. Dessa forma, Mike acabou indo parar no meu Centro de Treinamento de Design de Comportamentos.

Mike foi o tipo de pessoa que "sacou" imediatamente. Tinha o pensamento sistêmico típico de quem sabe aproveitar rapidamente novos conhecimentos para resolver velhos desafios. Presumi que a sede de Mike em aprender os detalhes do Design de Comportamento estava relacionada ao crescimento de sua capacidade profissional. Mas descobri mais tarde que a explosão de energia que eu sentia nele vinha da expectativa de poder ajudar Chris, no fim das contas. O Modelo de Comportamento fez total sentido para Mike — muitos comportamentos de Chris se tornaram subitamente compreensíveis, e ele viu exatamente por que suas intervenções não estavam funcionando. Mike se deu conta de que precisava mudar o foco da motivação para a capacidade. A motivação, especialmente nos jovens, não é confiável. Ele também percebeu que dar ao filho um estímulo imediato e inesquecível seria muito mais eficaz do que as reclamações abstratas que ele vinha fazendo.

Empolgado para testar o que havia aprendido e ciente da importância de começar pequeno, Mike decidiu abordar primeiro o problema da cafeteira. Aquela era uma batalha doméstica aparentemente pequena, mas que era uma fonte diária de tensão. Mike tinha comprado uma ótima cafeteira para si. Ele tinha pesquisado bastante e se orgulhava de possuí-la, por isso gostava de mantê-la limpa e em boas condições de funcionamento — o que significava que, após cada uso, o sofisticado filtro precisava ser lavado, para não danificar as peças. Chris nunca se lembrava de fazer isso. Hoje Mike ri da situação, mas era uma daquelas coisas que o deixavam maluco. Ele descia as escadas para fazer uma xícara de café e descobria que Chris havia deixado o pó fumegante na cafeteira. Depois de fazer aquilo que seu filho adulto não fazia, ao voltar para o escritório Mike passava pelo quarto de Chris e fazia um comentário rápido do tipo "Quantas vezes vou ter que pedir para você limpar o filtro?" ou "Se você não tratar minhas coisas com respeito, não vai poder usá-las".

Chris revirava os olhos ou dava uma resposta sarcástica, uma interação que fazia o dia começar mal e empurrava ambos em direção a um ciclo destrutivo de frustração e ressentimento.

Mas, de posse das valiosas ferramentas do Design de Comportamento, Mike segmentou esse problema em partes. Sua aspiração era clara — ele queria que Chris respeitasse suas coisas. Nesse caso, o comportamento específico era cuidar da cafeteira. Então, Mike fez a Pergunta Transformadora: "*Como posso facilitar a execução desse comportamento?*". Quando refletiu sobre isso, percebeu que ele queria que Chris fizesse era um processo de três etapas. Retirar o filtro, limpá-lo e colocá-lo de volta na cafeteira. Pedir que Chris fizesse tudo isso de uma vez claramente não estava funcionando, então Mike decidiu tornar a tarefa mais fácil segmentando-a em partes e pedindo ao filho que cumprisse apenas a primeira etapa, especificamente.

"Ei, Chris, da próxima vez que você usar a cafeteira, pode retirar o filtro e deixá-lo em cima da bancada?"

Chris olhou para o pai como quem estava achando graça. "Claro."

Na manhã seguinte, Mike desceu para tomar sua dose de cafeína e sorriu. O filtro de café estava na bancada. Virado de lado e com um pouco de pó caído, mas estava. Mike sentiu uma onda de orgulho. Ao subir as escadas com o café, lembrou-se da minha máxima: *Ajude as pessoas a se sentirem bem-sucedidas.*

"Ei, Chris, obrigado por colocar o filtro na bancada. Isso é muito importante pra mim."

Chris deu ao pai aquele olhar "você é tão estranho" que havia desenvolvido na adolescência. "Grandes coisas."

O filtro estava na bancada de novo no dia seguinte. Isso deixou Mike impressionado — ele nem tinha precisado lembrar Chris de fazer isso. Mike agradeceu rapidamente a Chris antes de voltar ao trabalho. O filho continuou a fazer essa pequena tarefa, e Mike começou a acreditar que sua abordagem estava funcionando — que não era apenas por acaso. Depois de algumas semanas, Mike pediu a Chris para passar uma água no filtro antes de colocá-lo na bancada, e Chris concordou porque retirar o filtro tinha se tornado moleza, e aquilo deixava seu pai estranhamente feliz.

Uma semana depois, o filtro não estava na bancada, e o coração de Mike se partiu — o fato de Chris não dar continuidade às coisas era bastante familiar. Mas ele lembrou a si mesmo de que seu filho ainda estava aprendendo aquele hábito e resolveu não perturbar Chris. Mas, quando Mike foi fazer seu café, o filtro estava limpo. Chris tinha tirado, limpado *e* recolocado a peça sem que ninguém pedisse.

Mike soltou um silencioso "U-hu!".

Ele experimentou uma sensação parecida com a de receber uma promoção inesperada no trabalho ou ganhar um ótimo presente de aniversário, o que pode parecer totalmente desproporcional à pequena tarefa que seu filho adulto havia concluído, mas, como Mike me disse mais tarde, não tinha a ver com o filtro de café — tinha a ver com esperança. Aquela foi a primeira vez em anos em que Mike se sentiu esperançoso sobre seu relacionamento com Chris. O clima de suas manhãs havia mudado totalmente. Em vez de trocar palavras duras com o filho antes do trabalho, Mike se sentiu orgulhoso. Ele teve que ajudar Chris aos poucos, em vez de reclamar ou entrar em conflito. Ele finalmente se sentia um bom pai — alguém capaz de ajudar uma pessoa que ama a ser mais feliz e a aprender a viver em harmonia.

O que começou com um filtro de café logo se estendeu a todo tipo de comportamento conflituoso. Mike e Carla viram que a raiva e a frustração de Chris eram expressões da opressão que ele sentia. Quando pediam que ele fizesse coisas grandes como arrumar o quarto ou pagar as contas em dia, Chris não sabia por onde começar, ficava envergonhado e ressentido, se sentindo incapaz. Mas quando eles segmentavam coisas específicas em microcomportamentos e faziam pedidos como "Você poderia colocar sua toalha usada no cesto?" ou "Você poderia colocar seu prato na pia?", Chris recebia um impulso na direção da tarefa maior. Ao se sentir bem-sucedido nessas tarefas menores, ele ganhou confiança para fazer mais. Mike e Carla estavam com ele o tempo todo, comemorando suas vitórias de coração. Isso não apenas fez Chris se sentir bem, mas também fez com que a *família* se sentisse bem. Ninguém quer incomodar seus filhos nem se sentir decepcionado; nós *queremos* comemorar. Isso é surpreendentemente fácil de se alcançar quando você mantém os comportamentos pequenos e prepara as condições para que os outros se sintam bem-sucedidos.

Recentemente, conversei com Mike sobre seus negócios, mas ele estava mais animado em falar sobre as mudanças em casa. Chris ainda mora com os pais, mas tem dois empregos de meio período e está juntando dinheiro para dar entrada em um apartamento. O relacionamento deles está no melhor momento desde que o filho era pequeno. A tensão se desfez e todos se sentem mais conectados. Chris participa das refeições, ri mais e confia mais neles. Seu irmão mais novo não pode mais usá-lo como desculpa para não fazer as próprias tarefas, então o nível de irritação geral diminuiu. Chris se sente mais bem compreendido, e seus pais se sentem mais capazes de ajudá-lo a navegar pela vida. Há dias em que Mike olha ao redor e não consegue acreditar que eles alcançaram uma harmonia que antes parecia tão distante.

E tem mais: Mike recebeu um presente de aniversário de Chris pela primeira vez em anos (alguns dias atrasado, mas não importa). Eram três LPs para adicionar à sua coleção de discos de *soul*: Stevie Wonder, Ray Charles e James Brown. Mike deu um abraço apertado no filho, agradecendo e tentando conter as lágrimas.

Chris deu um sorriso. "Não é grandes coisas, pai."

Design para mudança em grupo

Todos sabemos que a dinâmica social é um poderoso motor do comportamento. Os efeitos estão todos à nossa volta: a forma como agimos quando assistimos a um jogo de futebol, como falamos sobre política, como tratamos uns aos outros na internet ou pessoalmente. Como os seres humanos sempre viveram em comunidade, as influências sociais sempre estiveram presentes na vida. Mas, com as mídias sociais ampliando e multiplicando essas influências, nos tornamos cada vez mais conectados. É por isso que é mais importante do que nunca pensar a fundo sobre como essas forças sociais estão moldando nossos comportamentos individuais e coletivos e, no fim das contas, impactando *toda* a vida no planeta Terra.

O que você aprendeu neste livro lhe dá o poder de se defender de influências prejudiciais e criar novos hábitos que proporcionam a uma vida mais harmoniosa, saudável e significativa para todos ao seu redor. Agora você é capaz de descobrir o que está dando forma aos hábitos que você não deseja ter, incluindo aqueles criados pela pressão social. Talvez sua família não consiga fazer as refeições sem que todo mundo fique olhando o celular. Talvez seu local de trabalho seja tão competitivo que ninguém tire um único dia de férias. Talvez o seu clube do livro esteja mais para clube do vinho. Os hábitos e as normas que existem em qualquer grupo podem parecer ainda mais arraigados do que os hábitos individuais. Mas é importante lembrar que podemos *mudar em conjunto.*

Agora que você já sabe como o comportamento humano funciona, pode identificar o que está por trás dos hábitos que deseja ou não manter. Existem três abordagens principais quando se trata de mudar o comportamento do grupo. Você pode projetar uma mudança no seu próprio comportamento para se distanciar das influências negativas de um grupo. Você pode trabalhar em conjunto com outras pessoas para projetar uma mudança no comportamento coletivo. Ou você pode projetar uma mudança para outras pessoas que vai beneficiá-las — assim como Mike fez com Chris. As duas últimas abordagens são o tema deste capítulo, e vamos falar mais sobre o que cada uma significa, e sobre como podemos ajustar o processo para se adequar a cada situação.

Usando o método Micro-hábitos e o Design de Comportamento, você pode ser uma força positiva na vida de outras pessoas. É necessário apenas um indivíduo habilidoso e atencioso (você!) para transformar um grupo, mas sugiro que você não comece tentando mudar o país inteiro, ainda que com o Design de Comportamento você seja capaz de transformar culturas. Desenvolva suas habilidades de mudança e comece menor — uma equipe de trabalho ou sua família. Há muito tempo defendo que devemos enxergar a família — e não o indivíduo — como a menor unidade de mudança. Portanto, no papel de designer de comportamento, devemos projetar produtos e serviços para ajudar a família inteira a mudar em conjunto.

Antes de Mike ajudar Chris a ganhar impulso em seus hábitos diários, ele fez um bom trabalho ao mudar o próprio comportamento. Mike modificou o pedido que fazia para Chris e a forma como pedia, substituindo o tom e a postura de frustração e derrota antecipada pelo de empoderamento e apoio. O sucesso que ele alcançou teve um efeito enorme, não apenas no comportamento de Chris, mas também no seu próprio. Vivemos e trabalhamos com outras pessoas, e todas as mudanças surtem efeito coletivo, para o bem ou para o mal. Estamos sempre mudando em conjunto, mesmo quando o design não previa isso.

Contudo, acredito que você não deve deixar as mudanças ao acaso. Pense em um design para o seu futuro de forma cuidadosa e eficiente, para que as coisas mudem *para melhor* em todos os aspectos da sua vida.

Quando você projeta mudanças em sua família, equipe de trabalho ou grupo comunitário, o ideal é que obtenha total cooperação e apoio, mas é pouco provável que isso aconteça. Quando comecei a estudar a mudança em conjunto em um projeto anual no meu laboratório de pesquisa em Stanford, ingenuamente presumi que todos tinham um lar como o meu. Sempre que eu ou meu parceiro queremos mudar alguma coisa, como hábitos alimentares ou uso da tecnologia, nós nos apoiamos. Quando eu era criança, minha mãe mudou drasticamente nossos hábitos alimentares para ajudar minha irmã mais nova que tinha dificuldades de aprendizagem. Ninguém gostou de abrir mão do pão de forma branco (poucas fibras) e do suco em pó (com muito açúcar), mas fizemos isso em família.

Ao compartilhar esses exemplos pessoais com os pesquisadores do meu laboratório de Stanford, eles apresentaram seus próprios exemplos como contraponto. Ouvi o exemplo de um pai que reagiu ao desejo do filho de meditar com um "Isso é só mais uma fase. Me avise quando acabar". Ouvi de outro membro do laboratório que sua esposa havia lhe dito: "Ei, querido. Podemos adiar esse seu pequeno plano até as crianças voltarem às aulas?" A partir dessas histórias, vi que os membros da família também podem prejudicar você, não só apoiar suas aspirações.

Se você está tendo problemas para efetuar mudanças em casa, os princípios do Design de Comportamento podem ajudar. Uma maneira de avançar é aplicar minha Primeira Máxima: *Ajude as pessoas a fazer o que elas já querem fazer*. O que seu cônjuge já sabe que quer alcançar? Que aspirações sua equipe de trabalho tem agora? (Se não souber, pergunte!) Em seguida, ajude-os a alcançar essas aspirações.

Talvez agora seu cônjuge não queira ter uma alimentação mais saudável, mas queira uma casa mais arrumada. Comece por aí. Lembre-se desta verdade: *Mudança gera mudança*. Você apresenta as pessoas ao caminho da mudança a partir do ponto em que elas querem começar. À medida que elas desenvolvem confiança e habilidades, vão se abrir para outros tipos de mudanças, eu garanto. Não desista de mudar a forma como sua família come, mas talvez o ponto de partida não seja o que você pensou. Talvez você comece liderando a mudança para um lar mais arrumado, ou para qualquer aspiração de que você e seu cônjuge compartilhem. Provavelmente, seu cônjuge será impulsionado pelas mudanças positivas e começará a criar hábitos próprios mais alinhados com o que você queria. "*Ei, eu estava pensando, talvez a gente devesse parar de beber tanto refrigerante.*"

Se você não pode ser o líder da mudança, não desista. O Design de Comportamento e o método Micro-hábitos servem para mudar em conjunto em qualquer situação, para qualquer grupo. Eles oferecem uma estrutura viável, mesmo que você não tenha a autoridade ou o apoio necessários. Afinal, toda situação de grupo é única, e a mudança de grupo, da mesma forma que a mudança individual, tem mais chance de sucesso se vista como um processo, não como uma prescrição médica.

A ética de mudar os outros

Uma palavra rápida sobre "mudar os outros" — um conceito que pode deixar as pessoas um pouco nervosas. Primeiro, precisamos entender que estamos influenciando o comportamento dos outros o tempo todo, muitas vezes sem perceber — essa é a natureza de viver em comunidade —, e que ninguém se preocupa muito com isso.

As pessoas costumam tentar ajudar um membro da família com uma nova dieta ou um colega de trabalho com problemas de produtividade. Mas se você desafiar as pessoas a fazer algo muito difícil, elas provavelmente vão fracassar, e esse fracasso fará com que seja ainda mais difícil mudar no futuro. Minha opinião é de que a abordagem mais ética é ter em mente nossa influência sobre os outros e, ao mesmo tempo, lançar mão dos melhores métodos possíveis para ajudá-los.

Ao usar o Design de Comportamentos e o método Micro-hábitos, você pode ter certeza de que estará orientando as pessoas em direção ao sucesso.

Ao auxiliar outras pessoas no processo de mudança, permita que minhas duas máximas sejam seu guia.

1: Ajude as pessoas a fazer o que elas já querem fazer.
2: Ajude as pessoas a se sentirem bem-sucedidas.

Se você está ajudando um cônjuge, um colega de trabalho, seu chefe, seus clientes ou seus filhos a fazer o que eles já querem fazer, é provável que esteja em um terreno ético sólido. E quase nunca é uma coisa ruim ajudar alguém a se sentir bem-sucedido. Uma vez que você se sinta bem com a mudança que deseja ajudar as outras pessoas a implementar, estará pronto para começar.

Como mudar em conjunto

Anteriormente, descrevi duas formas de mudar em conjunto que vou debater neste capítulo. Quero deixá-las mais óbvias e fáceis de lembrar dando nomes divertidos a elas. Você pode abordar uma mudança de grupo como o Xerife ou o Ninja.

O XERIFE

No papel do Xerife, você assume a liderança da tarefa de ajudar seu grupo a mudar, compartilhando o que aprendeu sobre Micro-hábitos e Design de Comportamento e atuando em conjunto. Isso acontece muito em famílias ou de maneira informal, no trabalho. Você está na sala de descanso, conversando sobre como resolver um problema incontornável, e a ficha cai. *Precisamos fazer uma Nuvem de Comportamentos e um Mapa de Foco!* Você explica os métodos aos colegas e, no dia seguinte, todos se reúnem com o problema mapeado e com ideias sobre mudanças a serem feitas. Outra forma de ser o Xerife é ajudar outras pessoas a aprenderem o método Micro-hábitos e o Design de Comportamento. Falar sobre este livro é uma maneira simples e eficaz de fazer isso.

Ou você pode adotar uma abordagem mais furtiva.

O NINJA

No papel do Ninja, você espreita o Design de Comportamento com sutileza. As pessoas da sua família ou do seu grupo não precisam nem tomar conhecimento do que você está fazendo. Essa foi a abordagem de Mike com o filho na questão da cafeteira. Ele não disse a Chris que estava segmentando as etapas e facilitando a execução daquele comportamento, nem que estava deliberadamente comemorando as vitórias dele — mas funcionou mesmo assim. Técnicas de Design de Comportamento, como a

Nuvem de Comportamentos ou a facilitação de um comportamento, podem ser usadas *especificamente* para ajudar outras pessoas a mudar — não é preciso anunciar isso antes.

Seja você o Xerife ou o Ninja, vai seguir as mesmas etapas descritas na imagem a seguir.

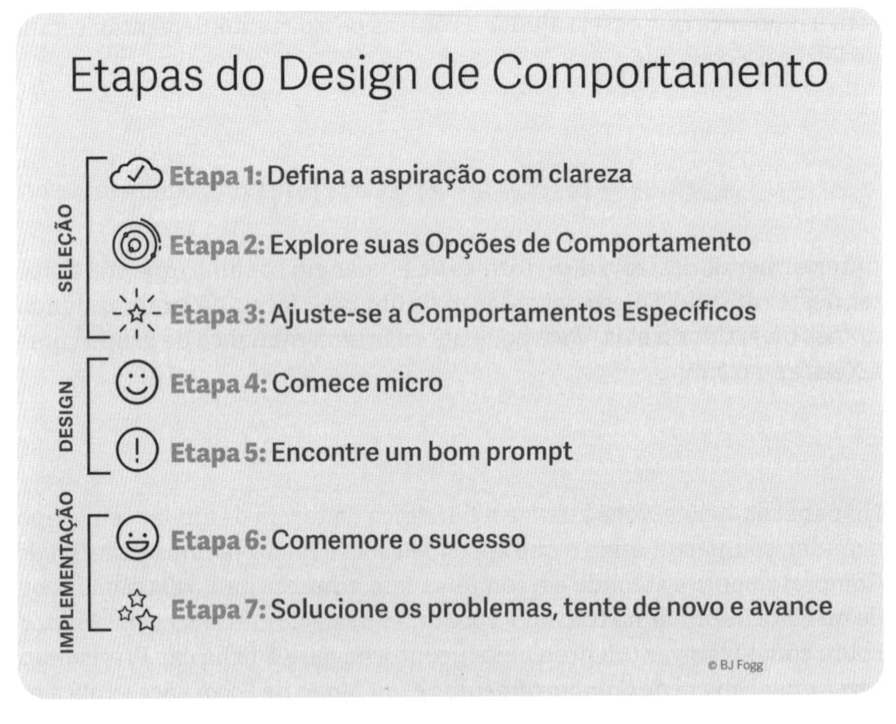

Processo de design para mudança em grupo

Embora os métodos usados para criar mudanças em um grupo sejam essencialmente os mesmos usados para mudanças individuais, a maneira como você coloca esses métodos em prática pode ser diferente.

1. DEFINA COM CLAREZA A ASPIRAÇÃO EM CONJUNTO

O Design de Comportamento sempre começa com a definição clara da aspiração. Essa é a primeira etapa se você estiver projetando quer um produto, quer hábitos para si mesmo, ou ajudando um grupo a mudar em conjunto.

O Xerife

Se você está ajudando sua família a mudar a forma de se alimentar, pode sugerir uma aspiração e ver se as pessoas aceitam, perguntando: "Como família, queremos comer mais frutas e legumes frescos. Essa é uma boa descrição do que esperamos alcançar?"

Em um projeto de negócios, você pode receber uma tarefa a ser alcançada — aumentar as vendas em 20% no próximo ano — ou uma aspiração menos específica — reduzir o estresse dos funcionários. Aí está o seu ponto de partida. No papel de Xerife, faça com que sua equipe entenda com clareza e da mesma forma o que todos estão esperando alcançar.

O Ninja

Você não precisa dizer que está usando o Design de Comportamento para obter a clareza de definição de que precisa. Você pode partir logo do objetivo.

"Só para esclarecer, estamos fazendo o design para a coisa X, certo?"

"Sim, isso mesmo", alguém responde.

"Certo, ótimo! Só queria garantir que estamos em sintonia. Obrigado!"

Esse movimento Ninja pode parecer bobagem, mas você estará fazendo um favor a todo mundo ao deixar o objetivo claro.

2. EXPLORE AS OPÇÕES DE COMPORTAMENTO EM CONJUNTO

Uma vez que a aspiração estiver clara, é hora de explorar as opções de comportamento.

O Xerife

Ao liderar um grupo fazendo Design de Comportamento, você pode tanto organizar uma sessão de Varinha Mágica, expliquei no Capítulo 2, quanto usar a Nuvem de Comportamentos e pedir às pessoas que preencham as lacunas com comportamentos diferentes que as guiarão rumo à aspiração.

Acho que a Varinha Mágica gera uma gama mais ampla de comportamentos em um pequeno grupo cuidadosamente orientado. Mas, se você tem mais de vinte pessoas, fica pesado para o moderador. Para grupos grandes, distribua a planilha da Nuvem de Comportamentos. Com pouquíssimas instruções, sua família, sua equipe de trabalho ou a empresa inteira — já fiz isso com mais de mil pessoas ao mesmo tempo — podem descobrir comportamentos para preencher a nuvem. O método escolhido dependerá do seu grupo e do seu estilo de liderança.

O Ninja

Você pode usar a Varinha Mágica às escondidas, fazendo perguntas como essas nos momentos certos.

- O que vocês querem que aconteça? Se a gente tivesse poderes mágicos, quem faria o quê?
- Imaginem que a gente possa pedir a uma determinada pessoa para fazer qualquer coisa. Qual é a ação ideal que pediríamos que essa pessoa fizesse?

Imagine este cenário do Design de Comportamento Ninja: você está em uma reunião para falar dos parques da sua cidade. Você é voluntário. A diretora quer que mais pessoas usem os parques. Você identifica isso como sendo a aspiração dela.

Para ajudar a reunião a ter sucesso, você enfatiza a aspiração dela e depois usa as perguntas da Varinha Mágica descritas anteriormente.

Quando você convida sua equipe a pensar dessa forma, a reunião fica mais interessante para todo mundo, porque você fez duas coisas: ajudou todo mundo a fazer algo mais do que abstrações, ajustando o foco da reunião a um objetivo específico. E ajudou todo mundo a ver muitas soluções em potencial. Como resultado, o grupo não vai se contentar com a primeira ideia que surgir.

Graças ao seu uso Ninja da Varinha Mágica, o que parecia um problema incontornável cinco minutos antes agora parece ter solução.

3. AJUSTE SEU GRUPO AOS COMPORTAMENTOS ESPECIAIS

Depois de ter um grande conjunto de comportamentos em potencial, você estará pronto para descobrir quais deles se transformarão em realidade. Como expliquei no Capítulo 2, você deseja combinar pessoas a comportamentos que provocarão impacto, que sejam fáceis de executar, e que sejam motivadores. Numa perspectiva ideal, os comportamentos que você selecionar terão essas três características. Esses são seus Comportamentos Especiais.

A melhor forma de ajustar sua equipe aos Comportamentos Especiais é com o método Mapeamento de Foco. Você pode fazer isso em grupo. Trabalhar em família ou em equipe tem a vantagem de colocar várias cabeças pensando. Quando chegarem a um consenso durante o processo de Mapeamento do Foco, os membros do grupo estarão preparados para se apoiarem enquanto transformam os Comportamentos Especiais em realidades. De todos os métodos do Design de Comportamento, o Mapeamento de Foco em grupo é o meu preferido.

O Xerife

Ensinei centenas de equipes a usarem o método Mapeamento de Foco para identificar os Comportamentos Especiais úteis aos seus projetos ou ao seu próprio aprimoramento.

O Mapeamento de Foco em grupo usa a mesma estrutura geral que descrevi no Capítulo 2, mas há algumas adições importantes.

Como nos Mapas de Foco individuais, você começa com um conjunto de comportamentos escritos em fichas. Os comportamentos escritos nessas fichas vêm da Varinha Mágica ou da Nuvem de Comportamentos.

Como Xerife, explique que existem várias rodadas no Mapa de Foco, e que na primeira elas vão colocar cada ficha ao longo de um eixo vertical, posicionando comportamentos com alto impacto no topo do espectro e comportamentos sem impacto na base.

Faça com que os membros da sua equipe se revezem colocando uma ficha no Mapa de Foco de cada vez, até que todas as fichas tenham sido colocadas. Depois, peça às pessoas para que se revezem para reorganizar as fichas para cima ou para baixo, sem que precisem explicar por que mudaram uma ficha de posição. Em cada rodada, alguém pode mover uma ficha. A pessoa

apenas lê a ficha e muda de lugar. Às vezes, uma ficha é movida várias vezes quando as pessoas discordam sobre onde ela deve estar. Isso é normal. (Não se preocupe. Assegure apenas a continuidade do processo.)

Continue até que todos estejam satisfeitos com a disposição das fichas. Quando se chega a um consenso, a primeira rodada está concluída.

Na segunda rodada, sua equipe se revezará deslizando as fichas de um lado para o outro ao longo do eixo de viabilidade. Explique a eles que os comportamentos que acham que conseguem executar devem ser deslocados à direita, e os que acham que não conseguem devem ser deslocados à esquerda.

Faça o grupo se revezar, e, um a um, os membros poderão mover as fichas de um lado para o outro, até que todos estejam satisfeitos com o arranjo.

Nesse momento, após alguns breves comentários e ajustes dos itens de comportamento, você encontrará seus Comportamentos Especiais no quadrante superior direito do gráfico. Organize um debate com a equipe sobre o número de Comportamentos Especiais que vocês desejam transformar em realidade. Vocês podem escolher apenas um ou dois. (Escolher mais de cinco é um bocado ambicioso.)

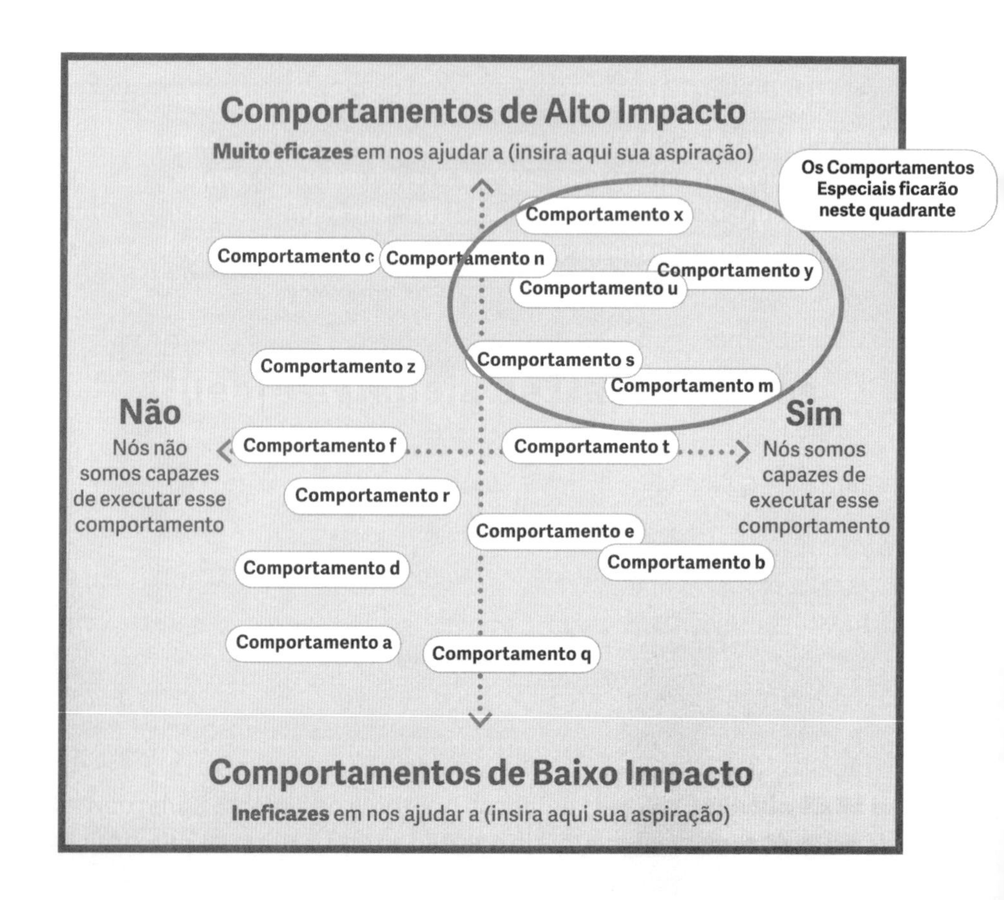

Para a maior parte das equipes, é surpreendente a rapidez e a facilidade com que se chega a um consenso sobre quais comportamentos em que se concentrar e quais esquecer por ora. O que poderia ter sido um processo longo e tenso é resumido a uma sessão que o Xerife pode organizar em cerca de trinta minutos. E todos saem felizes com o resultado, na maioria dos casos. (Para obter mais orientações sobre como organizar uma sessão de Mapeamento de Foco em grupo, consulte minhas instruções em FocusMap.info.)

Nota: Se o Comportamento Especial do seu grupo for um hábito, entre no modo Micro-hábitos nas próximas etapas. Mas nem todo Comportamento Especial será um hábito. Alguns serão comportamentos únicos.

O Ninja

Digamos que você esteja no meio de uma discussão em família ou de uma reunião de trabalho e precisa que sua equipe mantenha o foco e entre em consenso, mas não pode organizar uma sessão oficial de Mapeamento de Foco.

Nesse caso, tenho uma solução Ninja para você. Depois que seu grupo sugerir ideias diferentes, talvez inspiradas por sua Varinha Mágica Ninja, você pode perguntar: "*Qual opção somos capazes de executar de forma realista?*"

Essa pergunta combina os componentes de motivação e de capacidade do meu Modelo de Comportamento, e é a forma mais rápida de encontrar comportamentos que podem se mostrar Especiais.

4. FACILITE PARA TODOS A EXECUÇÃO DO COMPORTAMENTO ESPECIAL

Se o Comportamento Especial do grupo se destina a ser um hábito contínuo, aplique o método Micro-hábitos e simplifique o máximo possível a execução do comportamento. Mas não esqueça que a execução de comportamentos isolados, como fazer com que todo mundo compareça a um seminário de treinamento, também deve ser facilitada o máximo possível.

O Xerife

Pergunte ao grupo o que está dificultando a execução do comportamento (ou hábito) desejado, e como eles podem facilitar a execução desse comportamento (ou hábito). Vamos supor que, há duas semanas, você deu início a um novo esforço com sua equipe de projeto. Como gerente, você pediu que cada pessoa lhe envie um e-mail por dia reportando o maior obstáculo que o projeto está enfrentando naquele momento. Pode ser que o departamento jurídico não tenha revisado o novo contrato, ou que não haja orçamento suficiente para fazer pesquisas de qualidade com usuários, ou que a internet caia a toda hora. Não importa. Como gerente, você deseja estar ciente dos obstáculos, para poder resolvê-los e ajudar cada funcionário a progredir com eficiência. Parecia um ótimo plano, e a equipe deu a impressão de estar entusiasmada, mas os resultados não foram bons nas últimas duas últimas semanas. Hora de fazer a Pergunta Reveladora.

Na próxima reunião do projeto, você pergunta à equipe sobre o e-mail do obstáculo: *O que está dificultando a execução dessa rotina diária?*

Você pode ser ainda mais específico, perguntando sobre cada elo da Cadeia de Capacidades: Existe tempo suficiente? Dinheiro? Capacidade intelectual? Capacidade física? Está em conflito com as rotinas já existentes? Trabalhando em conjunto dessa forma, seu grupo pode ajudar você — e uns aos outros — a identificar os elos fracos. No fim das contas, não era propriamente uma questão de tempo. Em vez disso, o problema é que a maior parte das pessoas da equipe não sabe como pensar sobre obstáculos. E, com isso em vista, você percebe que é um problema de capacidade intelectual (mas não diga isso em voz alta!). Você tem opções: Você pode facilitar a execução dessa rotina diária capacitando sua equipe na identificação de obstáculos. Ou, talvez, você possa dar a eles um checklist orientando várias opções: *clareza do projeto, questões legais, restrições de orçamento, questões de colaboração, problemas tecnológicos*. Uma vez que se dê atenção a ele, o elo fraco da Cadeia de Capacidades pode se tornar um elo forte, ajudando todos a serem bem-sucedidos com mais frequência com os e-mails diários de obstáculo.

O Ninja

Suponha que você queira que seu cônjuge se exercite com você todos os dias, e ele não está lá muito animado. Faça uma versão da Pergunta Reveladora: *O que você acha que te atrapalha a fazer exercícios todos os dias?*

Se seu cônjuge for como a maioria das pessoas, ele vai responder: "Não tenho tempo." Como um Ninja habilidoso, você percebe que o tempo pode ou não ser o verdadeiro problema. Mas suponha que seja, e pergunte: *Se você pudesse encontrar uma forma de fazer apenas dez minutos de exercício comigo por dia, você acha que faria?* Se ele responder que sim, encontre esse exercício de dez minutos. No entanto, ele pode apresentar outra resposta: *Estou cansado demais para fazer exercício.*

Aí está: o problema não é o tempo; é o esforço físico. Então, sugira exercícios que exijam menos esforço, como dançar uma música animada todas as manhãs ou fazer um simples movimento de ioga. E não se esqueça de rearrumar o ambiente para que o exercício fique mais fácil para ele — separe o tapete de ioga antes de dormir. Não se preocupe muito com os benefícios para a saúde oferecidos por apenas uma saudação ao sol, porque levar alguém a adotar um hábito saudável — por menor que seja — é um grande feito. Se seu cônjuge se sentir bem-sucedido ao fazer sua saudação ao sol, ele naturalmente vai avançar com o hábito de praticar exercício. No modo Ninja, você descobre de maneira informal, mas sistemática, o que dificulta a execução de um comportamento por parte de alguém e, em seguida, toma medidas para fortalecer esses elos fracos.

Muito bem, Ninja.

5. ENCONTRE UM PROMPT PARA O COMPORTAMENTO ESPECIAL

Você leu o Capítulo 4 e sabe que existem três tipos de prompts: Prompts Pessoais, Prompts de Contexto e Prompts de Ação. Nesta etapa, você precisa descobrir qual deles funcionará de maneira confiável para o seu grupo.

O Xerife

Se você está ajudando seu grupo a criar um hábito, use primeiro a abordagem Micro-hábitos e pergunte: *Onde esse hábito se encaixaria naturalmente na rotina de vocês?* Se você está ajudando sua equipe a lhe enviar um e-mail todos os dias com o obstáculo enfrentado, pergunte: *Que atividade já existente pode lembrar vocês de adotar esse novo hábito?*

O grupo pode explorar opções em conjunto, mas cada um pode escolher a própria Âncora. Para alguns, a receita pode acabar ficando assim: *Depois*

Minha Receita — Método Micro-hábitos

Depois de...	Eu vou...	Para consolidar o hábito em minha mente, eu vou imediatamente:
voltar do meu horário de almoço,	fazer um checklist dos obstáculos e escrever um e-mail rápido.	☺
Momento Âncora	**Micro-hábito**	**Comemoração**
Um hábito já existente na sua rotina que lembra você de pôr em prática o Micro-hábito (seu novo hábito).	O novo hábito que você quer adotar, mas reduzido, para ficar bem simples — bem fácil de fazer.	Algo que você faz para criar um sentimento positivo (o sentimento é chamado de Brilho).

de voltar do meu horário de almoço, vou fazer um checklist dos obstáculos e escrever um e-mail rápido.

Como você sabe, existem outros prompts para um comportamento. Você pode fazer com que o novo estagiário dê uma volta pelo escritório e lembre as pessoas de lhe enviarem o e-mail, mas essa não é uma ótima solução a longo prazo. Talvez você envie um lembrete diário por e-mail? Sim, isso pode dar certo, mas não é tão elegante quanto usar uma atividade já existente como prompt.

O Ninja

A abordagem do Ninja para essa etapa é a mesma do Xerife. Se não funcionar, você pode ficar um pouco menos discreto e perguntar: "O que vocês acham que seria um bom lembrete?"

Tenho fascínio por descobrir o que funciona e depois ampliar essa abordagem. Vamos voltar ao hábito do e-mail com o obstáculo. Depois de facilitar a execução da tarefa, veja o que acontece. Depois de descobrir as pessoas que estão sendo bem-sucedidas nessa tarefa, pergunte a elas qual o prompt que as leva a pôr o comportamento em prática. Elas *vão* ter um prompt (mesmo que não tenham se dado conta). Quando você encontrar um padrão bem-sucedido, sugira que todos usem esse mesmo prompt.

Vamos supor que você dê uma volta pela empresa e fale com dez de seus colegas de equipe que estão tentando lhe enviar o e-mail. Cinco estão tendo sucesso. Você descobre que quatro dos cinco estão colocando o cartão de checklist em cima do teclado antes de sair para o almoço. O checklist lembra a eles de escrever o e-mail assim que voltarem. Assim, a receita se torna algo como: *Depois de pegar minha carteira para sair para o almoço, eu vou colocar meu checklist de obstáculos no teclado.* Você compartilha essa técnica com todo mundo. Encontra algo que funciona e amplia para o resto da equipe.

6. COMEMORE O SUCESSO PARA CONSOLIDAR O HÁBITO

Esta etapa se aplica apenas se você deseja criar um hábito em seu grupo. Se a sua solução é um comportamento ou decisão isolados, você pode pular esta parte.

O Xerife

Uma das minhas esperanças ao escrever este livro é mudar a maneira como os líderes interagem com suas equipes, como os pais interagem com os filhos e como os médicos interagem com seus pacientes. Quando você entende um dos meus pontos principais — que a mudança é mais eficaz quando as pessoas estão se sentindo bem, não quando estão se sentindo mal —, pode colocá-lo em prática em sua própria vida, mas também usá-lo para ajudar as pessoas a sua volta a mudar, sejam elas funcionários, filhos, cônjuges ou pacientes.

O feedback das figuras de autoridade é poderoso, e essa aprovação pode abrir as portas para a transformação. Se você puder dar um feedback no momento certo para ajudar as pessoas a se sentirem bem-sucedidas, será capaz de criar o hábito do comportamento bom. Mas isso não é tudo. Como compartilhei no Capítulo 5, os efeitos de se sentir bem-sucedido repercutem. Não há elogio mais poderoso do que o que vem de uma pessoa que admiramos e em quem confiamos. E, para alguns, essa pessoa é você.

Eu enxergo três abordagens para usar o poder do Brilho para criar hábitos de grupo e, em última instância, mudar a cultura quando você é o Xerife.

Primeiro, ensine ao seu grupo que as emoções criam hábitos. Explique que você encontrou uma nova forma de consolidar hábitos, despertando emoções positivas a cada ocasião, comemorando e sentindo o Brilho. Use um dos exercícios ao final do Capítulo 5 para ajudar os membros do grupo a encontrarem suas próprias comemorações e para incentivá-los a desenvolver e aplicar essa habilidade.

Segundo, você pode ser a fonte do Brilho para o seu grupo. Isso acontece naturalmente com pais que ajudam seus bebês a andar e também com bons professores. Você também pode encontrar exemplos disso no dia a dia, mesmo quando não espera. Em um local em Maui onde as pessoas aprendem a surfar, os espectadores (principalmente amigos e pais) ficam torcendo pelos novatos quando eles saem para pegar suas primeiras ondas.

A maioria de nós pode melhorar nossa atuação nessa área. Podemos ser mais produtivos e ter maior autonomia dando feedback positivo. Se ficarmos esperando até que alguém realize um grande feito, vamos perder muitas oportunidades para ajudar outras pessoas a sentir o Brilho.

A terceira abordagem é a que eu vi surgir naturalmente nas famílias que aprenderam o método Micro-hábitos: os bons hábitos de um indivíduo são comemorados por outros do grupo. Os mais jovens aprendem isso rápido. Enquanto a mãe faz duas flexões no balcão da cozinha, a filha bate palmas e diz: "Muito bem, mamãe!"

O Ninja

Como um Ninja, você pode promover o Brilho em outras pessoas, da mesma forma que o Xerife. No entanto, você age de forma mais discreta. Quando alguém executa um comportamento bom, você pode ajudar a consolidar o hábito dizendo: "Uau. Incrível. Como você se sente depois de arrumar a mesa?" Com essa pergunta, você ajuda seu colega a acessar o Brilho com maior facilidade na próxima vez que ele arrumar a mesa. Você também pode redefinir o significado de sucesso, ao ajudar as pessoas a perceberem que estão tendo sucesso com o processo, mesmo que o resultado final ainda não tenha sido alcançado. Toda vez que alguém pede água em vez de refrigerante é um sucesso, mesmo que a pessoa não veja mudança na balança do banheiro. Quando alguém pratica meditação, não precisa acalmar a mente para ter sucesso. Simplesmente se sentar em silêncio é um sucesso, e as pessoas podem se sentir bem por isso.

Na minha pesquisa, mapeei 32 tipos diferentes de mensagens que enfatizam o sucesso. (É uma planilha em grade com quatro linhas e oito colunas.) Por exemplo, reconhecer que alguém deu o melhor de si é uma das 32 maneiras de enfatizar o sucesso. "*Você teve o melhor desempenho que eu já vi!*" Outra maneira é ajudar as pessoas a verem que fizeram algo melhor do que qualquer outra.

Algumas pessoas sentirão mais Brilho com a primeira abordagem; outras sentirão mais Brilho por se saírem melhor do que os outros.

Se você sabe que tipo de comentário gera mais Brilho para cada membro do seu grupo, pode usar esse poder para ajudá-los a consolidar hábitos e a ter um desempenho cada vez melhor.

Aqui vão mais alguns elementos da minha planilha, escritos como se eu estivesse dando feedback a um aluno.

- Você mostrou uma consistência impressionante no dever de casa
- Você tirou uma nota perfeita na prova
- Apesar da sua nota baixa na primeira prova, você foi muito melhor dessa vez
- Você está aprendendo o material mais rápido do que qualquer um da turma
- Você melhorou sua nota mais do que qualquer outra pessoa na turma

Confira todas as minhas 32 mensagens que enfatizam o sucesso na parte final do livro. Mas também preste atenção ao dia a dia para aprender mais. Quando você dá um feedback positivo, qual é o principal impacto que isso tem? Experimente diferentes abordagens e analise os resultados.

As pessoas reagem de diferentes formas à estrutura das mensagens, mas aprendi que existe uma abordagem que se aplica a todo mundo.

O que vou compartilhar a seguir pode ser usado de maneiras poderosas, para o bem ou para o mal. É a primeira vez que vou compartilhar isso por escrito. Use as instruções a seguir apenas para os mais nobres propósitos.

O feedback com maior poder emocional tem duas características: ele está relacionado a um assunto com o qual você se importa e em uma área na qual você se sente inseguro. Criei um gráfico para mostrar essa intersecção, que eu chamo de Zona de Poder.

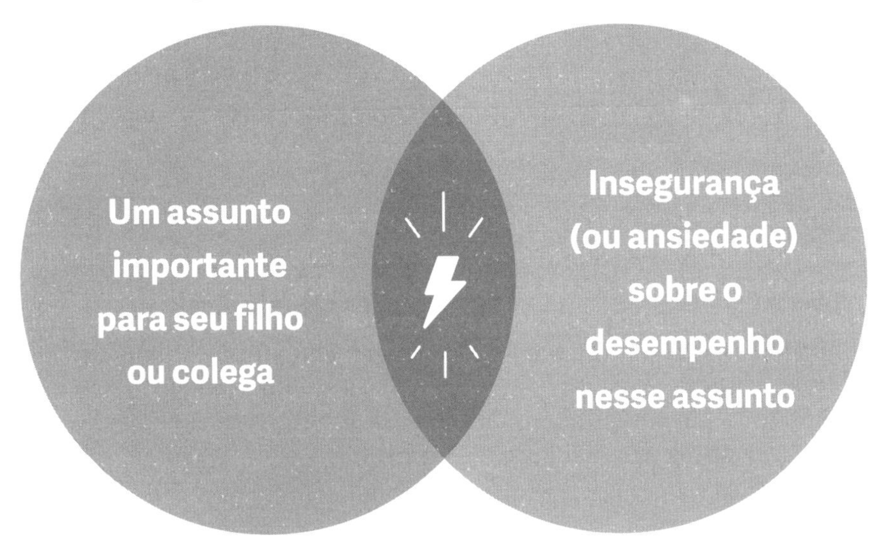

Qualquer feedback que você der a uma pessoa que se encontre na Zona de Poder será amplificado, porque ela se preocupa com o assunto *e* está insegura. Isso significa que você pode inspirar um Brilho enorme ou lançar grandes sombras. Suponha que você veja uma mãe de primeira viagem tentando acalmar seu bebê. Ela quer ser uma mãe "boa" e, por ser seu primeiro filho, não está segura. Se você diz: "Essa é uma boa técnica! Isso é o que minha irmã costumava fazer com os filhos, e ela é a melhor mãe que eu conheço", ela vai sorrir com Brilho.

Por outro lado, pense no impacto de dizer: "Posso tentar? Parece que seu bebê está bem chateado." Opa! Para uma mãe de primeira viagem, a implicação subjacente a essa interação é clara: "*Você está fazendo isso errado.*" Essa frase está na Zona de Poder, mas é negativa e provavelmente será bastante ofensiva. E essa mãe jamais vai se esquecer de você — pelas razões erradas.

Um dos meus principais objetivos no ano passado foi "estimular os outros em todas as minhas interações". Até tenho um belo quadro em meu escritório com essas palavras (obrigado, Stephanie). Eu aplico as ideias de minha pesquisa na busca por essa aspiração, e procuro estimular as pessoas, dando feedback a todos ao meu redor na hora certa: quando um de meus alunos faz sua primeira apresentação em sala de aula, quando meu parceiro prepara uma receita nova, quando alguém me telefona com uma pergunta sobre o meu trabalho. Em todas essas situações, tenho uma oportunidade enorme de estimular essas pessoas — elas se preocupam com um tópico e estão incertas. Tudo o que preciso dizer é algo positivo e que seja sincero. Muitas vezes, as pessoas dão feedbacks negativos em situações de vulnerabilidade. *Sua apresentação começou muito devagar. Esse peixe está um pouco seco; quanto tempo você cozinhou? Pela sua pergunta dá pra ver que você realmente não leu o meu trabalho.*

Cruzes. Não faça isso.

Seja um bom Ninja.

7. SOLUCIONE OS PROBLEMAS E TENTE DE NOVO EM CONJUNTO

Chegamos enfim ao último passo do Design de Comportamento. Nunca deixe de tentar de novo, seja para executar um comportamento isolado ou um hábito. Se algo não funcionar tão bem quanto você esperava, siga as etapas específicas para a solução de problemas.

O Xerife

Quando você estiver liderando seu grupo em um processo de mudança, diga de antemão às pessoas que as primeiras tentativas de criar hábitos podem não funcionar. Explique que criar mudanças duradouras é como comprar sapatos. O primeiro par que você experimenta pode não ser do tamanho ideal. Essa analogia coloca as expectativas no lugar adequado, e você não perderá credibilidade se seus primeiros projetos como Xerife não derem certo. Esteja preparado para corrigir o curso ao longo do caminho.

Explique a ordem das etapas de solução de problemas com base no Modelo de Comportamento. *Se nossas tentativas de criar esse hábito não funcionarem, vamos solucionar os problemas, começando pelo prompt. Não vamos nos culpar por falta de motivação ou de força de vontade. O que estamos fazendo depende basicamente do design — e de aprimorá-lo. Se estamos dependendo tanto assim da força de vontade, estamos fazendo errado.*

Se revisarmos o prompt e simplificarmos o comportamento o máximo possível, e ainda assim não tivermos sucesso, vamos dar um passo atrás e escolher um comportamento diferente — o que queremos de verdade.

O Ninja

Se você tiver que solucionar problemas de um comportamento de grupo no estilo Ninja, poderá apresentar o Modelo de Comportamento de uma nova maneira. Como sempre, comece pelo prompt. Depois, olhe para a capacidade. E então — o último recurso —, cuide da motivação. No melhor dos cenários, você pula a parte da motivação e reajusta o grupo a um novo comportamento que eles já estão motivados a fazer.

A versão gráfica do Modelo de Comportamento pode deixar mais claro quais etapas um Ninja deve executar ou evitar. Imagine que você é responsável por fazer com que as pessoas se inscrevam no programa de caminhada da empresa. Você convida as pessoas a participarem de um desafio de trinta dias, e a resposta é péssima. Menos de 2% se inscrevem. Seu primeiro passo na solução de problemas é examinar o prompt. As pessoas receberam seu e-mail com o convite? Talvez esteja indo para a pasta de *spam*. Talvez as caixas de entrada estejam cheias. Encontre outro prompt para o comportamento de fazer a inscrição — convites pessoais por telefone ou por escrito.

Se você tem certeza de que seu grupo recebeu o prompt certo (você entregou pessoalmente os convites por escrito) e os resultados ainda estiverem ruins, passe para a etapa seguinte da solução de problemas. Em casos como esse, gosto de mapear a situação usando segmentos diferentes no Modelo de Comportamento.

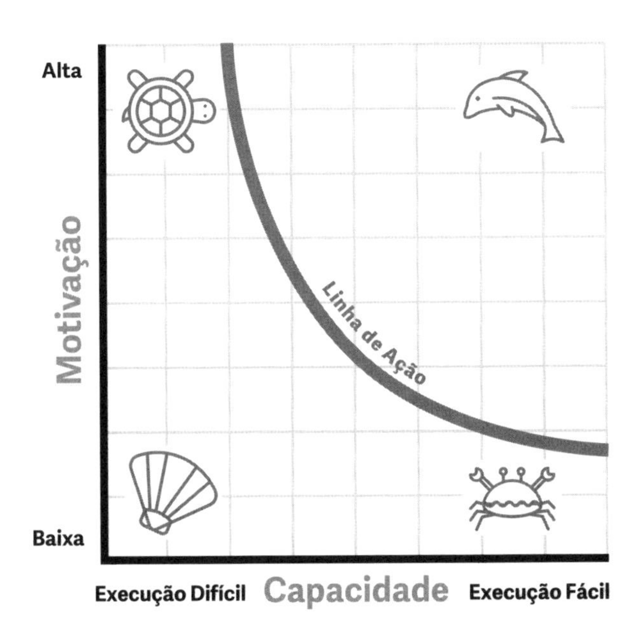

No quadrante superior direito, estão todas as pessoas que reagiram ao seu prompt e se juntaram ao desafio de caminhar. Eu chamo esse segmento de Golfinhos. Eles estão motivados e têm a capacidade. Eles executaram o comportamento — inscreveram-se no desafio assim que receberam o convite. No quadrante superior esquerdo estão algumas pessoas que não se inscreveram. Elas estão motivadas, mas por algum motivo, o desafio de caminhar parece muito difícil. Eu chamo esse segmento de Tartarugas.

Nos quadrantes inferiores estão as pessoas que não estão motivadas para participar do desafio da caminhada: os Caranguejos e os Mexilhões. Os Caranguejos têm a capacidade, mas não têm vontade. Os Mexilhões não têm capacidade nem motivação. Quando for se esforçar para engajar mais pessoas além dos Golfinhos no comportamento, concentre-se primeiro nas Tartarugas e use a Cadeia de Capacidades para descobrir como facilitar a execução do comportamento para elas. Esqueça os Caranguejos e os Mexilhões por enquanto. É pouco provável que eles se inscrevam, e você não deve perder tempo com eles.

Quando ensino essa segmentação no meu centro de treinamento, percebo que essa é uma das ideias mais esclarecedoras e perturbadoras para as pessoas que aprendem o Design de Comportamento. Os inovadores costumam tentar resolver todos os quatro segmentos ao mesmo tempo. Ou julgam que devem se concentrar no segmento mais difícil — os Mexilhões. Ambas as abordagens estão equivocadas. No Design de Comportamento, você ajuda as pessoas a fazer o que elas já querem fazer. Os Caranguejos e os Mexilhões não querem se inscrever em um desafio de caminhada. Os Golfinhos e as Tartarugas querem. Logo, você ajuda os Golfinhos e as Tartarugas primeiro.

Quando você fizer isso, pense em atividades diferentes para os Caranguejos e os Mexilhões, algo de que eles gostem: jogar pingue-pongue, entrar para um clube de culinária ou andar de bicicleta. Ou deixe-os de lado, e divirta-se caminhando com os Golfinhos e as Tartarugas.

Dito isso, há uma situação em que você pode tentar motivar os Caranguejos (e talvez os Mexilhões). Essa exceção ocorre quando há um comportamento que as pessoas *precisam* fazer, coisas extremamente importantes, como tomar vacina contra a gripe. Nesses casos (e só nesses), você pode mudar de marcha e também se dirigir aos Caranguejos.

Se, por algum motivo, você precisa que os Caranguejos se inscrevam no desafio de caminhada, encontre uma aspiração que se alinhe ao que faria com que eles se inscrevessem. Se a sua campanha inicial definiu o desafio como algo para se divertir e ser mais saudável, e isso não está em sintonia com os Caranguejos, encontre algo que seja significativo para eles. Isso pode exigir um pouco de pesquisa, e nem todos os Caranguejos vão compartilhar da mesma aspiração. Mas avalie as seguintes alterações em sua campanha.

- Inscreva-se no desafio de caminhada e *receba entradas gratuitas para os shows de sexta-feira*

- Inscreva-se no desafio de caminhada e *converse diretamente com a diretoria*
- Inscreva-se no desafio de caminhada e *ganhe um par de tênis grátis*

Nesses exemplos, você não está revisitando a Nuvem de Comportamentos e escolhendo outro comportamento. Você está fazendo o que eu chamo de Solução Celestial. Você mantém o mesmo comportamento (porque é preciso) e o liga a outras aspirações. (Você verá um exemplo real disso na história seguinte.)

Esse uso do meu Modelo de Comportamento para segmentação de público pode dar a você e a sua equipe uma clareza surpreendente. Ao compartilhar essa maneira de pensar com seus colegas de equipe, você começa a elevar seus colegas ao status de Ninja. E eles podem aplicar suas energias em áreas onde obterão resultados, sem perder tempo correndo atrás dos Caranguejos e dos Mexilhões.

Às vezes, o processo de mudança se desenrola de maneira direta, com você e sua equipe cumprindo todas as etapas que estabeleci. Mas a beleza do Design de Comportamento e do método Micro-hábitos é que eles são flexíveis. Agora que você viu o processo de mudança em conjunto às linhas gerais, vamos ver como eles funcionam na vida real. Vamos chamar essas duas histórias reais de "Contos de Duas Transformações". A primeira história traz de volta uma super-estrela da Mudança de Comportamento que já esteve conosco antes. A segunda é sobre o uso do método para aumentar a resiliência em um local de trabalho inevitavelmente repleto de estresse — um hospital.

Mudança em família: superando uma Dificuldade de aprendizagem

DEFINIR COM CLAREZA AS ASPIRAÇÕES E OS RESULTADOS

A filha de Amy foi diagnosticada com TDAH no jardim de infância. Um neuropsicólogo disse que Rachel era a criança mais inteligente e, ao mesmo tempo, a mais dispersa que ele já tinha visto. Amy sabia que a filha tinha grande capacidade intelectual, mas era como se as ramificações de cada coisinha desacelerassem Rachel a um ritmo de caracol. Ela tinha dificuldades para seguir instruções, porque na maioria das vezes se perdia em pensamentos. Tomar decisões era um sofrimento. Mas quase todos os professores de

Rachel concordavam que ela poderia se dar bem se descobrisse uma forma de aproveitar todos esses pensamentos e processá-los mais rapidamente, sem perder de vista a necessidade de concluir uma planilha ou responder a uma pergunta direta. No quarto ano, Rachel estava na turma de Educação Especial, e Amy se esforçava todos os dias para ajudá-la a fazer o dever de casa, mas tudo o que Rachel queria fazer era jogar videogame ou brincar no quintal.

Depois de usar o método Micro-hábitos e o Design de Comportamento para expandir seus negócios e contornar as dificuldades do relacionamento com o ex-marido, Amy não via nenhum motivo para não usar o que tinha aprendido para ajudar Rachel. A primeira coisa que ela fez foi descobrir as aspirações maiores da filha, o que exigiu algum tempo e algumas perguntas criativas da parte de Amy. No fim das contas, tirar boas notas, obter a aprovação da professora e aprender a tabuada não eram tão importantes para Rachel quanto ter a liberdade de fazer o que ela quisesse. Amy continuou insistindo para descobrir os verdadeiros motivos por trás dos comportamentos que ela queria fazer e dos que ela estava evitando (como fazer o dever de casa). Sabendo que a chave era encontrar a aspiração certa, Amy usou o método Solução Celestial: procurou alinhar os deveres de casa (uma exigência) a uma aspiração que Rachel já tinha.

Amy me disse que o momento em que caiu a ficha foi quando ela perguntou a Rachel: "Eu sei que fazer o dever de casa é desgastante, mas o que você acha que vai acontecer se você não aprender a lidar com isso?"

"Bem, acho que vou ter mais tempo livre", respondeu Rachel.

"Verdade. Mas como você vai se sentir quando terminar o ano, e todo mundo for para o quinto ano, menos você?"

Rachel arregalou os olhos. "Como assim?"

"E se você ainda estiver no quarto ano, e todo mundo for para o sexto?"

Alguma coisa mudou na cabeça da filha — aquela hipótese era novidade.

"Eu não ia gostar."

"Ok, então parece que o que você quer é terminar o quarto ano e acompanhar o ritmo de seus colegas. Isso é bom — agora sabemos o que você quer e para onde quer ir, então podemos encontrar boas formas de fazer isso acontecer."

No fim das contas, essa conversa se mostrou tão importante para Amy quanto para a filha. O que ela descobriu foi que Rachel não estava realmente interessada em dominar seus deveres de casa. *Essa* parte era ideia de Amy. Rachel se importava mesmo com acompanhar as amigas na escola. Portanto, Amy colocou essa aspiração em uma nova Nuvem de Comportamentos e, a partir daí, foi capaz conversar com Rachel sobre comportamentos específicos que poderiam ajudá-la a alcançar esse resultado.

AJUSTE A UM COMPORTAMENTO ESPECÍFICO

Como fazer o dever de casa depois da escola era o comportamento específico na nuvem que deu início à jornada de mudança em conjunto, Amy e Rachel começaram por essa parte.

FACILITE A EXECUÇÃO

O próximo passo foi facilitar a execução para Rachel. O maior obstáculo era a atenção. Os desafios de aprendizagem de Rachel significavam que manter o foco era uma luta constante — especialmente depois de um dia inteiro de aula. Então Amy experimentou dividir o dever de casa em tarefas menores. Elas faziam tudo em sessões de dez minutos — organizar o material escolar na mesa onde ela fazia o dever de casa ou preparar uma lista de planilhas que ela precisava preencher. Experimentaram fazer pausas de cinco minutos para brincar na cama elástica entre as sessões de estudo. Experimentaram usar cartões e vídeos; experimentaram fazer os deveres de casa no computador e no papel. Ao longo do caminho, reforçaram todos os pontos fracos encontrados na Cadeia de Capacidades.

Durante todo esse tempo, Amy deixava seu raciocínio bem claro para a filha e pedia a opinião dela. Se Rachel insistisse em algo, ela propunha um acordo — experimentavam a sugestão de Rachel por cinco dias e a de Amy por outros cinco, e faziam anotações para determinar qual funcionava melhor. Amy entendeu que não estava apenas ajudando Rachel a fazer o dever de casa, mas também estava lhe ensinando a experimentar e gerenciar seu próprio comportamento. Ela estava ensinando a Rachel as Habilidades da Mudança.

ENCONTRE O PROMPT

Encontrar um momento na rotina pós-escola de Rachel para que ela fizesse o dever de casa foi fundamental. Quando elas esperavam até depois do jantar para fazer o dever mais tarde, dava tudo errado. Não importava que técnicas elas experimentassem para facilitar a execução, Rachel estava muito agitada para se concentrar direito. Então, elas descobriram que o dever tinha que ser feito assim que Rachel chegasse da escola. Usando isso como ponto de partida, elas começaram a se aprofundar. Amy usou o formato Receita de Micro-hábitos "*Depois de _____, eu vou _____*" para cada comportamento relacionado ao dever de casa abordado. Elas experimentaram fazer mudanças após algumas distrações diferentes e foram tentando de novo até encontrar receitas que funcionavam: *Depois de pular na cama elástica por cinco minutos, eu vou pegar as planilhas na mochila*. Explorando em conjunto, elas aprenderam que era importante dividir o dever de casa em hábitos menores, como organizar o material escolar, fazer listas de tarefas e intercalar os deveres com atividades divertidas.

COMEMORE AS VITÓRIAS EM CONJUNTO

Amy também se certificou de incorporar doses pesadas de comemoração em suas Receitas de Hábitos para os deveres de casa. Elas trocavam high fives, faziam danças engraçadas e usavam adesivos para montar gráficos e descobrir as comemorações que funcionavam melhor para cada vitória. Uma criança naturalmente meiga e desajeitada, Rachel entrava de cabeça nas comemorações. Amy também se certificou de associar muito claramente a comemoração ao comportamento que sua filha acabara de concluir, dando a ela uma forte sensação de Brilho e consolidando o novo hábito com mais eficiência.

SOLUCIONE PROBLEMAS, TENTE DE NOVO E AVANCE

Rachel e Amy voltavam sempre à Nuvem de Comportamentos e incorporavam novos hábitos que as ajudavam nos deveres de casa e levavam a um sucesso cada vez maior na sala de aula. Alguns desses hábitos acabaram por serem incorporados à sua vida escolar. Um hábito que elas criaram no quarto ano ajudou Rachel a gerenciar o tempo e a conseguir concluir as coisas. A receita foi: *Depois que eu chegar em casa da escola* (borda de fuga: tirar a mochila), *eu vou olhar minha lista de tarefas e escrever um palpite de quanto tempo vou levar para fazê-las.* A comemoração já estava incluída — se Rachel acertasse quanto tempo levaria para fazer seu dever de casa, já começava a se animar com todas as coisas que poderia fazer com o restante do tempo naquela noite. Era só um número escrito no cabeçalho de uma lista, mas a ajudava a aprender a administrar o tempo. Rachel passou a compreender melhor quanto tempo determinadas tarefas escolares levavam e estabelecia prioridades de acordo com isso. No início, Amy a ajudava a revisar suas estimativas em intervalos regulares e conversava com ela sobre os palpites errados, por que estavam errados e como ela poderia corrigir o rumo. Ao ajudar Rachel a se apropriar desse hábito, Amy logo pôde recuar. Isso tirou um pouco da pressão do relacionamento delas, porque quanto mais Rachel compreendia sua própria capacidade e sua própria motivação, menos Amy precisava se envolver. Amy também viu como isso melhorava a capacidade geral da filha de administrar o tempo, fosse para se vestir para ir para a escola ou para arrumar o quarto. Os hábitos que ela cultivou na arena escolar se espalharam para outras partes de sua rotina.

Quando chegou ao sexto ano, Rachel não estava mais na turma de Educação Especial. Ela não apenas se integrou bem às turmas regulares como também fez cursos extras, e se formou com ótimas notas.

Quando começou a usar o método Micro-hábitos para ajudar Rachel, Amy não esperava, nem mesmo sonhava, com uma transformação desse tipo. Ela só queria que a filha encontrasse uma maneira de usar os dons com os quais tinha nascido. Não teria sido uma crise se Rachel tivesse repetido o quarto ano, mas seria uma fonte permanente de dor para Amy se ela não tivesse ajudado a filha a alcançar seu pleno potencial. E Amy tinha sido cuidadosa no seu método. Se ela tivesse pesado a mão, a tentativa teria sido uma fonte constante de ansiedade e tensão, e poderia ter dado muito errado.

Amy encontrou tanta alegria no processo de mudança em conjunto, e Rachel teve tanto sucesso, que Amy desejou ter descoberto antes o método Micro-hábitos, para que seus dois filhos mais velhos tivessem tido os mesmos benefícios.

Desafio no ambiente de trabalho: reduzindo o estresse no hospital

Fui contratado há alguns anos por um grande hospital universitário para solucionar os constantes casos de *burnout* entre os enfermeiros. Convidei Linda, que havia se tornado uma coach do método, para me ajudar. O briefing do projeto que os líderes do hospital me apresentaram dizia que a aspiração era "ajudar os enfermeiros a criar novos hábitos de resiliência". Falar em "resiliência" era uma forma de ver aquela empreitada pelo lado positivo, mas todos sabiam que na verdade a questão se tratava do *burnout* dos funcionários, um grande e crescente problema entre enfermeiros, médicos e outros profissionais do setor hospitalar.

Eu já sabia que trabalhar em hospital era estressante. Enfermeiras cuidam de pessoas doentes. Ainda que o atendimento seja de excelência, alguns pacientes morrem, e médicos, pacientes e familiares podem fazer demandas irracionais. No entanto, à medida que fui aprendendo mais sobre os enfermeiros e a realidade desse emprego, fiquei chocado ao ver o quanto cada turno podia ser estressante, ao ver o efeito que esse estresse exercia sobre cada enfermeiro, e como isso continuava a afetar esses profissionais mesmo fora do trabalho.

Como Linda e eu ministramos os cursos por meio de videoconferência ao vivo, eu via todos os enfermeiros na minha tela. Alguns estavam de pijama em casa, com olhar embotado, largados no sofá, comendo comida pronta. Eles não pareciam enfermeiros — pareciam estudantes universitários depois de uma noite de bebedeira inconsequente. Outros estavam sentados em suas mesas de trabalho durante as aulas, olhando para as câmeras dos computadores com a expressão carregada de fadiga.

Linda e eu queríamos muito ajudá-los, e Linda era a assistente ideal, porque era especialista no uso de Micro-hábitos para redução do estresse. Os enfermeiros entenderam perfeitamente que, cuidando de si mesmos (e uns dos outros), seriam capazes de cuidar melhor de seus pacientes, mas não sabiam como colocar essa aspiração em prática.

Nós os treinamos no método Micro-hábitos, uma hora por semana ao longo de um mês, e durante a semana eles praticavam diminuição de comportamentos, criação de receitas, ensaios da sequência de hábitos Âncora, comemoração, e solução de problemas.

Passamos a enxergar os enfermeiros como pessoas. Aprendemos sobre alguns de seus hábitos já existentes no ambiente de trabalho. Eles quase nunca faziam pausas. Usavam programas de computador ultrapassados, que viviam dando problema. E, o mais surpreendente para mim, quase nunca bebiam água durante todo o turno de doze horas. Os enfermeiros sabiam que esse não era um comportamento saudável, mas algo na cultura do hospital os forçava até o limite. Se eles não bebessem água, não precisariam fazer pausas para ir ao banheiro. E, dessa forma, julgavam que poderiam ajudar mais pacientes e também acreditavam que seus colegas admirariam sua dedicação.

Mas essa dedicação cobrava um preço alto. Muitos voltavam para casa depois de um longo turno de trabalho sem condições de interagir com seus cônjuges e filhos. Tinham dores de cabeça, e alguns apresentavam problemas para dormir.

Para facilitar o treinamento no método Micro-hábitos, criei a ferramenta Máquina de Receitas. Linda e eu pedimos aos enfermeiros que fizessem uma lista de Âncoras (atividades que eles faziam todos os dias no trabalho) na coluna da esquerda de uma planilha.

- Depois de estacionar o carro...
- Depois de fazer login no computador...
- Depois de falar com cada paciente...
- Depois de fazer um eletrocardiograma...
- Depois de atender a uma luz de chamada...
- Depois de lavar as mãos...

A partir disso, Linda e eu trabalhamos com os enfermeiros para descobrir que microcomportamentos eles poderiam adotar para reduzir o estresse. Criamos uma longa lista e colocamos alguns itens em formato da receita na coluna da direita.

- Eu vou respirar fundo.
- Eu vou dar um sorriso para a pessoa mais próxima.
- Eu vou tomar um gole de água.

- Eu vou pedir ajuda.
- Eu vou agradecer.

Com essas duas colunas em mãos, os enfermeiros puderam fazer experimentações e ajustes. Ao emparelhar uma Âncora à esquerda com um Microcomportamento à direita, os enfermeiros rapidamente criaram receitas que podiam testar durante os turnos. Ajudando-se mutuamente, mais tarde eles compartilharam entre si as que estavam funcionando.

Eis algumas das receitas que eles criaram:

- Depois de estacionar o carro no hospital, eu vou fechar os olhos e respirar fundo três vezes para relaxar.
- Depois de bater o cartão, eu vou pensar: *Hoje vou ajudar pessoas que precisam muito de mim.*
- Depois de falar com cada paciente, eu vou fazer contato visual e dar um sorriso.
- Depois de ligar o computador, eu vou tomar um gole de água.
- Depois de terminar a reunião de equipe, eu vou agradecer à primeira pessoa do turno da noite que encontrar.

Minha Receita — Método Micro-hábitos

Depois de...	Eu vou...	Para consolidar o hábito em minha mente, eu vou imediatamente:
estacionar o carro no hospital	fechar os olhos e respirar fundo três vezes para relaxar.	
Momento Âncora	**Micro-hábito**	**Comemoração**
Um hábito já existente na sua rotina que lembra você de pôr em prática o Micro-hábito (seu novo hábito).	O novo hábito que você quer adotar, mas reduzido, para ficar bem simples — bem fácil de fazer.	Algo que você faz para criar um sentimento positivo (o sentimento é chamado de Brilho).

Ao ensinar aos enfermeiros a implementar o método em suas rotinas profissionais assoberbadas e estressantes, pudemos ver que eles estavam mudando em conjunto, apesar de cansados e sempre correndo contra o tempo.

Mas isso não é tudo. Os enfermeiros abraçaram a comemoração. Tivemos uma aula inteira para ensiná-los a comemorar seus microssucessos, e por quê. Isso valeu a pena de uma forma surpreendente. Os enfermeiros começaram a comemorar seus próprios sucessos, como esperávamos, mas também começaram a *comemorar os sucessos uns dos outros* — um rápido aplauso para uma enfermeira que tomava um gole de água, um "toca aqui" para um colega que fazia uma pausa na sala de descanso, um "Muito bem!" depois que alguém respirava fundo.

Passamos a treinar diferentes grupos de pessoas no hospital. Isso incluía tanto funcionários da emergência quanto administradores. Fizemos uma pesquisa formal para medir os efeitos que os micro-hábitos tiveram nos enfermeiros.

Antes do início do nosso treinamento com os enfermeiros, eles haviam preenchido um questionário anônimo sobre estresse e resiliência. Três meses após a conclusão do treinamento, os enfermeiros responderam às mesmas perguntas, e os dados mostraram melhorias estatisticamente significativas nas seguintes áreas:

- "Eu pratico diariamente hábitos para redução do estresse."
- "Eu estou gerenciando bem meu estresse no trabalho."
- "Eu pratico a formação de técnicas de resiliência ao longo do dia."
- "Eu pratico hábitos saudáveis no trabalho diariamente."
- "Eu reconheço quando algo corre bem no trabalho."
- "Eu sou capaz de criar hábitos positivos em casa."

Linda e eu ficamos satisfeitos ao ver que o método foi capaz de ajudar a resolver um problema tão desafiador no ambiente de trabalho, mas ficamos ainda mais felizes ao ver que nossos esforços ajudaram esses profissionais do cuidado a ficarem menos estressados, mais saudáveis e mais aptos a ajudar quem precisa.

E tive uma grande surpresa que não veio dos dados da pesquisa, mas de uma impressão geral: se alguém está estressado, correndo contra o tempo, se sentindo sobrecarregado, *não é capaz de fazer grandes mudanças*. É provável que essas pessoas nem tentem. Vi que o método Micro-hábitos era o único caminho realista que funcionaria para pessoas nesse caso. E pode ser a única opção realista para você e para as pessoas ao seu redor.

A perspectiva ampla

Quando você vê o mundo pelas lentes do Design de Comportamento — encarando o comportamento humano como um quebra-cabeça a ser montado —, um reino de possibilidades se abre para muito além de sua casa ou escritório. Vivemos em um mundo onde não faltam problemas, grandes ou pequenos. Acredito que, com os princípios do Design de Comportamento, o método Micro-hábitos e as Habilidades de Mudança já praticados e prontos para uso, você tenha tudo de que precisa para começar a resolver qualquer desafio com o qual se deparar. Vi meus alunos e os profissionais que treinei usarem o Design do Comportamento para resolver problemas que pareciam incontornáveis. Se mudar em conjunto significa aprofundar seus relacionamentos, ajudar seus filhos a alcançarem o máximo de potencial ou melhorar as condições de trabalho para pessoas com empregos estressantes, espero que você veja que, com a abordagem correta, quase *todas* as mudanças são possíveis.

O Design de Comportamento não é uma jornada solitária. A cada hábito que projetamos, cada microssucesso que comemoramos e cada mudança que fazemos, vamos além de nossas próprias vidas. Moldamos nossas famílias, comunidades e sociedades por meio de nossas ações. E elas nos moldam também. Os comportamentos que consolidamos fazem muita diferença. O Design de Comportamento não tem a ver apenas com perder cinco quilos ou desligar o celular durante o jantar. Tem a ver com se tornar a pessoa que você quer ser, e com criar o tipo de família, equipe, comunidade e *mundo* em que quer viver.

Micro-exercícios para aprimorar as habilidades de mudança de um grupo

EXERCÍCIO 1: COMPARTILHE OS FUNDAMENTOS DO DESIGN DE COMPORTAMENTO

Etapa 1: Chame sua equipe de trabalho ou família para se juntar a você por trinta minutos para aprender uma coisa nova que um tal cientista de Stanford inventou.

Etapa 2: Distribua o gráfico da Nuvem de Comportamentos ou peça que desenhem uma.

Etapa 3: Peça às pessoas que escrevam uma aspiração dentro da nuvem.

Etapa 4: Peça que listem pelo menos dez comportamentos que as guiem rumo à aspiração escolhida. (Dê cinco minutos às pessoas — mas talvez você precise ajudá-las.)

Etapa 5: Peça às pessoas que coloquem uma estrela nos cinco comportamentos que seriam mais eficazes para ajudá-las a alcançar a aspiração.

Etapa 6: Peça às pessoas que circulem qualquer comportamento que sejam capazes de executar. Os comportamentos com estrelas e círculos são os Comportamentos Especiais delas. Explique o que isso significa.

Etapa 7: Peça para que cada pessoa do grupo compartilhe seus Comportamentos Especiais e discutam como podem torná-los realidade. Se você der sequência à atividade ensinando o design de micro-hábitos, ajude sua equipe a usar o método.

EXERCÍCIO 2: SOLUCIONE UM PROBLEMA EM CONJUNTO USANDO O DESIGN DE COMPORTAMENTO

Etapa 1: Chame sua equipe de trabalho ou família para se juntar a você por trinta minutos para aprender uma coisa nova que um tal cientista de Stanford inventou.

Etapa 2: Peça às pessoas que encontrem uma aspiração comum ao grupo. Sua equipe de trabalho pode querer reuniões mais úteis. Sua família pode querer mais tempo de qualidade junta à noite.

Etapa 3: Escolha uma das aspirações da Etapa 2 e verifique se todos entendem o significado dela com clareza.

Etapa 4: Peça a todos que sigam o processo para encontrar Comportamentos Especiais para a aspiração comum do grupo. (Consulte as Etapas 2 a 6 do exercício anterior.)

Etapa 5: Peça às pessoas que compartilhem um ou dois Comportamentos Especiais com o grupo. (Escreva-os, para que todos vejam.)

Etapa 6: Releia a lista que você escreveu. Pergunte à equipe ou família como o grupo pode tornar cada Comportamento Especial uma realidade. Debata e elabore um plano.

EXERCÍCIO 3: CRIE CONSENSO NA EQUIPE QUANTO A QUE COMPORTAMENTO MUDAR

Etapa 1: Defina a aspiração de sua equipe antes da reunião. Para uma equipe de trabalho, a aspiração pode ser adotar uma comunicação mais positiva ou avançar em projetos que realmente importam.

Etapa 2: Use a Varinha Mágica num conjunto de comportamentos que você mesmo escolher (ou peça a alguém para ajudá-lo a ter ideias).

Etapa 3: Verifique novamente se esses comportamentos são bastante específicos e, em seguida, escreva cada um em uma ficha de 7 cm x 12 cm ou em meia folha de papel.

Etapa 4: Reúna sua equipe e explique a aspiração ao grupo.

Etapa 5: Distribua as fichas de forma com que cada um fique com a mesma quantidade delas.

Etapa 6: Lidere o grupo em uma sessão de Mapeamento de Foco, conforme descrito neste capítulo. Para saber mais detalhes sobre como moderar um Mapa de Foco em grupo, acesse FocusMap.info.

Etapa 7: Depois que sua equipe identificar um pequeno conjunto de comportamentos localizados no quadrante superior direito (Comportamentos Especiais), pergunte como vocês podem fazer com que cada um dos comportamentos se torne realidade.

Etapa 8: Debata e elabore um plano.

CONCLUSÃO

Pequenas mudanças que mudam tudo

Fui a Amsterdã para participar de uma conferência em 2008. Fiz a palestra de abertura pela manhã e passei o resto do dia no evento. Denny e eu tínhamos acabado de voltar ao hotel, após o coquetel no final do dia, quando meu telefone tocou. Era uma mensagem de texto do meu irmão. *"Garrett morreu de overdose."* Esfreguei os olhos e reli a mensagem. Era tão curta e tão dolorosamente direta, que eu sabia que era verdade. Mas minha primeira reação foi dizer "não". Eu disse "não" várias vezes, cada vez mais alto. Parecia que minha garganta estava se fechando, mal consegui balbuciar as palavras da mensagem para o Denny. Até hoje, tenho dificuldade em pronunciar essas palavras em voz alta.

Garrett era filho da minha irmã Linda. Aos vinte anos, Garrett ainda me chamava de tio Beej e me dava um abraço apertado sempre que nos víamos. Ele era o garoto mais doce da família, e todo mundo sabia disso. Seus próprios irmãos o chamavam de Menino de Ouro, ao mesmo tempo brincando e a sério. Ele amava girassóis e podia vencer quase qualquer pessoa em um concurso de quem come mais, principalmente quando se tratava de cookies de chocolate.

Centenas de imagens dele inundaram minha mente, seguidas pelo que parecia ser um milhão de perguntas.

Overdose? Ele tinha saído da reabilitação e estava sóbrio havia meses. Eu achava que ele tinha se livrado do vício de uma vez por todas. O que aconteceu? Denny e eu nos sentamos em silêncio na beira da cama. Atordoados. Vários minutos terríveis se passaram. Sabia que minha irmã estava passando pela pior dor da vida dela, mas eu estava do outro lado do mundo. Deixei o choque e as perguntas de lado e falei: "Vamos fazer as malas e pegar um voo para casa agora."

Denny se levantou e arrumou as malas. Eu liguei para a recepção para ver o quão rápido poderíamos chegar ao aeroporto de Schiphol. Passava pouco da meia-noite. Jogamos tudo dentro das malas e, alguns minutos depois, pegamos um táxi até o aeroporto e o primeiro avião rumo a Las Vegas.

Linda é minha irmã mais velha, e uma das minhas lembranças mais antigas é dela, em frente a uma pequena lousa na nossa sala de estar, quando eu tinha uns três anos. Eu estava sentado em uma cadeirinha e ela me ensinava uma lição muito importante: quando a fita adesiva está molhada, ela não cola. Ela prendeu um pedaço de fita seca na lousa, depois mergulhou outro pedaço na água e tentou colá-lo na lousa. Quando a fita escorregou, Linda disse: "Olha, BJ!"

Minha irmã e eu sempre tivemos um relacionamento especial — talvez porque ela seja a mais velha, talvez porque nossas personalidades combinem. Nós dois gostamos de aprender e de ensinar, e sempre encontramos uma maneira de fazer com que o nosso trabalho ajude as pessoas. Como você deve ter aprendido com as histórias que já contei, Linda é uma cuidadora de coração — ela teve oito filhos e é a pessoa que mais viveu tragédias que eu conheço.

Quando Denny e eu chegamos a Las Vegas depois de receber a notícia sobre Garrett, fomos direto para a casa de Linda. Ficamos lá, enquanto minha irmã e a família sofriam com uma perda inimaginável. Eu fiz o discurso e ajudei a carregar o caixão.

Depois do enterro, amigos próximos e familiares se reuniram na casa de Linda, levando caçarolas de frango e expressando suas mais profundas condolências. A certa altura, vi Linda sair da cozinha e seguir em direção à varanda lateral. Esperei um minuto e fui atrás dela. Estava começando a escurecer. Vi minha irmã mais velha sentada no pátio de pedra, encostada ao muro em posição fetal, com os braços em volta das pernas. A mão cobria o rosto, e ela chorava e tremia. Caí ao lado dela e abracei seu ombro. Eu não sabia o que dizer, então ficamos os dois lá sentados, sozinhos.

Mais tarde, ela me disse que sentiu vontade de se afastar das pessoas, do enterro e da terrível ausência que sentia. Mas quando chegou à varanda, se deu conta de que não havia como se afastar daquilo. E foi então que ela desabou.

Linda não só tinha tomado conta de mim quando eu era criança, como também quando tinha acabado de entrar na idade adulta. Eu saí do armário quando estava cursando o mestrado, no começo dos anos 1990, e minha irmã foi uma das primeiras pessoas a quem contei. Ela lidou com a notícia com mais amor e delicadeza do que eu poderia ter imaginado. Fomos criados em uma família mórmon conservadora, então isso não era pouca coisa em termos de empatia. Eu revelei algo que, para uma mulher devota, seria emocionalmente complicado, para dizer o mínimo. Mas, para Linda, eu era seu irmão mais novo, e ela estava lá para cuidar de mim. Portanto, eu soube que era a minha vez de cuidar dela naquele dia na varanda. Antes de me sentar para consolá-la, pensei comigo: *Custe o que custar, eu vou ajudá-la.*

A princípio, aquele foi um desejo puro e profundo — ajudar alguém que você ama que está sofrendo. Mas foi um momento de transformação para mim, em última instância, que teria influência nos rumos do meu trabalho e da minha vida. Na de Linda também, como você viu.

Após a morte de Garrett, a tempestade na vida de Linda não cessou. Os anos que se seguiram foram repletos de lutas: o diagnóstico de Alzheimer do marido e seu rápido declínio, a perda dos negócios da família, a falência. Ao longo do caminho, tentei estar ao lado dela da melhor maneira que pude, mas, a certa altura, ela se viu numa encruzilhada. Ela tinha trabalhado duro para concluir o mestrado e estava fazendo trabalhos de consultoria por todo o país num ritmo constante, ajudando pais a navegarem no novo terreno das mídias sociais. Mas, depois de alguns anos mal conseguindo pagar as contas e sentindo-se esgotada por estar sempre na estrada e longe dos filhos, Linda queria dar um novo rumo à sua vida. Ao mesmo tempo, eu sabia que ela precisava muito de uma renda extra para sustentar a família.

Na época, eu era coach de Micro-hábitos e trabalhava com clientes particulares, milhares de pessoas todos os anos. Eu não ganhava dinheiro com o trabalho de coach, mas era divertido, e eu aprendia muito sobre o comportamento humano com essa prática diária.

Interagir com centenas de pessoas todos os dias exigia tempo, meu recurso mais escasso. Mesmo quando eu estava de férias ou viajando para dar palestras, eu ainda encontrava tempo para fazer coaching ao redor do mundo. Eu adorava ver os Praticantes alcançando o sucesso com meu método. Eles contavam aos amigos sobre o Micro-hábitos, que então contavam aos amigos. E assim foi.

Se por um lado eu me sentia ótimo todos os dias por ajudar as pessoas, comecei a me preocupar, pensando como tudo aquilo estava roubando tempo do meu trabalho "de verdade" — o trabalho acadêmico. Mas não podia dar as costas às centenas de pessoas que se inscreviam no meu programa gratuito a cada semana.

Então, Linda precisou de ajuda.

Ela era perfeita para o método Micro-hábitos. Já sabia muita coisa sobre Design de Comportamento (tinha me ajudado a realizar oficinas em Stanford), era uma ótima professora e estava comprometida a trabalhar com saúde e bem-estar. Eu sabia que formar coaches no método era uma ótima combinação das habilidades de Linda e de suas paixões, e esperava que isso pudesse ser uma fonte de renda para ela. Ao mesmo tempo, queria criar um grupo qualificado de profissionais para ajudar a formar todas as pessoas que estavam participando do meu programa gratuito de cinco dias. Seria aquela uma boa forma de ajudar Linda e também de reduzir a minha carga de trabalho diária?

Seria, mas o que não percebi na época era que isso se tornaria muito mais. Você já leu neste livro sobre as incríveis conquistas de Linda com o método Micro-hábitos, mas, trabalhando ao lado dela para formar outras pessoas, pude testemunhar a transformação da sua vida, etapa por etapa. Foi uma coisa incrível de se assistir. Eu a vi dominar as Habilidades de Mudança, vi a confiança que esse domínio lhe dava, e vi como tudo isso a fez mudar radicalmente sua forma de pensar. Ao longo de seis meses, eu a vi ajudar os outros a transformarem suas vidas ao mesmo tempo em que ela transformava drasticamente a dela. Ela estava progredindo, prosperando e, o mais importante, recuperando a esperança.

O que eu já sabia por ter sido coach de Micro-hábitos era que isso me deixava feliz. É muito simples. Você está ajudando pessoas a mudar suas vidas, e vê o impacto positivo disso todos os dias. Isso é bom — e proporciona Brilho.

Linda é um exemplo inspirador e claro do que compartilhei com você neste livro: a mudança é mais eficaz quando você se sente bem. Ela é a prova de uma transformação de vida possível.

Em 2016, eu sonhei que estava em um avião em queda.

A cabine estava toda sacudindo? A pessoa ao meu lado estava agarrando o meu braço? Os passageiros estavam gritando? Provavelmente. Mas o que me lembro é do seguinte: eu sabia que ia morrer. Mas, por mais estranho que possa parecer, não fui tomado pelo medo nem pelo pânico. E é triste dizer que não vi passar um filme com os melhores momentos da minha vida. Em vez disso, fui tomado por um profundo arrependimento. As inúmeras ideias que eu tinha ouvido seriam perdidas. Com a minha sofrida morte podendo chegar a qualquer momento, eu só pensava em como havia fracassado no meu dever de mostrar a verdade sobre a mudança de comportamento. Eu tinha fracassado na tarefa de ajudar milhões de pessoas a serem mais saudáveis e felizes.

Quando acordei e percebi que era um sonho, pensei: *Uau. Que estranho. Eu sonhei que estava prestes a morrer em um acidente de avião, e foi essa a minha reação?*

Eu entendi a mensagem: precisava compartilhar minhas ideias da forma mais ampla possível — e rápido. Precisava de uma maneira de apresentar todas elas ao mundo.

Pretendia escrever um livro havia anos, mas a impressão era de que outros projetos consumiam todo o meu tempo.

Era diretor do Behavior Design Lab, em Stanford, ministrando novos cursos a cada ano, treinando inovadores do setor de negócios e trabalhando em meia dúzia de outros projetos ao mesmo tempo.

Esse sonho foi o meu despertar. Até aquele momento, apenas uma pequena parte do meu trabalho havia ganhado o mundo, e o pouco que havia não era tão acessível quanto eu gostaria. Era difícil encontrar minha produção sobre Design de Comportamento na internet. Eu estava ensinando e pondo em prática o meu trabalho todos os dias, mas isso ficava restrito aos meus cursos em Stanford e às pessoas que podiam participar dos meus centros de treinamento. Todos os demais só tinham vislumbres quando eu dava uma palestra ou publicava um tweet. Pior ainda, eu tinha caixas e caixas de cadernos repletos de estruturas, fluxogramas e inovações relacionados à mudança de comportamento humano no armário do meu escritório, em casa — informações às quais ninguém tinha acesso.

Era extremamente doloroso quando as pessoas me mandavam e-mails ou ligavam para pedir alguma ajuda. Os projetos delas eram sensacionais, e, quando me perguntavam "Como posso aprender mais sobre o seu trabalho?", a única resposta que eu tinha para dar era "Leia minhas postagens no Twitter com cuidado e procure alguns dos meus vídeos na internet." Na verdade, eu não tinha uma resposta e me sentia muito mal por isso. Na época, não havia nada que eu pudesse oferecer que reunisse os modelos e métodos do Design de Comportamento. Algo que um aluno no Peru poderia usar para projetar um melhor serviço de reciclagem. Algo que ajudaria um profissional de saúde da prefeitura a elaborar um programa eficaz de vacinação. Algo que famílias poderiam usar para melhorar suas vidas. Algo como um livro.

O sonho do avião me ajudou a perceber que, da mesma maneira que o método Micro-hábitos havia ajudado minha irmã, ele poderia ajudar a irmã, o irmão, a mãe, o pai, o filho e a filha de *qualquer pessoa*. Eu sabia que essas ideias poderiam ajudar qualquer um que estivesse se sentindo derrotado diante dos desafios da vida. Qualquer um atolado em vergonha e autocrítica. Qualquer um que visualizasse a pessoa que queria ser e a vida que desejava viver, mas não sabia como chegar lá. Qualquer um que duvidasse que aquela mudança tão significativa fosse possível, de verdade.

Se eu tivesse desistido do método muitos anos atrás e não tivesse resolvido ajudar minha irmã, poderia ter deixado passar uma grande verdade: meu trabalho em Stanford e com líderes de negócios é importante, mas não é isso que vai mudar o mundo.

Você vai.

Não quero dizer isso de maneira holística, "vamos dar as mãos". Quero dizer de maneira direta, "doa a quem doer".

A essa altura você já sabe que os hábitos que cria usando o método estão bem longe de serem pequenos — eles são poderosos.

Hábitos podem ser as menores unidades de transformação, mas também são as mais fundamentais. São os primeiros círculos concêntricos de mudança que depois se espiralam. Pense nisso. Uma pessoa inicia um hábito que se transforma em dois hábitos, que por sua vez se transformam em três hábitos que mudam uma identidade que inspira um ente querido, que influencia o grupo de amigos e muda o mindset deles, que se alastra como fogo e interrompe uma cultura de desamparo, fortalecendo a todos e mudando o mundo aos poucos. Ao começar pequeno consigo mesmo e com sua família, você dá início a um processo natural que pode provocar um tsunami de mudanças.

Quando estou realmente sonhando alto (e isso é bastante comum), penso em como o Design de Comportamento pode ajudar na criação das mudanças em larga escala de que o mundo precisa, revertendo a espiral de fracassos tão difundida nos dias de hoje. E se modelos precisos de comportamento e métodos eficazes de mudança fossem sabedorias e práticas comuns? O potencial de mudança seria enorme. As crianças poderiam aprender sobre o Brilho e aplicá-lo ao longo da vida. Os profissionais de saúde de todo o mundo poderiam aprender a ajudar seus pacientes a terem hábitos saudáveis e usar esses mesmos conceitos para gerenciar o estresse de maneira mais eficaz. As reuniões de segunda-feira de manhã nas empresas poderiam ser mais produtivas se cada desafio comercial fosse estruturado em termos de mudança de comportamento. Os inovadores poderiam usar o Design de Comportamento para criar produtos que ajudassem as pessoas a serem o melhor que podem ser. Os políticos e funcionários públicos poderiam traduzir mais facilmente problemas abstratos em comportamentos específicos — e então capacitar suas comunidades no sentido de criar e implementar as soluções.

Essa visão do futuro pode demorar alguns anos para chegar, mas a boa notícia é que podemos começar a cultivar uma cultura de mudança desde já. Uma das maneiras mais rápidas de ativar essa reação em cadeia é apresentar as pessoas às formas de pensar e agir do Design de Comportamento. Isso é algo que você pode fazer hoje à noite, no jantar — converse com seus amigos e familiares sobre o que aprendeu neste livro. Uma compreensão em comum da mudança é a base para a transformação coletiva. Quando você estrutura um problema a partir de uma perspectiva em comum bem precisa, é possível resolvê-lo com mais rapidez e com maior chance de sucesso. E o Design de Comportamento é incrível para isso. Quando uma equipe de trabalho aprende meus modelos, os profissionais adquirem um vocabulário comum para pensar sobre o comportamento e falar sobre a mudança. Quando eles aprendem esses métodos, aprendem uma maneira compartilhada de projetar transformações em um nível concreto e prático. Tão importante quanto, eles se tornam mais eficientes, provocam maior impacto e reduzem os conflitos, o que poupa um tempo precioso. Com a sua ajuda, todos no seu círculo podem colher os frutos de ter uma perspectiva comum sobre como funciona o comportamento humano e sobre como é possível projetar mudanças.

Veja como você pode ajudar a criar uma cultura de mudança agora mesmo.

COMPARTILHANDO

- *Converse sobre mudança com as pessoas ao seu redor.* Compartilhe as principais ideias do livro — minhas máximas, por exemplo.
- Ajude as pessoas a fazerem o que elas já querem fazer.
- Ajude as pessoas a se sentirem bem-sucedidas.

Para deixar mais pessoal, é possível adaptar as duas máximas da seguinte forma:

- Ajude *você mesmo* a fazer o que você já quer fazer.
- Ajude *você mesmo* a se sentir bem-sucedido.
- *Compartilhe o que você achou mais útil neste livro.* Talvez você use a analogia do jardim para falar de como os hábitos funcionam: que nossa coleção de hábitos é uma paisagem em constante mudança que podemos nutrir, utilizando o design, ou ignorar, por nossa conta e risco. Que começamos um hábito plantando uma semente minúscula em local apropriado e continuando a alimentá-la. Como jardineiros de nossos hábitos, não seremos perfeitos. Haverá tentativas e erros — e tudo bem. Ou talvez você compartilhe a analogia de desembaraçar maus hábitos como se faz com um grande nó. Essa imagem simples ajusta as expectativas corretas de como abandonar um hábito e também é poderosa para ajudar as pessoas a se livrarem da vergonha e da autocrítica. Essas ideias são fáceis de compartilhar e permitem que as pessoas pensem sobre mudanças e hábitos de uma maneira nova, certeira e útil.

FAZENDO

- *Ensine e oriente outras pessoas sobre o Brilho.* Explique que há uma nova palavra para uma emoção poderosa. Descreva como é o Brilho e o que ele faz (consolidar novos hábitos). Você também pode ensinar as pessoas a comemorar, e pode comemorar ativamente as conquistas dos outros quando fizerem algo de bom. Você pode criar o Brilho a qualquer momento e até (principalmente!) para pequenos sucessos. Sua filha pega um brinquedo (entre dezenas) e guarda — bata palmas ou dê um abraço nela.

- *Compartilhe este livro ou seus exercícios.* Entre na internet, veja meus modelos para a Nuvem de Comportamentos e divida-os com amigos e familiares. Você vai ver que os micro-exercícios deste livro são ferramentas eficazes de aprendizado no trabalho, na igreja ou na escola.
- *Crie uma tradição familiar de mudança positiva.* Comece agora, por mais desafiador que pareça. Ao compartilhar o método Micro-hábitos e o conceito de Brilho, você pode começar hoje mesmo a oferecer apoio mútuo. Ao aprender e praticar em conjunto as habilidades de mudança, você vai criar um legado duradouro de empoderamento.

Em 2007, dei a aula que provavelmente é a minha obra mais famosa — foi apelidada de "Facebook Class" pelo *New York Times*. O Facebook havia acabado de lançar sua plataforma de aplicativos, e organizei um novo curso em Stanford para entender melhor como pessoas comuns que usam redes sociais podem influenciar umas às outras. Usando uma versão preliminar dos meus princípios e processos, os alunos criaram aplicativos e os lançaram no mundo real (das mídias sociais). Eles tiveram mais sucesso do que eu poderia ter imaginado. Em seis meses, sem gastar nenhum centavo, os estudantes haviam engajado mais de 24 milhões de pessoas. Vi o incrível potencial que o Design de Comportamento tem para mudar o mundo e a incrível responsabilidade que acompanha esse potencial.

Neste livro, compartilhei algumas informações importantes sobre como pensar e projetar a mudança de comportamento. Da forma como a vejo, é uma sequência de descobertas inovadoras — quando você descobre um princípio universal, ele tem o potencial de ser usado para o bem ou para o mal. Você pode aplicar os princípios da química básica para criar fertilizantes e medicamentos que salvam vidas, ou usar estes mesmos princípios para fabricar armas químicas.

Depois que encerramos o curso, imediatamente passei a me concentrar em como poderíamos usar a influência social mediada pela tecnologia para alcançar aquele que talvez seja o mais ambicioso e utópico bem do mundo — a paz mundial. No período de três meses, criei um novo curso em Stanford chamado Peace Technology (Tecnologia para a Paz) e convidei os alunos a se juntarem a mim. Esse esforço se expandiu após o término das aulas e continua até hoje em laboratórios e centros de pesquisa em todo o mundo, sob o título de Peace Innovation (Inovação para a Paz), com a atual sede em Haia.

Em menor escala, mas com os mesmos ideais elevados, meu foco fora de Stanford tem sido ensinar a inovadores como criar produtos que melhorem o bem-estar, a segurança financeira e as práticas sustentáveis. O foco em fazer o bem é natural para mim. Eu cresci em uma tradição religiosa que deixou isso claro: *A quem muito foi confiado, muito será pedido*. Sempre acreditei nisso.

Reconheço que tive sorte em meu trabalho. Ao longo dos anos, as pessoas me abriram portas, me desafiaram e me inspiraram. Como resultado, pude concentrar minha pesquisa, meus esforços de inovação e minha vida na descoberta e na articulação dos modelos e dos métodos que você aprendeu aqui, incluindo o método Micro-hábitos. Sinto como se tivesse recebido a solução de um quebra-cabeça, peça por peça. Quando tudo se juntou, descobri algo novo, mas ao mesmo tempo muito familiar.

Então, tive o sonho de avião, e percebi que não havia compartilhado muito do meu trabalho, e esse fato me deixou profundamente perturbado. Acredito que não é ético ter o potencial de fazer o bem e não usá-lo para o benefício da humanidade. Seria como encontrar a cura para o câncer e não contar a ninguém.

Mas estou agradecido e emocionado por este livro ser agora uma realidade e estar em suas mãos. (Certamente estou feliz por estar dormindo melhor.) Se eu tivesse aquele sonho do avião hoje, não sentiria nenhum arrependimento. Mal posso esperar para ver como você vai aplicar esses modelos e métodos para tornar sua vida mais feliz, ajudar as pessoas ao seu redor e fazer do mundo um lugar melhor.

Acredito que este livro oferece tudo de que você precisa para enfrentar os desafios que surgirem e realizar os sonhos que ainda não conseguiu alcançar. Agora você tem um sistema para a mudança, o que significa que não precisa perder tempo com suposições. Você pode projetar o design para qualquer aspiração ou resultado que desejar.

Mas isso não é tudo. Agora você pode filtrar todas as informações confusas e contraditórias sobre os hábitos e o comportamento humano. Porque já sabe como o comportamento funciona, sabe ao que deve prestar atenção e se dedicar, e sabe o que ignorar e descartar. Se receber um e-mail de um amigo falando de um novo programa de exercícios ou dieta, uma rápida leitura dirá tudo de que precisa saber. Ele vai ajudá-lo a fazer o que você já quer fazer? Ele vai ajudá-lo a se sentir bem-sucedido? As respostas para essas perguntas são libertadoras, porque, se um programa de mudança não atender a esses dois requisitos, não vale a pena.

A qualidade de nossa vida no planeta Terra depende das escolhas que fazemos todos os dias — escolhas sobre como gastamos nosso tempo, como vivemos nossas vidas e, o mais importante, como tratamos a nós mesmos e aos outros. Estou triste de ver como, hoje em dia, as pessoas parecem mais amargas, divididas e oprimidas do que nunca. Como uma comunidade global, estamos cada vez mais desconectados de nós mesmos e dos outros. O primeiro passo para consertar o que nos aflige é abraçar o desejo de nos sentirmos bem.

Os hábitos são uma forma de alcançar isso.

Eles nos ensinam as habilidades da mudança e nos estimulam a realizar os nossos sonhos, além de acrescentarem mais Brilho ao mundo. Ao abraçar sentimentos de sucesso e adicionar mais bondade ao seu dia a dia, você torna o mundo mais bonito não apenas para si mesmo, mas também para os outros. Você vence a vergonha e a culpa, libertando a si mesmo e a outras pessoas que passaram a vida inteira pensando e falando mal de si próprias.

As transformações mais profundas sobre as quais você leu neste livro não tratam da formação de hábitos discretos; elas tratam de mudanças essenciais na experiência humana. Do sofrimento ao sofrimento menor. Do medo à esperança. De ser oprimido a sentir-se empoderado. Essas mudanças foram feitas porque Amy, Juni, Linda, Sarika, Sukumar, Mike e outros decidiram abraçar o bem-estar e usá-lo como uma alavanca para mudanças maiores. Ao fazer isso, superaram circunstâncias devastadoras, disfunção cíclica e anos de autocrítica. Eles recuperaram o controle de suas vidas e descobriram o que todos somos capazes de fazer — as pequenas mudanças que mudam *tudo*.

Criei materiais adicionais para você, que incluí no apêndice. Se você quiser encontrar mais ferramentas e recursos, como estudos de caso, planilhas e resumos de aulas, acesse TinyHabits.com/resources.

AGRADECIMENTOS

Este livro virou realidade em grande parte porque, logo após o meu sonho do avião, Doug Abrams me encontrou, me convenceu a almoçar com ele em Stanford e me inspirou a compartilhar meu trabalho em forma de livro (finalmente). Fornecendo uma orientação inestimável ao longo do processo de escrita e edição, Doug foi mais do que um agente literário de renome internacional. Ele se tornou um verdadeiro amigo e uma inspiração contínua. Muito obrigado, Doug, de verdade.

Doug me apresentou a Lauren Hamlin, que se tornou minha colaboradora mais próxima na transformação de meus conhecimentos de pesquisa e experiência prática em prosa polida na página. Ela emprestou um pouco de sua severidade da Costa Leste ao meu otimismo da Costa Oeste e, juntos, criamos algo — um livro — que excedeu minhas expectativas. Trabalhar com Lauren foi uma delícia. Durante nosso tempo juntos, sei que ela fez sacrifícios pessoais para que essas ideias estivessem hoje em suas mãos e — espero — em seu coração e mente. Lauren, a palavra "obrigado" simplesmente não basta para expressar o quanto aprecio o que você fez por mim.

Meus sinceros agradecimentos a Lara Love por me ajudar a assumir o compromisso com este livro e por fornecer orientação em momentos críticos. Também aprecio muito o trabalho cuidadoso de Katherine Vaz, que examinou todas as palavras, todas as ideias e todas as transições deste livro. Admiro sua delicadeza na hora de me dar más notícias e sua dedicação ao me ajudar a comunicar cada ideia da melhor forma possível.

Serei eternamente grato a toda a equipe editorial da Houghton Mifflin Harcourt, especialmente a Bruce Nichols. Obrigado pela confiança em meu trabalho e pela paixão em levar minhas ideias sobre o comportamento humano a um público amplo. Trabalhar com você e sua equipe foi uma diversão e um aprendizado.

Também gostaria de agradecer a todos os editores que estão levando o livro para o mercado global: Joel Rickett, da Ebury, por seus insights editoriais; Caspian Dennis, Sandy Violette e a equipe da Abner Stein; Camilla Ferrier, Jemma McDonagh e a equipe da Marsh Agency.

Muito antes de eu mergulhar na concepção deste livro, muitas pessoas me ajudaram a avançar profissionalmente. Agradeço à minha colaboradora e amiga de longa data, Tanna Drapkin. Conforme trabalhamos juntos em Stanford e em outros lugares por muitos anos, Tanna me deu força em áreas nas quais eu era fraco, e me deu energia quando fiquei sem. Ninguém apoiou meu trabalho por mais tempo ou com mais ímpeto do que Tanna.

Outros na Universidade de Stanford surgiram ao longo dos anos para incentivar minha pesquisa, meus cursos e minhas inovações. Muitas pessoas me inspiraram e abriram oportunidades ao longo do caminho, incluindo Byron Reeves, Terry Winograd, Roy Pea, Keith Devlin, Martha Russell, Phil Zimbardo e o falecido Cliff Nass. Também sou grato a outras pessoas em Stanford que me ajudaram de maneiras que talvez elas nem tenham percebido, incluindo Jennifer Aaker, John Perry, Tom Robinson, Bill Verplank, Tina Seelig e David Kelley.

Quando compartilhei pela primeira vez o método Micro-hábitos com o mundo, em 2011, postando um simples convite nas redes sociais, não fazia ideia de que isso se tornaria uma grande parte da minha vida profissional e pessoal. Sou grato aos primeiros apoiadores e defensores do método, principalmente Liz Guthridge e Linda Fogg-Phillips. Há mais pessoas — milhares, na verdade — que se juntaram ao meu programa e forneceram feedback e insights. Pessoas de todo o mundo contribuíram para o material que você encontra neste livro.

Um agradecimento especial às pessoas que compartilharam suas histórias comigo durante o processo de escrita. Algumas delas estão neste livro, outras não. Seja como for, suas experiências e insights tornaram este livro melhor — e mais divertido de escrever. Minha gratidão vai para Mike Coulter, Emily E., Mallory Erickson, Juni Felix, Linda Fogg-Phillips, TJ Jones, David Kirchhoff, Shirisha N., Margarita Quihuis, Sukumar Rajagopal e Amy Vest. Além disso, agradeço a outros que compartilharam histórias e exemplos reais comigo, incluindo TJ Agulto, Kevin Ascher, Ginger Collins, Roller Derby Renee Schieferstein, Joe Dimilia, Mark Garibaldi, Jonny Goldstein, Kate Hand, Brittany Herlean, Manjula Higginbotham, Maya Hope, Roger Hurni, Judhajit "JD" De, Brendan Kane, Erin Kelly, Ellen Khalifa, Glen Lubbert, Kevin McAlear, Jasmine Morales, Gemma Moroney, Barry O'Reilly, Steve Peterschmidt, Mary Piontkowski, Shirley Rivera, Ramit Sethi, Wingee Sin,

Michael Stawicki, Khadija Tahera, Renee Townley, Michael Walter e Bert Whitaker.

Quero expressar minha profunda gratidão à minha colega Stephanie Weldy, que me ajudou em quase todas as emergências e não emergências no processo de escrita. Ela abria o caminho para mim quase diariamente. Supervisionou as entrevistas — de pessoas reais, com histórias verdadeiras — e ajudou a moldar a estrutura e o tom deste livro.

Os especialistas que treinei no método Micro-hábitos ajudaram a melhorar este livro de tantas formas que é impossível listar. Se você é um coach certificado em Micro-hábitos, agradeço por investir tempo em meus métodos e por seus esforços para tornar este livro melhor para todos. Tenho certeza de que vou esquecer de nomear alguns dos coaches mais influentes (peço desculpas), mas aqui estão alguns que realmente se destacaram (e que me vêm à mente enquanto escrevo): Amy Vest, Juni Felix, Linda Fogg-Phillips, Edith Asibey, Joshua Bornstein, Kristiana Burke, Mike Coulter, Judhajit "JD", Charlie Garland, Jonny Goldstein, Kate Hand, Katherine Hickman, Manjula Higginbotham, Joshua Hollingsworth, Jason Koprowski, Shelley Lloyd-Hankinson, Martin Mark, Ruby Menon, Shirley Rivera, Christine Silvestri, Dave Spencer, Deb Teplow, Erwin Valencia, Stephanie Weldy, Michelle Winders e Misako Yok.

Quero agradecer sobretudo aos especialistas em emoções humanas que inspiraram e guiaram uma parte vital deste livro: James Gross, Lisa Barrett Feldman, Aaron Weidman e Michele Tugade. Obrigado por dedicarem um tempo de suas atribuladas vidas para me ajudar.

No aspecto mais amplo da pesquisa — para ter certeza de que meus fatos eram corretos —, tenho muitas pessoas a agradecer, incluindo Elena Márquez Segura, Brad Wright e David Sobel. (Além disso, David também sugeriu o nome Onda de Motivação muitos anos atrás, em um dos meus centros de treinamento.)

Antes de chegar a Stanford, tive a sorte de aprender com professores e mentores que moldaram minha mente e me desafiaram a dominar habilidades valiosas. Essas pessoas abriram as primeiras portas para o que você encontra neste livro: Donna McLelland, Clayne Robison, Kristine Hansen, Don Norton, Bill Eggington, Chauncey Riddle e John Sterling Harris.

Também quero agradecer muitas pessoas que me apoiaram de perto e de longe. Essas pessoas incluem David Ngo, Derek Baird, Michael Fishman, Ramit Sethi, Rory Sutherland, Jim Kwik, Joe Polish, Tim Ferriss, David Kirchhoff, Amir dan Ruben, Mark Bertolini, Partha Nandi, Vic Strecher, Kyra Bobinet, Jeffrey Bland, Mark Thompson, Rajiv Kumar, Sohail Agha, Ted Eytan, Tom Blue, Benjamin Hardy, Julien Guimont, Jason Hreha, Hiten Shah, Dean Eckles, Margarita Quihuis, Maneesh Sethi, Tony Stubblebine, Vishen Lakhiani, Barry O'Reilly, Andrew Zimmermann e Esther Wojcicki.

Quero agradecer aos amigos em Maui que me mantiveram firme, ativo e otimista durante todo o processo de escrita. (Eu morei em Maui enquanto escrevia a maior parte deste livro. E, sim, foi maravilhoso.) Meus agradecimentos a Dorothy, Jenn, Mitch, Bob, Wanda e outros amigos por terem cuidado de mim e me encorajado. Também quero agradecer aos surfistas de Kihei Cove — os frequentadores da "patrulha do amanhecer": Tommy, Glenn, Brandice, Dana, Jeff, Rosie, Mitch, John e todos os outros. Quando eu surfava com vocês todas as manhãs, não falava muito sobre este livro, mas o "aloha" e o incentivo de vocês deram energia às minhas manhãs para que eu pudesse trabalhar bastante o resto do dia. A vocês, eu digo "mahalo".

Quero deixar um agradecimento especial à minha irmã Linda, cuja generosidade em compartilhar suas experiências e suas dores a serviço da divulgação destes conhecimentos não é nada menos que impressionante. Admiro demais minha irmãzona, mais uma vez. Um agradecimento do fundo do coração também aos meus pais, Gary e Cheryl Fogg. Eles vinham me incentivando a escrever este livro havia dez anos. Mesmo nos estágios iniciais do Modelo de Comportamento e do método Micro-hábitos, eles me deram feedback e orientação úteis. Como é de se imaginar, quando se trata da minha vida e do impacto no mundo, minha família sempre foi quem mais me incentivou.

E, finalmente, um abraço apertado no meu parceiro de vida, Dennis Bills, que atura minha obsessão pelo comportamento humano, passo a passo, há mais de vinte anos. Além de me manter nutrido e feliz, ele se submeteu com amor a incontáveis experiências pessoais e mais conversas do que se possa imaginar sobre Micro-hábitos, Design de Comportamento, Modelo de Comportamento... dá para imaginar. Seu apoio inabalável me deu superpoderes para pesquisar, aprender, aplicar e ensinar tudo o que aprendi para milhares de pessoas — incluindo a você, leitor deste livro.

APÊNDICES

Incluí estes apêndices para ajudar você a entender e aplicar melhor meu trabalho.

Para ainda mais referências e fontes relacionadas a este livro, visite TinyHabits.com/resources.

Aproveite!

Design de Comportamento: modelos, métodos e máximas

Este gráfico fornece um panorama geral de alguns modelos, métodos e máximas do Design de Comportamento. Eu o criei para ajudar você a enxergar melhor a questão de uma perspectiva mais ampla. Se quiser usar este gráfico (ou uma versão mais recente dele) em seus projetos profissionais ou em seus cursos, acesse BehaviorDesign.info para saber como proceder.

Design de Comportamento

Modelos
Como pensar com clareza sobre comportamento

Modelo de Comportamento de Fogg

- Co = MCP
- Motivação — Pessoa PAC
- Onda de Motivação
- Vetores de Motivação
- Capacidade — Pessoa PAC
- Cadeia de Capacidades
- Prompts — Pessoa PAC

Outros Modelos do Design de Comportamento

- Nuvem de Comportamentos
- Gráfico de Automatismo
- As Habilidades de Mudança
- **O Plano Principal de Mudança de Comportamento**
- Modelo da Zona de Poder

Métodos
Como fazer o design de comportamento

Micro-hábitos (Métodos específicos)

- Etapa Inicial
- Reduzir o Tamanho
- Descobrir Âncora (Atividade Existente → Novo Hábito)
- Formato de Receita: Depois de ______, eu vou ______.
- Máquina de Receitas
- Hábitos Pérola
- Ensaio: Âncora → Hábito → Comemoração
- Comemorar para sentir o Brilho

Outros Métodos (Também utilizados com o Micro-hábitos)

- Solucionar Problemas de um Comportamento: P → C → M
- Nuvem de Comportamentos
- Planilha
- Varinha Mágica
- Mapeamento de Foco (Ajuste de Comportamento)
- Perguntas de Descoberta & Perguntas Reveladoras
- Fluxo de Design: Tornar mais fácil a execução

Máximas

1: Ajude as pessoas a fazerem o que elas já querem fazer.

2: Ajude as pessoas a se sentirem bem-sucedidas.

Modelo de Comportamento de Fogg

Se você quiser usar este gráfico ou uma adaptação dele, acesse BehaviorModel.info para solicitar permissão. No site há diferentes versões disponíveis.

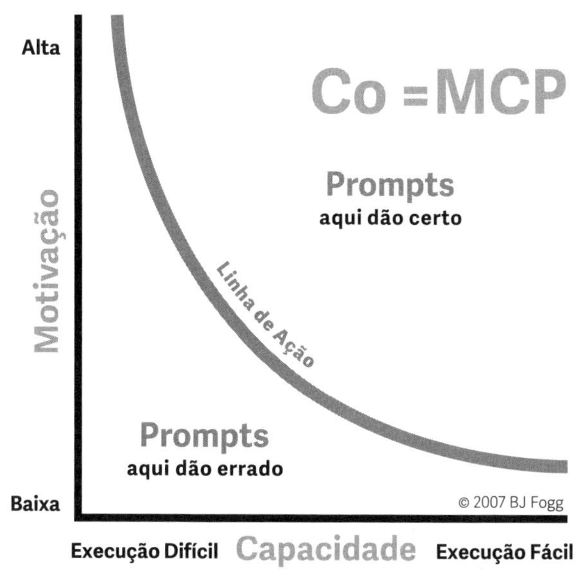

Ensinando o Modelo de Comportamento de Fogg

O ROTEIRO DE DOIS MINUTOS

Etapa 1: Introdução

Vou explicar como o comportamento humano funciona ensinando primeiro o Modelo de Comportamento de Fogg. Isso levará cerca de dois minutos.

O comportamento é posto em prática quando três coisas convergem no mesmo momento: Motivação, Capacidade e um Prompt.

Etapa 2: Desenhando o gráfico

Você pode visualizar este modelo em duas dimensões. No eixo vertical encontra-se o nível da Motivação para a execução de um comportamento, que varia de alta a baixa.

O eixo horizontal é a Capacidade de executar um comportamento. Ele também é um *continuum*. À direita está a capacidade alta, e rotulo esse lado como de "execução fácil". No lado esquerdo deste eixo estão comportamentos de "execução difícil".

Etapa 3: Um exemplo

Suponha que você queira que pessoas façam doações para a Cruz Vermelha. Se a motivação for alta e a execução for fácil, o comportamento estará ali no canto superior direito do modelo. Quando uma pessoa receber um prompt para doar, o comportamento será executado.

Por outro lado, se alguém tiver pouca motivação para doar para a Cruz Vermelha, e se for difícil executar a ação, essa pessoa estará no canto inferior esquerdo. Quando essa pessoa fica diante de um prompt, o comportamento não será executado.

Etapa 4: A Linha de Ação

Existe uma relação entre motivação e capacidade. Essa curva, chamada Linha de Ação, mostra isso. Quem está em qualquer ponto acima da Linha de Ação, ao se ver diante do prompt, executará o comportamento. Nesse caso, a doação para a Cruz Vermelha. No entanto, quem estiver abaixo da Linha de Ação, ao ver o prompt, não vai executar o comportamento.

Quando alguém está abaixo da Linha de Ação, é necessário colocá-lo acima para que o prompt estimule o comportamento. Precisamos aumentar a motivação, ou facilitar a execução do comportamento, ou ambos.

Etapa 5: Um breve resumo

Este modelo se aplica a todos os tipos de comportamento humano. Em suma, quando Motivação, Capacidade e Prompt convergem no mesmo momento, é aí que um comportamento ocorre. Se algum dos três elementos estiver ausente, o comportamento não será executado.

A anatomia do método Micro-hábitos

A anatomia do método Micro-hábitos®

1. MOMENTO ÂNCORA

Uma atividade existente (como escovar os dentes) ou um evento que acontece (como um telefone tocando). **O Momento Âncora lembra você de colocar o novo Microcomportamento em prática.**

2. NOVO MICROCOMPORTAMENTO

Uma versão simples do novo hábito que você deseja fazer, como passar fio dental em apenas um dente ou fazer duas flexões. **Você executa o Microcomportamento imediatamente após o Momento Âncora.**

3. COMEMORAÇÃO INSTANTÂNEA

Algo que você faz para criar emoções positivas, como dizer: "Fiz um bom trabalho!" **Você comemora imediatamente após a execução do novo Microcomportamento.**

Âncora

Microcomportamento

Comemoração

Minhas Receitas — Método Micro-hábitos

Você pode escrever suas receitas de hábito em fichas usando o formato Micro-hábitos.

Botar no papel e guardar sua coleção de hábitos em uma caixa de receitas ajudará você a repensar e revisar seus hábitos conforme necessário.

Para imprimir o gráfico abaixo, baixe o modelo que criei para você em TinyHabits.com/recipecards.

Minha Receita — Método Micro-hábitos

Por favor, revise sua receita conforme necessário.
A revisão é uma parte importante do método Micro-hábitos.

Depois de...	Eu vou...	Para consolidar o hábito em minha mente, eu vou imediatamente:
______________	______________	______________
______________	______________	______________
______________	______________	______________
Momento Âncora	**Micro-hábito**	**Comemoração**
Um hábito já existente na sua rotina que lembra você de pôr em prática o Micro-hábito (seu novo hábito).	O novo hábito que você quer adotar, mas reduzido, para ficar bem simples — bem fácil de fazer.	Algo que você faz para criar um sentimento positivo (o sentimento é chamado de Brilho).

Facilitando a execução de um comportamento

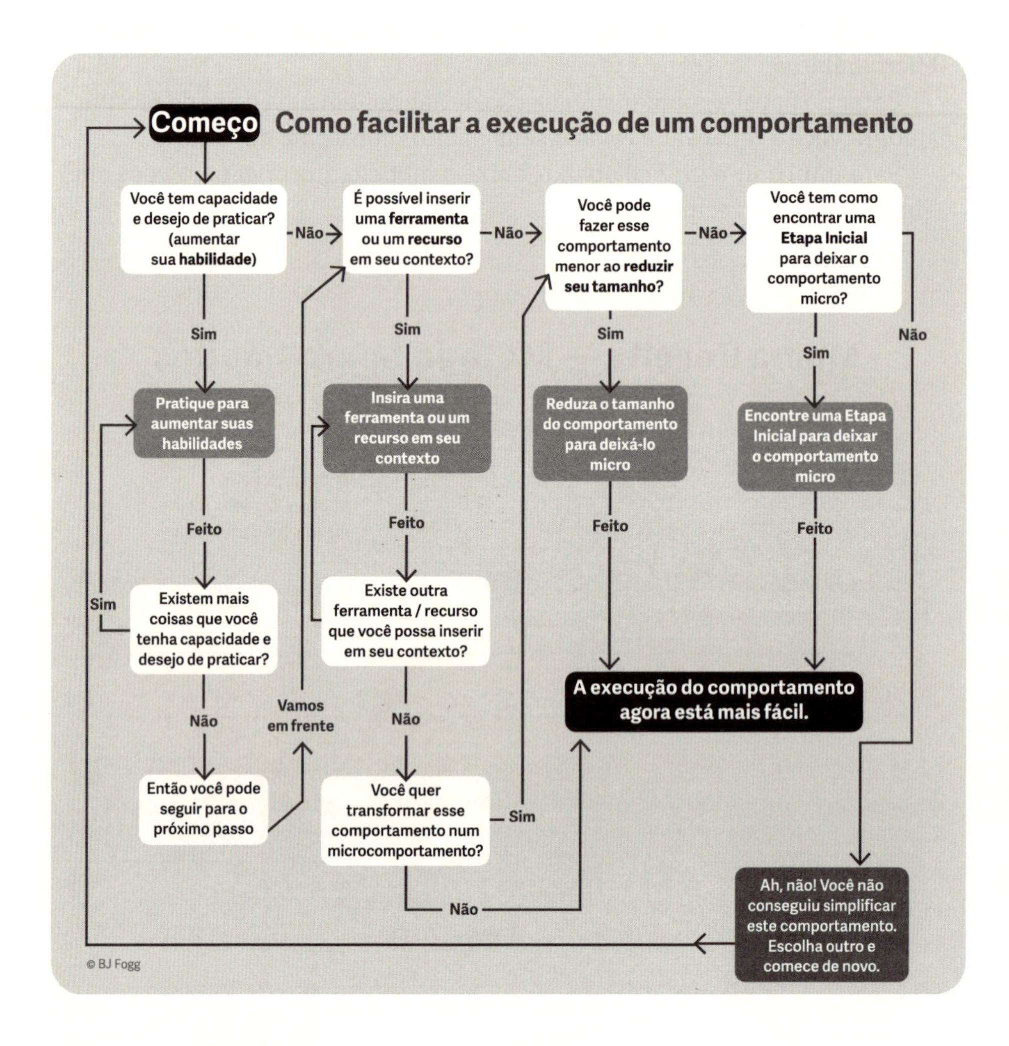

PLANO PRINCIPAL DE MUDANÇA DE COMPORTAMENTO — FASE 1

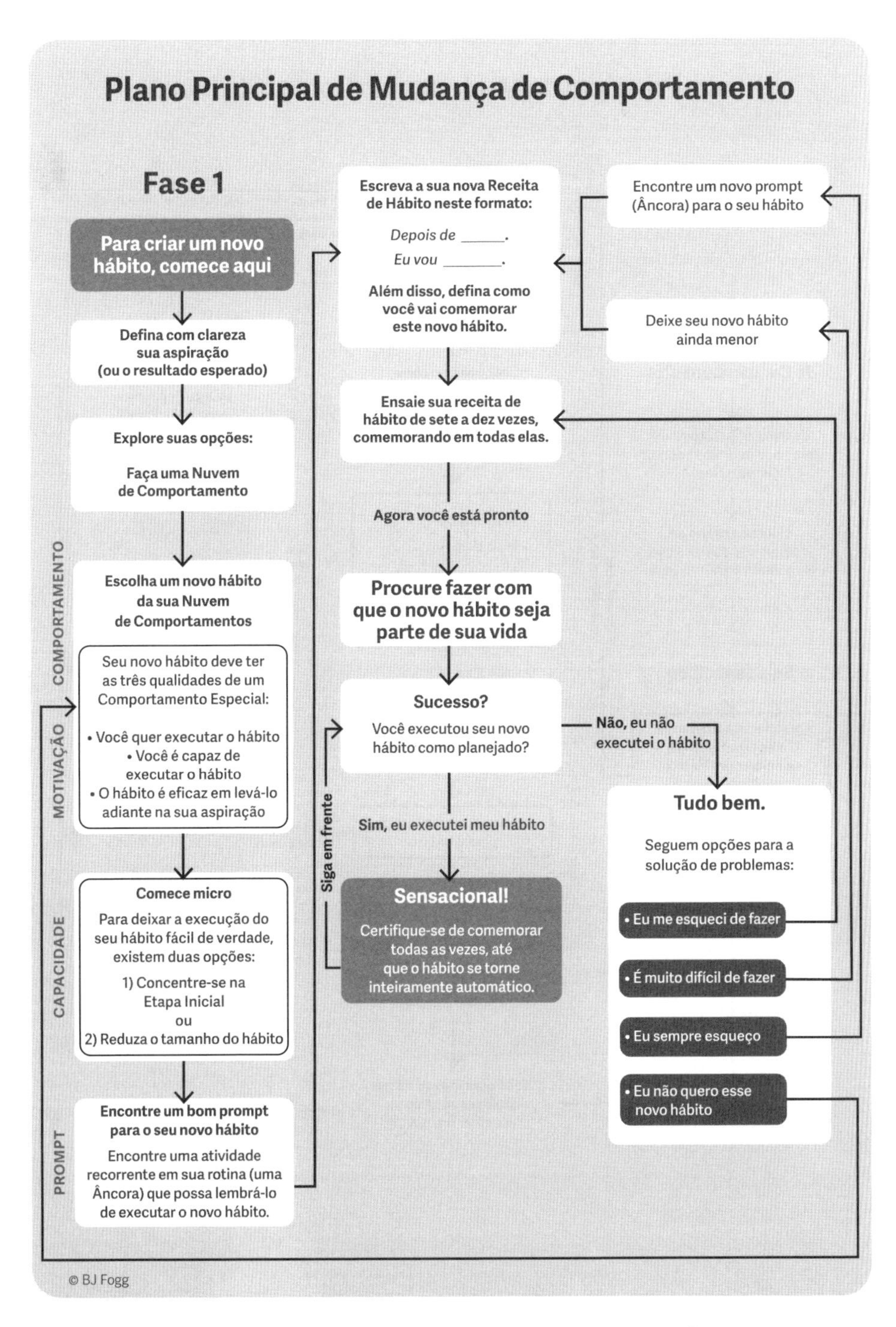

PLANO PRINCIPAL DE MUDANÇA DE COMPORTAMENTO — FASE 2

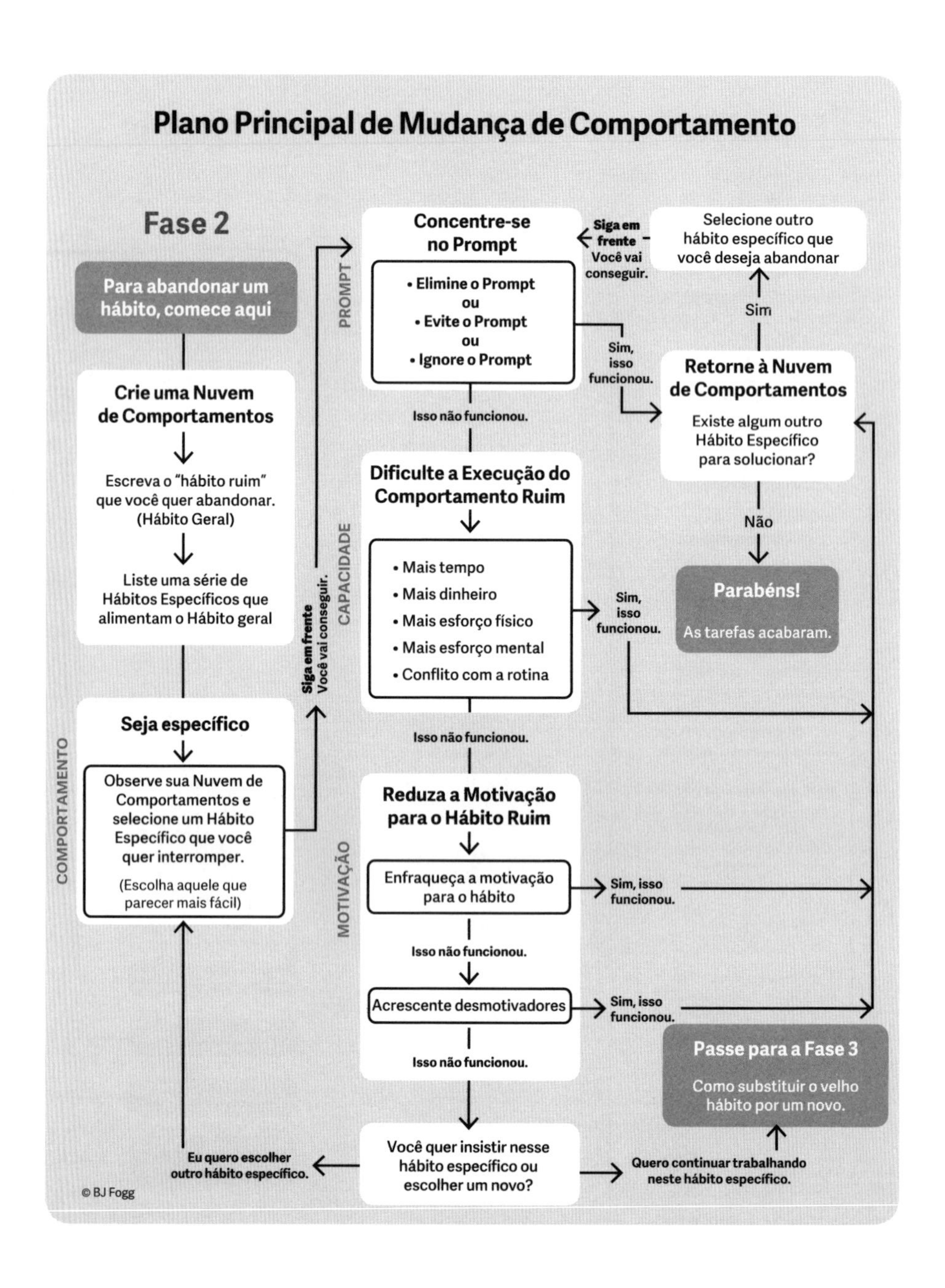

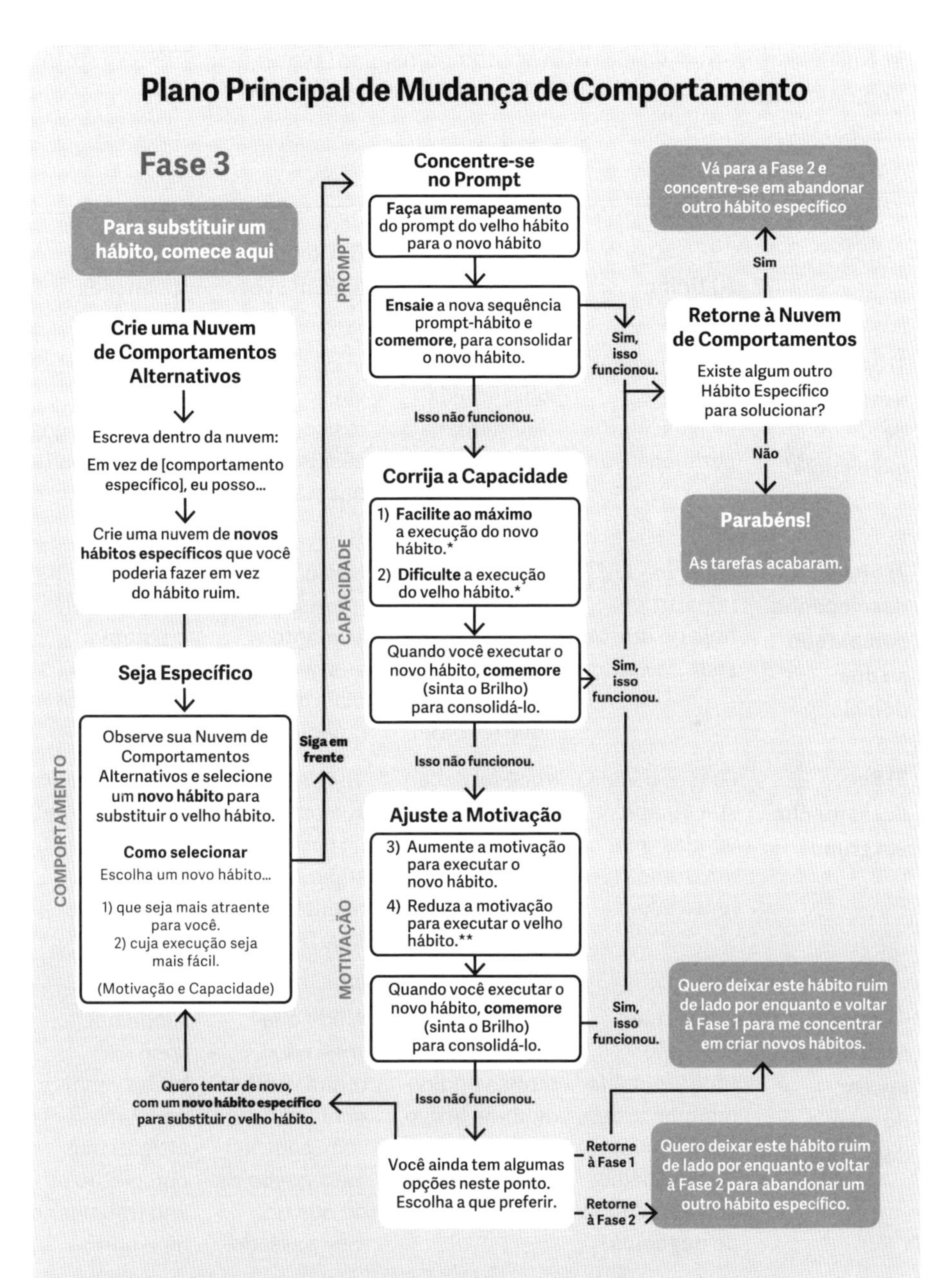
Plano Principal de Mudança de Comportamento
Fase 3
Para substituir um hábito, comece aqui
Crie uma Nuvem de Comportamentos Alternativos
Escreva dentro da nuvem:
Em vez de [comportamento específico], eu posso...
Crie uma nuvem de novos hábitos específicos que você poderia fazer em vez do hábito ruim.
Seja Específico
Observe sua Nuvem de Comportamentos Alternativos e selecione um novo hábito para substituir o velho hábito.
Como selecionar
Escolha um novo hábito...
1) que seja mais atraente para você.
2) cuja execução seja mais fácil.
(Motivação e Capacidade)
COMPORTAMENTO
Siga em frente
Quero tentar de novo, com um novo hábito específico para substituir o velho hábito.
PROMPT
Concentre-se no Prompt
Faça um remapeamento do prompt do velho hábito para o novo hábito
Ensaie a nova sequência prompt-hábito e comemore, para consolidar o novo hábito.
Isso não funcionou.
CAPACIDADE
Corrija a Capacidade
1) Facilite ao máximo a execução do novo hábito.*
2) Dificulte a execução do velho hábito.*
Quando você executar o novo hábito, comemore (sinta o Brilho) para consolidá-lo.
Isso não funcionou.
MOTIVAÇÃO
Ajuste a Motivação
3) Aumente a motivação para executar o novo hábito.
4) Reduza a motivação para executar o velho hábito.**
Quando você executar o novo hábito, comemore (sinta o Brilho) para consolidá-lo.
Isso não funcionou.
Você ainda tem algumas opções neste ponto. Escolha a que preferir.
Sim, isso funcionou.
Sim, isso funcionou.
Sim, isso funcionou.
Vá para a Fase 2 e concentre-se em abandonar outro hábito específico
Sim
Retorne à Nuvem de Comportamentos
Existe algum outro Hábito Específico para solucionar?
Não
Parabéns!
As tarefas acabaram.
Quero deixar este hábito ruim de lado por enquanto e voltar à Fase 1 para me concentrar em criar novos hábitos.
Retorne à Fase 1
Retorne à Fase 2
Quero deixar este hábito ruim de lado por enquanto e voltar à Fase 2 para abandonar um outro hábito específico.
* Para corrigir ou ajustar a capacidade, considere esses fatores: tempo, dinheiro, esforço físico, esforço mental e rotina.
** Você pode reduzir a motivação enfraquecendo os fatores que motivam o velho hábito, acrescentando desmotivadores, ou ambos.
© BJ Fogg

Trinta e duas formas de estruturar o sucesso

Como o sentimento de sucesso ajuda a criar mudanças duradouras, mapeei 32 formas diferentes de estruturar uma mensagem para que alguém se sinta bem-sucedido.

	A) Único	B) O melhor de todos	C) Comparado à última vez	D) Meta alcançada
1) Seu desempenho de excelência	Você vendeu muitos artigos, parabéns.	Você vendeu mais artigos essa semana do que jamais tinha vendido — um recorde pessoal.	Você vendeu vinte por cento mais artigos essa semana que na anterior.	Você vendeu toda a sua cota de artigos e bateu a meta.
2) Seu desempenho comparado ao dos demais	Você vendeu mais artigos hoje do que os seus colegas.	Você vendeu mais artigos essa semana do que qualquer um já vendeu — novo recorde.	Nos últimos meses, você aumentou suas vendas mais do que qualquer um.	Você foi o único a atingir o patamar de 1 milhão em vendas.
3) Seu desempenho em grupo	Graças a você, sua equipe de vendas teve um ótimo resultado.	Você foi peça-chave da sua equipe para bater o recorde da empresa.	Você ajudou sua equipe de vendas a superar os resultados do mês anterior.	Com sua ajuda, sua equipe de vendas atingiu o patamar de 1 milhão.
4) Boas notícias, apesar do mau desempenho	Ainda que você não tenha vendido nenhum artigo, você fez um bom trabalho de captação de negócios.	Ainda que você não tenha vendido nenhum artigo, você captou mais negócios do que nunca.	Ainda que você não tenha vendido nenhum artigo, você captou mais negócios do que no mês passado.	Ainda que você não tenha vendido nenhum artigo, você completou um ano trabalhando na empresa.

Nem todos os 32 tipos são igualmente impactantes para todo mundo. Minha pesquisa indica que algumas pessoas gostam de feedback sobre o próprio desempenho. Outras respondem de forma mais eficaz a uma comparação favorável com seus pares. E outros (ainda que poucos) preferem ouvir boas notícias, ainda que o desempenho tenha sido ruim.

Essa é minha tabela com exemplos relacionados ao desempenho na área de vendas.

E) Indo na direção certa	**F) Esforço consistente**	**G) Podia ter sido pior**	**H) Apesar dos pesares**
No último trimestre, você vendeu mais artigos a cada semana.	Você tem se esforçado com regularidade para vender artigos.	Pelo menos você vendeu o suficiente para cobrir suas despesas.	Apesar de ter começado numa nova área de vendas, seu desempenho foi bom.
Suas vendas estão melhorando a um ritmo mais rápido do que os outros.	Você sempre se dedica mais que seus colegas.	Todo mundo que estava vendendo este artigo desistiu cedo, mas você perseverou.	Apesar de não ter recebido apoio da sede na semana passada, você superou todos os seus colegas.
Você está ajudando sua equipe a fechar vendas com eficiência cada vez maior.	Seus esforços consistentes ajudaram toda a equipe a ter sucesso.	Sua equipe não fechou nenhuma venda esta semana, mas todos aprenderam bastante com você.	Apesar de ter uma equipe pequena, você a ajudou a conseguir bons resultados.
Ainda que você não tenha vendido nenhum artigo, sua capacidade de prospectar negócios não para de crescer.	Ainda que você não tenha vendido nenhum artigo, você se esforçou e seguiu os procedimentos à risca.	Ainda que você não tenha vendido nenhum artigo, você voltou mais forte ao batente depois de uma gripe.	Ainda que você não tenha vendido nenhum artigo, você não se deixou abater por isso.

Cem formas de comemorar e sentir o Brilho

Existem muitas formas de comemorar para sentir o Brilho e consolidar um novo hábito em sua mente.

A seguir, listo algumas comemorações sugeridas por coaches experientes que treinei no método Micro-hábitos. Ao ler esta lista, você provavelmente encontrará muitas comemorações que não funcionarão para você. Algumas podem parecer completamente absurdas. Tudo bem. Você não precisa de cem comemorações. Só precisa de uma. Mas, se encontrar mais de uma, melhor ainda.

Use a lista, avalie as opções e encontre as comemorações certas para você.

1. Diga "Isso!" e dê um soco no ar
2. Batuque uma batida animada na parede ou na mesa
3. Imagine sua mãe dando um grande abraço em você
4. Faça um discreto "sim" com um movimento de cabeça
5. Imagine que acabou de acertar uma cesta do meio da quadra
6. Visualize fogos de artifício estourando para você
7. Dê um enorme sorriso
8. Erga os dois polegares
9. Desenhe uma carinha feliz e sinta essa felicidade
10. Cantarole um trechinho de uma música animada
11. Pense no seu professor preferido dizendo: "Muito bem!"
12. Levante os braços e diga: "Vitória!"
13. Pense no seu melhor amigo ficando feliz por você
14. Massageie brevemente seus próprios ombros ou pescoço
15. Pense: *Oba, estou tendo sucesso nessa mudança*
16. Imagine-se abrindo um lindo presente de agradecimento
17. Diga: "É disso que eu estou falando!"
18. Faça uma dancinha
19. Jogue confetes imaginários
20. Diga: "Eu arrasei!"
21. Cerre os punhos e diga: "Iééé!"
22. Sorria para si mesmo no espelho
23. Dê um soco no ar e diga: "Isso aí!"
24. Ouça uma multidão rugindo
25. Diga: "Vamos lá!"
26. Junte as palmas das mãos em sinal de gratidão
27. Diga: "Consegui" e estale os dedos
28. Coloque as mãos nos quadris e estufe o peito
29. Diga a si mesmo: "Uhul, eu sou bom em criar hábitos"
30. Caminhe pelo cômodo demonstrando orgulho e alegria
31. Diga ou pense: "Bom trabalho!"
32. Bata com o punho três vezes no lado esquerdo do peito

33. Imagine um professor lhe entregando um troféu
34. Pense no seu filho sorrindo para você
35. Dê soquinhos no ar alternando as mãos
36. Faça uma dança de comemoração
37. Pense: *Oba, consegui!*
38. Imagine o sabor do chocolate
39. Olhe para algo amarelo e brilhante
40. Esfregue as mãos em alegria
41. Imagine seu pai dizendo: "Uau. Isso foi incrível!"
42. Dê vários soquinhos alternados no próprio peito
43. Bata uma palma da mão contra a outra e diga: "Toca aqui!"
44. Imagine trombetas tocando
45. Diga "Loucura, loucura, loucura" imitando a voz do Luciano Huck
46. Estale os dedos
47. Imagine receber a notícia de que conseguiu um novo emprego
48. Diga: "Você conseguiu!"
49. Levante o queixo e sorria olhando para o horizonte
50. Imagine uma plateia lhe aplaudindo
51. Diga: "Boa!" e faça que sim com a cabeça
52. Faça uma pausa, respire fundo e aprecie seu sucesso
53. Levante as mãos e diga: "Iei! Iei! Iei!"
54. Levante o polegar repetidas vezes
55. Diga: "Amei!"
56. Cante: "*Celebrate good times, come on!*"
57. Elogie a si mesmo: "Eu sou muito bom em..."
58. Assovie uma música feliz
59. Respire fundo e diga: "Ié!"
60. Dê uma batidinha nos ombros com orgulho
61. Bata palmas para si mesmo brevemente
62. Imagine receber um grande abraço de alguém que você ama
63. Diga: "Iéééééééé!"
64. Pense: *Muito bem!*
65. Faça uma pose poderosa
66. Imagine sua própria expressão facial ao cumprimentar um ente querido
67. Dê vários pulinhos com as mãos para o alto
68. Faça pose de fisiculturista
69. Inspire e pense na energia entrando em você
70. Faça um sinal de "OK"
71. Diga "Gol!" e comemore como um artilheiro
72. Cheire algumas flores (que você mantém por perto, é claro)
73. Imagine estar na sua praia favorita
74. Curve-se graciosamente
75. Faça um "toca aqui" com o seu filho
76. Imagine o som de um caça-níqueis
77. Olhe no espelho e diga: "Estou muito orgulhoso de você!"
78. Bata no seu peito
79. Cantarole a palavra "S-U-C-E-S-S-O!"

80. Cante: "*Hey now, you're a rock star*"
81. Pense na sensação boa que você tem quando está com seu cachorro
82. Imite a pose que o Usain Bolt faz depois de vencer uma corrida
83. Bata uma palma da mão contra a outra e diga: "Toca aqui!"
84. Imagine um sentimento sorridente dentro de você
85. Faça a pose dos *Kung Fu Kids*
86. Dê um largo sorriso e depois imite latidos
87. Dê um tapinha nas suas próprias costas
88. Estale os dedos várias vezes
89. Estique os braços abertos e imagine-se abraçando a mudança
90. Fale baixinho: "Obrigado, Senhor."
91. Jogue beijos para o ar como uma estrela de cinema
92. Faça um giro rápido como num movimento de dança
93. Diga: "Vamos lá!"
94. Imagine que você tem um rabo de cachorro e o balance com alegria
95. Faça um "V" com os dedos e diga (ou pense): "Vitória!"
96. Dê um soquinho no ar e faça uma reverência
97. Faça um "toca aqui" com seu reflexo no espelho
98. Imagine uma aura brilhante ao seu redor
99. Dê uma gargalhada bem alta
100. Imite Fred Flintstone dizendo: "*Yabba dabba doo!*"

Trezentas receitas de Micro-hábitos quinze situações e desafios da vida

Você encontrará ainda mais receitas em inglês em TinyHabits.com/1000recipes.

MICRO-HÁBITOS PARA MÃES QUE TRABALHAM

1. Depois de ouvir o alarme, eu vou desligá-lo imediatamente (sem apertar o "soneca").
2. Depois de levantar da cama de manhã, eu vou dizer: "Hoje será um ótimo dia!"
3. Depois de entrar na cozinha, eu vou beber um copo grande de água.
4. Depois de ligar a cafeteira, eu vou pegar o almoço na geladeira.
5. Depois de fazer os ovos, eu vou preparar minha vitamina.
6. Depois de ligar o chuveiro, eu vou fazer três agachamentos (e talvez mais).
7. Depois de arrumar a cama, eu vou colocar a roupa na máquina para lavar.
8. Depois que meus filhos saírem para a escola, eu vou pegar minha lista de tarefas do trabalho.
9. Depois de botar o cinto de segurança, eu vou dar "play" no meu audiobook.
10. Depois de entrar no estacionamento do trabalho, vou parar na vaga mais longe.
11. Depois de me sentar à escrivaninha, eu vou colocar meu telefone em "modo avião".
12. Depois de limpar minha caixa de *spam*, eu vou dar uma volta no escritório e cumprimentar rapidamente meus colegas.
13. Depois de voltar à minha mesa após a reunião matinal, eu vou listar minha prioridade do dia.
14. Depois de almoçar, eu vou dar pelo menos uma volta em torno do prédio.
15. Depois de desligar o computador ao final do dia, eu vou arrumar rapidamente minha mesa de trabalho.
16. Depois de sair do estacionamento no trabalho, eu vou pegar o caminho da academia.
17. Depois de chegar em casa do trabalho, eu vou dar um abraço nos meus filhos.
18. Depois de ligar a lava-louças, eu vou arrumar pelo menos uma coisa na bancada da cozinha.
19. Depois de dar boa-noite aos meus filhos, eu vou pensar em uma pessoa que amo para quem posso ligar.
20. Depois de me deitar, eu vou abrir as Escrituras e ler pelo menos um versículo.

MICRO-HÁBITOS PARA DORMIR MELHOR

1. Depois de ouvir o alarme pela manhã, eu vou levantar sem apertar "soneca".
2. Depois de calçar os sapatos pela manhã, eu vou sair para aproveitar a luz natural.

3. Depois de terminar de almoçar, eu vou sair para pegar sol.
4. Depois de decidir tirar uma soneca, eu vou ligar o alarme para não dormir por mais de trinta minutos.
5. Depois de ver que passou de três horas da tarde, eu vou começar a beber água em vez de café.
6. Depois de chegar em casa do trabalho, eu vou colocar meu telefone para carregar na cozinha, não no quarto.
7. Depois de colocar o jantar no forno, eu vou tomar um suplemento de magnésio.
8. Depois de ligar a lava-louças à noite, eu vou apagar as luzes da casa.
9. Depois de acender a primeira luz à noite, eu vou colocar óculos que bloqueiam a luz azul.
10. Depois de ligar a TV à noite, eu vou tomar um suplemento de melatonina.
11. Depois de terminar de assistir à novela, eu vou começar meu ritual de dormir.
12. Depois de ver que são oito horas da noite, eu vou parar de usar aparelhos eletrônicos e de olhar para telas.
13. Depois de trancar a porta à noite, eu vou ajustar o ar-condicionado ou o aquecedor.
14. Depois de passar fio dental à noite, eu vou ligar a máquina de ruído branco.
15. Depois de ligar a máquina de ruído branco, eu vou fechar as cortinas para que o quarto fique totalmente escuro.
16. Depois de fechar as cortinas, eu vou borrifar um pouco de essência de lavanda no quarto.
17. Depois de me deitar quando não estou com sono, eu vou abrir um livro relaxante para ler em luz baixa.
18. Depois de ter vontade de levantar no meio da noite, eu vou me deitar de novo por cerca de quinze segundos.
19. Depois de não parar de olhar para o relógio à noite, eu vou virar o relógio para a parede para não poder vê-lo.
20. Depois de começar a me preocupar com um problema à noite, eu vou dizer: "Isso pode esperar até amanhã."

MICRO-HÁBITOS PARA IDOSOS ATIVOS

1. Depois de fazer uma xícara de chá, eu vou tomar meus remédios.
2. Depois de pegar o jornal pela manhã, eu vou respirar fundo três vezes.
3. Depois de terminar de ler o jornal, eu vou botar um disco para tocar e dançar um pouco.
4. Depois de me sentar para tomar café da manhã, eu vou tomar meus remédios.
5. Depois de lavar a louça do café da manhã, eu vou calçar os tênis de caminhada.
6. Depois de começar a caminhar, eu vou ligar para um dos meus irmãos.
7. Depois de chegar ao espaço de caminhada, eu vou ligar a câmera e tirar uma foto.

8. Depois de voltar para casa, eu vou verificar a caixa de correio.
9. Depois de abrir o portão de casa, eu vou fazer uma pausa e dizer: "Todo dia é um presente".
10. Depois de colocar minhas luvas de jardinagem, eu vou arrancar três ervas-daninhas.
11. Depois de ver uma bela planta florescendo, eu vou cortar algumas flores para colocar em um vaso.
12. Depois de tirar os sapatos, eu vou me servir de um copo de água.
13. Depois de me sentar no sofá, eu vou abrir meu aplicativo de fotografia.
14. Depois de abrir uma fotografia para editar, eu vou fazer um ajuste.
15. Depois de ligar o chuveiro, eu vou ter um pensamento positivo sobre o meu corpo.
16. Depois de desligar a torneira, eu vou pegar na barra de segurança para sair do chuveiro.
17. Depois de pendurar minha toalha, eu vou aplicar meu creme hidratante.
18. Depois de colocar minhas roupas de baixo, eu vou fazer um alongamento e tocar meus dedos dos pés.
19. Depois que meu namorado chegar na minha casa, eu vou fazer um elogio genuíno para ele.
20. Depois de ligarmos a música para dançar, eu vou sussurrar: "Dance como se ninguém estivesse olhando."

MICRO-HÁBITOS PARA CUIDADORES

1. Depois de me levantar para verificar mamãe à noite, eu vou sussurrar uma palavra de apoio a ela, mesmo que ela não possa me ouvir.
2. Depois que meu alarme tocar, eu vou levantar da cama e dizer: "Hoje será um ótimo dia — de alguma forma."
3. Depois de dar ração ao cachorro, eu vou ler pelo menos um versículo do Novo Testamento.
4. Depois de levar o chá matinal para mamãe, eu vou pedir que ela me conte uma de suas coisas favoritas.
5. Depois de ver que meu marido preparou meu café da manhã, eu vou dar um grande abraço nele antes de me sentar para comer.
6. Depois de ver meu marido sair para o trabalho, eu vou me sentar e respirar fundo três vezes.
7. Depois de ver os compromissos da mamãe para o dia, eu vou lembrá-la disso para que não sejam uma surpresa.
8. Depois de reunir o que é necessário para o banho de esponja, eu vou segurar a mão da mamãe e dar um sorriso antes de começar.
9. Depois de enviar uma pergunta por e-mail ao médico, eu vou anotar o que pedi no meu diário de cuidados.
10. Depois de ajudar minha mãe a fazer fisioterapia, eu vou elogiá-la por uma coisa que ela fez bem.
11. Depois de dar um remédio para mamãe, eu vou anotar no meu diário de cuidados.

12. Depois de ver que mamãe adormeceu para a soneca da manhã, eu vou abrir um bom livro e tentar me distrair.
13. Depois de começar a trocar um curativo, eu vou falar sobre algo divertido que fizemos em família no passado.
14. Depois de entrar no Facebook, eu vou publicar um desafio que estou enfrentando como cuidador.
15. Depois de ouvir minha mãe criticar meus cuidados ou minha comida, eu vou dizer exatamente o seguinte: "Mãe, você tem direito à sua opinião" e nada mais.
16. Depois de chorar, eu vou lavar meu rosto, me olhar no espelho e dizer: "Você vai conseguir."
17. Depois de me sentir frustrado com o sistema de saúde, eu vou pensar em um amigo a quem eu posso ligar para desabafar.
18. Depois que minha vizinha me substituir para me dar uma folga, eu vou abraçá-la e dizer em quanto tempo voltarei.
19. Depois que meus filhos perguntarem: "Como está a vovó?", eu vou compartilhar uma coisa verdadeira sobre a situação dela.
20. Depois de colocar mamãe na cama para dormir, eu vou arrumar um item na cozinha ou no escritório — e me satisfazer com isso.

MICRO-HÁBITOS PARA NOVOS GERENTES

1. Depois de me sentar para tomar café da manhã, eu vou abrir meu aplicativo de calendário e revisar a agenda do dia.
2. Depois de me vestir para o trabalho, eu vou ler uma afirmação positiva.
3. Depois de entrar no escritório, eu vou sorrir e cumprimentar cada pessoa que vir.
4. Depois de fechar a porta da minha sala para uma reunião particular, eu vou fazer uma pergunta específica sobre o desempenho do meu colega.
5. Depois de notar que um colega está frustrado, eu vou apontar uma qualidade dele.
6. Depois de encerrar uma reunião particular, eu vou destacar uma contribuição positiva do meu colega.
7. Depois de descobrir um novo projeto com meu gerente, eu vou criar um novo canal no Slack para esse projeto.
8. Depois de iniciar a reunião semanal da equipe, eu vou fazer uma pergunta divertida de apresentação e ouvir uma breve resposta de cada membro da equipe. (Por exemplo: Qual a última cidade que você visitou? Qual é o seu tempero favorito? Qual é o disco que você sempre escuta em casa?)
9. Depois de perceber que um tópico da reunião ficou atolado em questões abstratas, eu vou dizer: "Só para esclarecer, estamos falando do projeto X, certo?"
10. Depois de examinarmos todos os itens da agenda, eu vou perguntar se meus colegas têm itens adicionais a serem debatidos.
11. Depois de a reunião acabar, eu vou pedir aos membros da minha equipe que enviem um e-mail para o grupo com seus itens de ação.
12. Depois de fechar minha lancheira, eu vou calçar os tênis de caminhada.

13. Depois de voltar do almoço, eu vou perguntar para alguém da minha equipe: "Como posso ajudá-lo hoje?"
14. Depois de sair para uma reunião, eu vou oferecer um comentário positivo ao funcionário da recepção.
15. Depois que um funcionário me apresentar um problema, eu vou dizer: "Qual você acha que é o melhor caminho a seguir?"
16. Depois de concluir a documentação de contratação de novos funcionários, eu vou adicionar o aniversário deles ao meu calendário.
17. Depois de receber um e-mail com um elogio, eu vou mover o e-mail ou o documento para minha pasta "Avaliação de Desempenho".
18. Depois de desligar o computador, eu vou arquivar os papéis que estiverem na minha mesa.
19. Depois de arrumar minha mochila, eu vou trancar as gavetas do meu arquivo.
20. Depois de fechar a porta da minha sala, eu vou pensar em algo que conquistei naquele dia.

MICRO-HÁBITOS PARA O SUCESSO NA FACULDADE

1. Depois de ouvir meu alarme tocar, eu vou colocar os pés no chão e tentar acordar.
2. Depois de tomar banho, eu vou dizer: "Hoje será um ótimo dia."
3. Depois de ligar a cafeteira, eu vou arrumar uma coisa no quarto.
4. Depois de colocar meus livros na mochila, eu vou pegar um lanche saudável na geladeira.
5. Depois de pegar minha bicicleta, eu vou colocar meu capacete (mesmo que estrague meu cabelo).
6. Depois de entrar na biblioteca, eu vou sentar em uma mesa no canto mais distante.
7. Depois de terminar meu dever de casa, eu vou colocar meu telefone em "modo avião".
8. Depois de sair da aula da manhã às segundas, quartas e sextas-feiras, eu vou ligar para minha mãe ou minha avó.
9. Depois de me sentar para almoçar, eu vou abrir o LinkedIn para ler as notícias da minha área e fazer contatos.
10. Depois de concluir uma reunião do grupo de estudos, eu vou agradecer sinceramente aos meus colegas de equipe.
11. Depois de me sentar para assistir à aula com meu laptop, eu vou desligar o Wi-Fi.
12. Depois de entrar na livraria do campus, eu vou me afastar da máquina de venda de doces (muita tentação!).
13. Depois de me preparar para a parede de escalada, eu vou fazer o sinal da cruz e agradecer pelos desafios da minha vida.
14. Depois de pegar meu prato no refeitório, eu vou me servir com muitos vegetais e proteínas.

15. Depois de colocar minha bandeja de jantar na esteira, eu vou caminhar até o lounge e abrir o novo livro do Ramit sobre finanças pessoais.
16. Depois que um amigo me perguntar se eu quero sair à noite, eu vou sorrir e dizer: "Obrigado, mas hoje não."
17. Depois que qualquer professor me enviar um e-mail, eu vou responder imediatamente, mesmo que seja apenas "Recebido. Obrigado".
18. Depois de tirar uma nota boa em um trabalho ou prova, eu vou enviar uma foto do meu resultado para minha mãe e minha avó.
19. Depois de chegar em casa após a missa do domingo, eu vou me sentar e procurar um estágio de férias na minha área.
20. Depois de me sentir desanimado (por qualquer motivo que seja), eu vou reler minha declaração de propósito.

MICRO-HÁBITOS PARA PAIS QUE TRABALHAM EM CASA

1. Depois de levantar da cama pela manhã, eu vou dizer: "Hoje será um dia incrível."
2. Depois de entrar na cozinha, eu vou beber água com suco de limão fresco.
3. Depois de me servir de minha primeira xícara de café, eu vou calçar meu tênis de corrida.
4. Depois de terminar de me secar após o banho, eu vou passar pelo menos um pouco de hidratante.
5. Depois de ver meus filhos sentados para tomar café da manhã, eu vou perguntar a eles: "Que coisa boa vocês querem que aconteça hoje?"
6. Depois de ver minha esposa limpando a cozinha, eu vou dar um abraço nela e agradecer.
7. Depois de tomar minhas vitaminas, eu vou dar ração para o cachorro.
8. Depois que minha esposa e meus filhos saírem para o dia, eu vou me sentar e fazer pelo menos três respirações.
9. Depois de ligar o computador, eu vou ler as atualizações da minha equipe no Basecamp.
10. Depois que um colega de equipe concluir um projeto, eu vou enviar uma nota rápida ou um emoji.
11. Depois de selecionar minha prioridade do dia, eu vou ligar o cronômetro Pomodoro.
12. Depois que meu telefone tocar, eu vou atender e caminhar pela casa enquanto falo.
13. Depois de desligar o telefone, eu vou fazer uma série rápida de flexões ou agachamentos.
14. Depois de lavar a louça do almoço, eu vou dar uma volta no quarteirão (e talvez ligar para os meus pais).
15. Depois de encerrar a reunião de equipe, eu vou enviar um lembrete das tarefas para cada pessoa.
16. Depois de meus filhos chegarem em casa, eu vou pedir que eles compartilhem uma surpresa do dia deles.
17. Depois de ver o sol se pôr, eu vou colocar meus óculos que bloqueiam a luz azul.

18. Depois de ver o primeiro comercial de TV à noite, eu vou pegar meu rolo de espuma e fazer exercícios de alongamento.
19. Depois de desligar a TV, eu vou tirá-la da tomada até a noite seguinte.
20. Depois de abrir o chuveiro, eu vou pensar em uma coisa que correu bem naquele durante o dia.

MICRO-HÁBITOS PARA REDUZIR O ESTRESSE

1. Depois de acordar pela manhã, eu vou abrir uma janela e respirar fundo algumas vezes.
2. Depois de ligar o chuveiro, eu vou fazer uma oração de gratidão em silêncio.
3. Depois de me servir de café ou chá, eu vou sentar na minha almofada de meditação.
4. Depois de colocar as crianças no ônibus da escola, eu vou expressar um pensamento de gratidão a um vizinho.
5. Depois de me sentar com minha xícara de café, eu vou abrir meu diário.
6. Depois de começar a fazer exercícios, eu vou dizer: "Paz é cada passo." (Thich Nhat Hanh)
7. Depois de perceber que tenho um período de tempo X antes de precisar sair, eu vou ajustar um cronômetro no meu celular.
8. Depois de terminar o almoço no trabalho, eu vou dar uma volta do lado de fora.
9. Depois de chegar à minha consulta, eu vou guardar meu celular e ficar em contato só com meus próprios pensamentos edificantes.
10. Depois de fechar minha mochila do trabalho, eu vou arrumar minha estação de trabalho por cinco minutos.
11. Depois de me sentar no trem, eu vou abrir meu aplicativo de meditação.
12. Depois de receber um e-mail da associação de pais e mestres pedindo ajuda, eu vou responder: "Desculpe por não poder ajudar desta vez, mas, por favor, não deixe de me escrever no futuro."
13. Depois de ficar chateado com um membro da família, eu vou dar uma volta sozinho até a caixa de correio.
14. Depois de levar o cachorro para passear, eu vou identificar um pássaro ou planta que tenha visto.
15. Depois de lavar a louça do jantar, eu vou fazer um chá de ervas.
16. Depois de colocar meus filhos para dormir, eu vou acender uma luminária e apagar as luzes principais.
17. Depois de tomar banho, eu vou passar algumas gotas de óleo essencial.
18. Depois de vestir meu pijama, eu vou preparar um item para o dia seguinte.
19. Depois de me deitar, eu vou fechar os olhos e entoar: "Ohm."
20. Depois de colocar minha cabeça no travesseiro, eu vou pensar em uma coisa daquele dia pela qual sou grato.

MICRO-HÁBITOS PARA EQUIPES

1. Depois de chegarmos ao trabalho, nós vamos estacionar na vaga mais distante.
2. Depois de ligar o computador, nós vamos ouvir a caixa postal do celular.
3. Depois de redigir um e-mail com informações confidenciais, nós vamos verificar se ele está sendo enviado apenas aos destinatários necessários.
4. Depois de enviarmos o relatório trimestral, nós vamos trocar um "high five" com um dos membros da equipe (virtualmente ou pessoalmente).
5. Depois de ouvirmos o feedback negativo de um cliente, nós vamos dizer exatamente o seguinte: "Obrigado pelo valioso feedback. Vou compartilhar isso com minha equipe."
6. Depois de recebermos um feedback positivo de um cliente, nós vamos imprimir o e-mail e prendê-lo no quadro de elogios na sala de descanso.
7. Depois de agendarmos uma reunião de equipe, nós vamos enviar um e-mail solicitando os temas da reunião.
8. Depois de voltarmos para nossas mesas após usar o banheiro, nós vamos limpar um item da estação de trabalho.
9. Depois de chegarmos a uma reunião, nós vamos colocar nossos telefones em modo "não perturbe".
10. Depois de encerrarmos uma reunião, nós vamos arrumar as cadeiras da sala de reuniões.
11. Depois de limparmos o quadro branco, nós vamos limpar e organizar a mesa.
12. Depois de um funcionário nos apresentar um problema, nós vamos dizer: "Qual você acha que é o melhor caminho a seguir?"
13. Depois de encerrarmos uma reunião, nós vamos perguntar: "Qual foi a surpresa da reunião de hoje?" e ouvir a resposta de cada membro da equipe.
14. Depois de pegarmos o último item de um material de escritório, nós vamos enviar um e-mail ao responsável dizendo qual o item esgotado.
15. Depois de definirmos a data do almoço coletivo mensal da equipe, nós vamos passar uma planilha para sabermos quem vai trazer o quê.
16. Depois de terminarmos de comer na sala de descanso, nós vamos limpar a bancada.
17. Depois de darmos as boas-vindas a um novo funcionário, nós vamos acompanhá-lo pelo escritório e fazer breves apresentações individuais.
18. Depois de desligarmos o computador, nós vamos arquivar uma pilha de papéis.
19. Depois de desligarmos o computador, nós vamos trancar nossos arquivos.
20. Depois de fecharmos o escritório ao fim do dia, nós vamos nos certificar de que as luzes, os ventiladores e os aquecedores estão todos desligados.

MICRO-HÁBITOS PARA AUMENTAR A PRODUTIVIDADE

1. Depois de abrir minha agenda, eu vou pegar um arquivo relacionado às tarefas do dia.
2. Depois de me sentar à minha mesa, eu vou colocar meu telefone em modo "não perturbe".
3. Depois de fechar a porta da minha sala, eu vou organizar um item que esteja fora do lugar.
4. Depois de terminar de ler meus e-mails, eu vou fechar a guia do navegador.
5. Depois de abrir um novo documento do Word, eu vou ocultar todos os outros programas em execução no meu computador.
6. Depois de me pegar zapeando desatento pelas mídias sociais, eu vou fazer log out.
7. Depois de me sentar para uma reunião, eu vou escrever o tema, a data e os participantes no topo da folha de anotações.
8. Depois de notar que uma ligação está durando mais tempo que o esperado, eu vou dizer exatamente: "Foi ótimo conversar, mas preciso desligar. Há algo de importante que ainda não tratamos?"
9. Depois de ler um e-mail importante, eu vou arquivá-lo na pasta do respectivo projeto.
10. Depois de ler um e-mail com o qual não posso lidar imediatamente, eu vou marcá-lo como "não lido".
11. Depois de ler um e-mail sobre um assunto urgente, eu vou responder exatamente: "Recebido. Vou revisar em detalhes e entro em contato em breve."
12. Depois de desligar o computador, eu vou preparar uma lista das tarefas do dia seguinte.
13. Depois de arrumar minha mochila do trabalho, eu vou revisar meu quadro branco e minha agenda.
14. Depois de sair do escritório, eu vou pensar em um sucesso daquele dia.
15. Depois de chegar em casa do trabalho, eu vou pendurar minhas chaves no lugar.
16. Depois de entrar na cozinha, eu vou colocar meu celular para carregar.
17. Depois de tirar a roupa do trabalho, eu vou pendurar ou guardar uma peça que estava vestindo.
18. Depois de revisar uma conta, eu vou colocá-la no envelope dos pagamentos.
19. Depois de pegar minha pilha de contas, eu vou pegar a caixa com meu talão de cheques, minha caneta, meus envelopes e meus selos.
20. Depois de começar a tomar meu banho à noite, eu vou pensar: *Como sou tão incrivelmente produtivo?*

MICRO-HÁBITOS PARA UMA MENTE SAUDÁVEL

1. Depois de sair da cama pela manhã, eu vou fazer uma breve oração.
2. Depois de abrir o chuveiro, eu vou fazer um alongamento completo.
3. Depois de ligar a cafeteira, eu vou jogar tênis de mesa comigo mesmo.
4. Depois de terminar meu café da manhã, eu vou estender meu tapete de ioga.

5. Depois de abrir o jornal, eu vou resolver um item das palavras cruzadas.
6. Depois de preparar meu café da manhã, eu vou adicionar algumas fatias de abacate.
7. Depois de me sentar no ônibus ou no trem, eu vou fazer um exercício para aprender o idioma havaiano.
8. Depois de sair de casa para dar uma volta, eu vou dar *play* para ouvir um podcast.
9. Depois de terminar de ouvir um episódio de podcast, eu vou pensar em um insight que tive graças a ele.
10. Depois de perceber pensamentos negativos surgindo, eu vou perguntar a mim mesmo se eles são verdadeiros.
11. Depois de abrir minha agenda para planejar a semana, eu vou escolher uma receita com curry para preparar.
12. Depois de fazer uma lista de compras, eu vou adicionar uma fruta ou vegetal diferente.
13. Depois de entrar no mercado, eu vou primeiro ao setor das hortaliças.
14. Depois de preparar meu lanche da tarde, eu vou fazer uma xícara de chá verde.
15. Depois de voltar para casa após as tarefas, eu vou abrir o Duolingo.
16. Depois de sentir fome à tarde, eu vou comer um punhado de mirtilos.
17. Depois de ligar o forno, eu vou colocar um disco de música clássica para tocar.
18. Depois de tomar minhas vitaminas da noite, eu vou tocar meu ukulele.
19. Depois de me sentar no sofá após o jantar, eu vou abrir meu caderno de gratidão.
20. Depois de ajustar o alarme à noite, eu vou ler um versículo das Escrituras.

MICRO-HÁBITOS PARA FORTALECER RELACIONAMENTOS PRÓXIMOS

1. Depois de arrumar a cama, eu vou dar um abraço na minha esposa.
2. Depois de terminar de passar o fio dental, eu vou escrever uma pequena mensagem de amor no espelho com uma canetinha.
3. Depois de fazer uma pausa para o café, eu vou enviar uma mensagem de agradecimento à minha esposa.
4. Depois de ouvir um ótimo podcast, eu vou enviar o link do episódio para o meu melhor amigo.
5. Depois de ver um vizinho, eu vou dar um aceno e perguntar: "Como está, quais as novidades?"
6. Depois de me sentar para tomar café com uma amiga, eu vou fazer uma pergunta específica sobre a vida dela.
7. Depois de ver o setor dos cartões no supermercado, eu vou comprar um cartão "Pensei em você" para enviar a alguém que eu amo.
8. Depois de ver na internet que uma amiga próxima está fazendo aniversário, eu vou enviar a ela um breve áudio com uma mensagem de parabéns.
9. Depois de atualizar a planilha de despesas mensais, eu vou cumprimentar meu parceiro por um aspecto específico da contribuição dele para o nosso sucesso.

10. Depois de chegar em casa do trabalho ou de outras tarefas, eu vou abraçar minha esposa e meus filhos.
11. Depois de ouvir meu parceiro reclamar de uma dor ou de um incômodo, eu vou me oferecer para massagear suas costas por alguns minutos.
12. Depois de ouvir sobre o dia estressante de minha esposa, eu vou dizer: "Estou do seu lado."
13. Depois de agradecer a Deus pelo jantar que estamos prestes a comer, eu vou expressar gratidão pela minha esposa e família em minha oração.
14. Depois de sair da igreja, eu vou ligar para meus pais no caminho para casa.
15. Depois de fazer uma viagem especial para visitar familiares, eu vou compartilhar algumas fotos por e-mail e fazer um breve agradecimento.
16. Depois de sair de um evento com um amigo íntimo, eu vou enviar uma curta mensagem de texto agradecendo.
17. Depois de fazer um ótimo bolo caseiro, eu vou levar uma fatia para um vizinho ou amigo.
18. Depois que meus filhos receberem um presente, eu vou enviar uma rápida mensagem dizendo: "Recebemos X. Uau, foi muito atencioso. Obrigado!"
19. Depois de planejar uma viagem rápida com meu parceiro, eu vou perguntar se há algo especial que ele gostaria de ver ou fazer.
20. Depois de fazer as malas para passar um fim de semana fora, eu vou colocar uma surpresa especial para as pessoas que estiver indo visitar.

MICRO-HÁBITOS PARA MANTER O FOCO

1. Depois de chegar em casa do trabalho, eu vou colocar meu telefone em "modo avião" e guardá-lo na mochila.
2. Depois de tirar a mochila quando chegar ao trabalho, eu vou escolher uma tarefa importante que quero completar imediatamente.
3. Depois de escolher minha tarefa importante, eu vou limpar minha mesa de todas as distrações.
4. Depois de limpar minha mesa, eu vou ajustar o cronômetro para 45 minutos.
5. Depois de definir o cronômetro, eu vou colocar meus fones de ouvido para sinalizar para as outras pessoas que eu não quero ser incomodado.
6. Depois de colocar meus fones de ouvido, eu vou fechar todos os programas desnecessários no computador.
7. Depois que o cronômetro tocar, eu vou listar qual deve ser minha próxima tarefa e fazer uma pausa.
8. Depois de me sentar do lado de fora durante a pausa, eu vou meditar por três respirações ou mais.
9. Depois de voltar ao escritório, eu vou pegar uma xícara de café fresco.
10. Depois de verificar se há mensagens urgentes, eu vou ativar a resposta automática do e-mail que diz que não estou lendo as mensagens naquele momento.
11. Depois de decidir sair para almoçar, eu vou anotar a próxima etapa do meu projeto (a fazer imediatamente após voltar).
12. Depois de sentar para almoçar, eu vou checar se há mensagens pessoais urgentes.

13. Depois de guardar meus utensílios do almoço, eu vou dar uma volta lá fora para recarregar as energias.
14. Depois de verificar se há e-mails urgentes após o almoço, eu vou ativar a resposta automática do e-mail que diz que não estou lendo as mensagens naquele momento.
15. Depois de definir o próximo projeto a fazer, eu vou listar rapidamente as etapas do projeto.
16. Depois de ouvir um pedido de ajuda de alguém em uma tarefa, eu vou dizer: "Agora não posso. Desculpe."
17. Depois de terminar o lanche da tarde, eu vou ajustar o cronômetro para uma soneca de dez minutos.
18. Depois de entrar na sala de projeto, eu vou fechar a porta e pendurar um aviso de "não perturbe" na maçaneta.
19. Após o início da reunião de projeto, eu vou começar a fazer anotações (para me manter atento).
20. Depois de sair para voltar para casa, eu vou dizer: "Como sou tão bom em manter o foco?"

MICRO-HÁBITOS PARA ABANDONAR HÁBITOS

1. Depois de fazer a barba, eu vou passar esmalte amargo em uma unha.
2. Depois de levar meus pertences para o carro, eu vou colocar meu telefone no porta-malas.
3. Depois de me preparar para dormir, eu vou deixar meu telefone carregando em outro cômodo durante a noite, para não olhar o Facebook na cama.
4. Depois de desligar meu computador à noite, eu vou juntar todos os papéis da minha mesa e colocá-los em uma caixa para não aumentar a bagunça.
5. Depois de sair de casa para trabalhar, eu vou pegar um caminho que não passe por restaurantes de fast-food.
6. Depois de terminar de jantar, eu vou escovar os dentes imediatamente para interromper o hábito de beliscar à noite.
7. Depois de começar a preparar o jantar, eu vou me servir de uma bebida não alcoólica.
8. Depois de fazer um lanche, eu vou fechar e guardar o recipiente do lanche.
9. Depois de beber uma taça de vinho, eu vou colocar detergente na taça.
10. Depois de chegar a uma festa, eu vou deixar os cigarros no carro.
11. Depois de chegar à minha mesa, eu vou colocar meu telefone em "modo avião".
12. Depois de me sentar ao carro, eu vou ligar o telefone em "modo não perturbe".
13. Depois de terminar de jantar, eu vou jogar as migalhas da mesa no meu prato para não repetir.
14. Depois de terminar meu prato, eu vou jogar pimenta nas batatas fritas restantes.
15. Depois de chegar a uma festa, eu vou dizer ao anfitrião: "Não vou beber hoje à noite."
16. Depois de parar de jogar numa máquina caça-níqueis, eu vou dar a meu amigo o dinheiro que resta e direi: "Não me deixe jogar de novo, ok?"
17. Depois de chegar a um restaurante, eu vou desligar o celular.

18. Depois de me sentar em um restaurante, eu vou dizer: "Não quero pão nem batatas fritas, por favor."
19. Depois de fazer xixi, eu vou baixar o assento da privada.
20. Depois de desligar a TV à noite, eu vou desligar o roteador Wi-Fi também.

MICRO-HÁBITOS PARA VIAGENS DE NEGÓCIOS

1. Depois de imprimir meu cartão de embarque em casa, eu vou atualizar os audiobooks e os filmes no meu iPad.
2. Depois de arrumar a mala, eu vou listar o que preciso fazer de manhã antes de sair de casa.
3. Depois de passar pela segurança, eu vou comprar uma salada para levar no voo.
4. Depois de chegar ao portão de embarque, eu vou alongar as pernas e os ombros.
5. Depois de me sentar no meu lugar, eu vou colocar fones de ouvido e dar *play* em um TED Talk.
6. Depois de o comissário me oferecer um lanche não saudável, eu vou dizer: "Não, obrigado."
7. Depois de aterrissar em meu destino, eu vou enviar uma mensagem para minha esposa com um emoji avisando que cheguei.
8. Depois de entrar no quarto de hotel, eu vou tirar meu material de trabalho e a maioria das minhas roupas da mala.
9. Depois de ver o menu de bar no meu quarto de hotel, eu vou guardá-lo no armário ou na gaveta.
10. Depois de desfazer as malas no meu quarto de hotel, eu vou descobrir onde fica a academia.
11. Depois de pendurar o aviso de "não perturbe" na porta, eu vou ligar o aplicativo de ruído branco no meu telefone.
12. Depois de me deitar, eu vou ligar para minha esposa.
13. Depois que meu alarme tocar pela manhã, eu vou me levantar e abrir as cortinas.
14. Depois de passar o fio dental, eu vou sorrir para mim mesmo e dizer: "Hoje será um ótimo dia."
15. Depois de me sentar com uma xícara de café, eu vou fazer minhas anotações para me preparar para a reunião.
16. Depois de ouvir os nomes das pessoas na reunião, eu vou anotá-los e chamá-las por eles.
17. Depois de passar pela segurança voltando para casa, eu vou passar numa loja para comprar uma lembrança para meus filhos.
18. Depois de me sentar junto ao portão de embarque, eu vou enviar uma mensagem para minha esposa sobre o status do voo.
19. Depois de me sentar no avião voltando para casa, eu vou fazer uma lista de pessoas para agradecer pela viagem de negócios.
20. Depois de chegar em casa, eu vou abrir minha mala imediatamente para desfazê-la mais facilmente.

Máximas do Design de Comportamento

Levei mais de dez anos para descobrir os princípios mais importantes a levar em conta quando estamos projetando mudanças de comportamento. Acabei por encontrar as respostas, e digo que são minhas máximas. As provas são incontestáveis: se você não seguir essas duas máximas, seu produto ou serviço não conquistará as pessoas ao longo do tempo.

Essas duas máximas também se aplicam à forma como projetamos mudanças em nossas vidas. Como explico neste livro, você precisa fazer duas coisas: (1) *Ajudar a si mesmo a fazer o que você já quer fazer* e (2) *Ajudar a si mesmo a se sentir bem-sucedido.*

Se você quiser mais ferramentas e mais recursos, como estudos de caso, planilhas e resumos de aulas, pode encontrá-los em TinyHabits.com/resources.

Primeira Máxima do Design

Ajude as pessoas a fazer o que já querem fazer

Segunda Máxima do Design

Ajude as pessoas a se sentirem bem-sucedidas

Este livro foi impresso pela Gráfica Vozes,
em 2022, para a HarperCollins Brasil. O
papel do miolo é pólen natural 80g/m² e o
da capa é cartão 250g/m².